Queridos leitores amigos esta obra foi revisada e atualizada para poder auxiliá-los ainda mais em suas buscas pelo autoconhecimento. O áudio complementar deste livro está disponivel em nosso site www.linguagemdocorpo.com.br. Atualizei também as dicas de terapeutas e livros no final desta obra.

Este livro se tornou ainda mais especial para suas consultas e para a realização da verdadeira saúde física, psíquica, emocional e espiritual.

Que Deus os ilumine sempre e que esta leitura possa torná-los muito mais felizes e saudáveis.
Com carinho

Cristina Cairo

Linguagem do Corpo 1

Aprenda a ouvir o seu corpo para uma vida saudável

Cristina Cairo

LINGUAGEM DO CORPO

1ª edição • 7ª reimpressão • 2025

CAIRO EDITORA
A chave da vida

Copyright texto © 1999 Cristina Cairo
Copyright edição © 2017 Cairo Editora

Todos os direitos reservados. Nenhuma parte deste livro pode ser reproduzida ou transmitida em qualquer forma ou por qualquer meio, eletrônico ou mecânico, incluindo fotocópias, gravação ou qualquer armazenamento de informação, e sistema de cópia, sem permissão escrita da editora.

Todos os direitos desta edição reservados à

Cairo Editora • A Chave da Vida
Rua Pelotas, 98 - Vila Mariana
04012-000 - São Paulo/SP - Brasil
Telefones: 55 (11) 5083-8948 / 5574-9010
Atendimento@cairoeditora.com
www.cairoeditora.com.br

Direção Editorial: Luiz Cairo Neto

Cairo Editora Internacional • A Chave da Vida
12 St. Joseph's Avenue, Clonsilla
Dublin, Ireland - D15 C82X
Phone: +353 87 2566765 / +33 7 49680285
contact.us@cairoeditora.com
www.cairoeditora.com

Direção Editorial: Luiz Fernando Cairo & Luiz Roberto Cairo

Direção editorial: Luiz Cairo Neto
Primeira Revisão: Francisco Cairo
Foto da capa: JC Santos
Foto da contracapa: Luiz Cairo Neto
Diagramação: Tatiana Pessoa e Kauan Fonseca Caetano

Dados Internacionais de Catalogação na Publicação (CIP)
(Câmara Brasileira do Livro, SP, Brasil)

Cairo, Cristina
Linguagem do corpo 1 - Aprenda a ouvir o seu corpo para uma vida saudável /
Cristina Cairo – 1. ed. – São Paulo : Cairo Editora - A Chave da Vida, 2017.
Bibliografia
ISBN 978-85-69381-05-1

1. Autoconsciência 2. Cura mental 3. Doenças - Causas 4. Emoções 5. Manifestações psicológicas de doenças 6. Programação neurolinguística I. Título

12.10802   CDD-158.1

Índices para catálogo sistemático:
1. Doenças : causas emocionais : Psicologia aplicada 158.1
2. Emoções como causas de doenças : Psicologia aplicada 158.1
3. Razão e emoção : Equilíbrio : Psicologia aplicada 158.1

Photo on Visual hunt

Agradecimentos

Além de agradecer aos mestres, com quem estudei, agradeço ao meu pai, Francisco Cairo, que dedicou dias e noites para a revisão deste livro e colaborou com novas ideias para a sua construção. À minha mãe Elza, que participa ativamente dessa busca espiritual e que, também, colaborou com ideias e críticas construtivas. Ao meu irmão Ricardo, com sua mente analítica que me fez encontrar várias respostas quanto à força mental e, igualmente, ajudou com críticas construtivas.

Agradeço ao saudoso Ronaldo Gonçalves Côrtes e à querida Helena Côrtes, diretores dos Jornais de Bairros Associados, que sempre acreditaram em meu trabalho e por quem tenho enorme carinho e amizade.

Devo agradecer a um amigo que, indiretamente, colaborou com meu crescimento, tendo-me impressionado com uma ajuda moral — Lafaiete Pietoso. Ao grande amigo Flávio Emílio N. Junqueira, que me transmitiu grandes conhecimentos, com carinho e paciência.

E um agradecimento especial ao Dr. José Álvaro da Fonseca pela paciência e amizade com que me mostrou novos caminhos para trilhar.

Agradeço também aos queridos amigos e irmãos Edenilson Junior Santana de Matos e Daiane Santos Alexandre pela dedicação na transcrição dos novos conteúdos deste livro.

E agradeço profundamente ao meu querido companheiro de jornada, Luiz Cairo Neto, pela iniciativa de montar a Cairo Editora para que eu possa publicar os meus livros com liberdade de expressão.

E, finalmente, agradeço a Deus e às entidades de Luz, por me darem a oportunidade de colaborar no reajuste de nossa Terra querida.

NASA on The Commons on Visual Hunt / No known copyright restrictions

Dedicatória

Dedico este livro a todas as pessoas que acreditam no poder da nova Era de Aquário e àquelas que acreditam que ainda temos muito para aprender, pois, o que nos foi ensinado até hoje não passa de uma partícula incompleta de um universo infinito.

Sumário

Prefácio 18
Como ler este livro 19
Introdução 20
A verdade destruída do passado 24
    Grandes homens 26
    Esclarecendo 28
    Pense nisso 30
Comunicação universal 31
    Conheça a base da PNL Programação Neurolinguística 33
        Conhecendo-se através dos hemisférios cerebrais 35
    A psicanálise admite 37
    Aprenda a analisar psicologicamente 39
    Descubra-se em seu corpo 42
    Doenças ou acidentes no lado direito do corpo 47
    Doenças ou acidentes no lado esquerdo do corpo 47
    Influencias do meio ambiente 48
    A linguagem do corpo 52
Capítulo 1 - Cabeça e seus órgaos dos sentidos 54
    Cabeça 55
    Fé sem perdão não funciona 56
        Enxaqueca e dor de cabeça 58
        Derrame cerebral 60
        Epilepsia 60
    Olhos 62
        Deseje ver 66
        Miopia 67
        Hipermetropia 69

Astigmatismo 70
Estrabismo 72
Presbiopia e arteriosclerose 74
Daltonismo 75
Olhos vermelhos 76
Tumefação e inchaço na região acima dos olhos 76
Tumefação e inchaço ao redor dos olhos 77
Terçol 77
Conjuntivite 77
Ouvidos 78
  Labirintite 80
Nariz 81
  Sinusite – Rinite 82
  Coriza 85
Boca 85
  O estado do corpo simboliza a própria pessoa. 85
Garganta 87
  Tosse 88
  Catarro 88
Cabelo 89
  Calvície 89
  Eczema na cabeça 94
  Eczema em criança 95
  Eczema em adulto 96
Capítulo 2 - Coluna vertebral 97
  Coluna vertebral 98
    Vértebras torácicas 100
    Vértebras lombares 100
    Sacro 101
    Cóccix 102
    Dor ciática 103

Resolvendo os problemas de coluna 103
Capítulo 3 - Articulações 105
    Articulações 106
        Artrose 106
        Artrite 108
        Cotovelos 109
        Entorses 109
        Hérnia de disco 110
        Inflamação 110
        Joelhos 111
        Ombros 112
        Pulsos 114
        Tornozelos 116
Capítulo 4 - Ossos 117
    Ossos 118
        Ossos deformados 119
    Dentes 121
        Problemas de canal 123
    Osteoporose 123
Capítulo 5 - Braços, mãos, dedos e unhas 126
    Braços 127
    Mãos 129
    Dedos 130
        Dedo indicador 130
        Dedo médio 130
        Dedo anular (ou anelar) 130
        Dedo mínimo 130
        Dedo polegar 131
        Dedos dos pés 131
    Unhas 132
        Unha encravada 133

Capítulo 6 - Pernas, pés e seus problemas 135
    Pernas 136
        Varizes 137
    Pés 139
Capítulo 7 - Pele 141
    Análise da pele 142
        Manchas na pele 142
        Manchas brancas nos braços 142
        Alergia na pele 143
        Rosto inflamado 144
        Espinhas e furúnculos 144
        Queimadura (ver Febre) 145
        Papada 145
        Verrugas 147
        Rugas 148
Capítulo 8 - Evolução 150
    Evolução 151
    Rejuvenescimento 153
    Fotos Kirlian e análises 157
Capítulo 9 - Músculos: dor e estética 164
    Músculos 165
        Problemas no músculo do pescoço 168
        Costas 169
        Cãibras 170
Capítulo 10 - Obesidade: causas 172
    Gordura 173
    Tireoide 177
    Moléstia de Basedow (tireoide inchada) 180
    Celulite 181
    Culote 186
    Glúteos 188

Capítulo 11 - Problemas no sangue 191
   Sangue 192
      Hemorragia 192
      Reumatismo no sangue 194
      Leucemia e hemofilia 195
      Leucócitos e hemácias 195
      Anemia 199
      Vírus – Bactérias – Vermes 203

Capítulo 12 - Mal-estares em geral 207
   Mal-estar 208
      Dor 208
      Gripes e resfriados 209
      Fadiga 211
      Estafa 212
      Insônia 212
      Hipertensão 215
      Pressão alta 215
      Pressão baixa 219
      Febre 221
      Medo 223
   Medo e ira — inimigos do nosso organismo 226

Capítulo 13 - Glândulas 228
   Mamas ou seios 229
   Tireoide 233

Capítulo 14 - Análise psicológica dos órgãos internos 234
   Coração 235
   Intestinos 238
     Ânus 244
      Hemorroidas 245
   Útero 246
   Órgãos Sexuais 253

Vaginite 253
Próstata 256
Pulmões 260
    Pneumonia 262
    Tuberculose 263
    Bronquite 264
    Bronquite asmática nas crianças 265
    Asfixia 267
Estômago 268
    Gastrite 272
    Úlcera 273
    Enjoo 274
        Enjoo em carro 276
        Enjoo no mar 276
        Enjoos na gravidez 278
    Azia 280
Rins 282
Pâncreas 286
    Diabetes 288
    Hipoglicemia 290
Fígado 293
    Hepatite 294
    Alcoolismo 296
Vesícula 303
Apêndice 306
    Apendicite 306
Bexiga 309
    Cistite 311
Baço 312
Capítulo 15 - Outras doenças 315
    Câncer 316

- AIDS 322
- Outras Doenças 325
- A cura pela hipnose no século XIX 326

Capítulo 16 - Dor de cabeça 333
- Dor de cabeça e enxaqueca 334
- As leis do universo 338
- A lei dos semelhantes que se atraem 340
- Lei da projeção 341
- A lei de causa e efeito 342
- A lei do retorno 344
- A lei do silêncio 345
- A lei da doação 346
- Lei do distanciamento 347
- Você é o que você pensa 349
- Os ensinamentos dos mestres 350
- Crie sua felicidade 351
- Exercícios 351
- A energia vital 352
- Terapias alternativas 352
- Sobre o amor e a docilidade 353

Capítulo 17 - Depressão e Síndrome do Pânico 356
- Depressão e Síndrome do Pânico 357
  - Depressão 357
  - Depressão camuflada 364
  - Depressão pós-parto 368
  - Depressão e abstinência 370
- Como tomar clorofila 379
- Oração do Perdão 383
- Oração do Perdão 385
- Conheça os diferentes tipos de terapia 388
- Síndrome do Pânico 395

    Exercício de Relaxamento 405
    Material.. 405
    Método 405
    Exercício respiratório 407
    Aproveite a natureza para relaxar... 408

Profissionais e Livros que podem auxiliá-lo em sua saúde........ 410
    Profissionais.. 410
    Astrólogos com Linguagem do Corpo................................. 413
    Indicações em Portugal..414
    Psicólogos e Psicanalistas Formados pela Escola Brasileira de Linguagem do Corpo Cristina Cairo..................................... 416
    Pousadas para Retiros Espirituais... 417
    Medicos Metafísicos 418
    Alimentação Saudável 420
    Obras da Autora Cristina Cairo 420
    DVD 421
    Livros... 421

Prefácio

Após meses de exaustivo trabalho na elaboração deste livro, que teve minha modesta participação na digitação e revisão, minha filha perguntou-me:

"Pai, sabe quem vai prefaciar meu livro?" "Não, não sei", – respondi-lhe. Ela, candidamente: "você!" Realmente, sua escolha assustou-me. Fiz aquele "charminho", claro: – Imagina, filha, o que é isso? Eu???!" (mas, na realidade, adorei).

Em matéria de livros, ambos somos debutantes: ela, como escritora – porque domina o assunto – e eu, como revisor, obviamente dentro dos meus limites.

Confesso que, em determinados momentos da digitação, esquecia-me que estava revisando e ficava fascinado com a leitura de trechos soberbos, como:

A Linguagem do Corpo ou *Fé sem perdão não funciona*, e outros mais.

Trata-se de uma autêntica viagem pelos meandros da mente até o recôndito do subconsciente, descortinando e desmistificando aquilo que chamamos de *doença*.

Este trabalho é um chega-prá-lá no pessimismo e conduz o leitor a um estado de graça e crença em si mesmo, devolvendo-lhe a fé, talvez há muito perdida.

A assertiva de que a doença não existe, repetida "ene" vezes em todo o livro, tem o condão de despertar no indivíduo que qualquer distúrbio orgânico tem estreita ligação com os estados emocionais ou comportamentais, conscientes ou inconscientes, recentes ou não.

Antes do pai, é o fã incondicional dessa moça quem fala de seu trabalho admirável, feito com o intuito único de proporcionar àqueles que vivem submissos a todo tipo de sofrimentos, sejam físicos ou psicológicos, a possibilidade de encontrarem sua cura pela fé e pelo perdão.

Que Deus a abençoe, minha filha!

Francisco Cairo

Como ler este livro

Esta obra é considerada um livro de pesquisas, portanto, caro leitor, leia até a página 52, sob o título Linguagem do corpo a partir daí, sinta-se livre para buscar o que mais lhe interessa, pelo índice e, por fim, continue lendo a partir da página 315 *Outras Doenças*. Aconselho ler *Fé sem perdão não funciona*, na página 56 e *Medo*, na página 223. Boa sorte!

Introdução

O corpo humano, devido às constantes transformações e contradições que a própria medicina não consegue explicar, vem sendo estudado há milênios.

Os cientistas, em permanentes pesquisas, descobrem métodos de tratamento cada vez mais eficazes: chegam a transformar seres humanos em autênticos *ciborgs*. Hoje em dia, até determinados órgãos de animais e órgãos clonados ou cibernéticos são implantados nos humanos, salvando vidas. Mas, contudo, existirá sempre uma lacuna a ser preenchida.

A mente humana redescobre, cada vez mais, o poder da tecnologia e avança destemidamente para fora do planeta em busca da verdade ou fragmentos dela. Hoje, clonam animais, humanos e até criam novos seres como no antigo Egito.

Estamos vivendo hoje, as tecnologias que eram consideradas ficção científica dos filmes "Jornada nas estrelas Star Trek" e já estão sendo utilizadas essas tecnologias que antes consideravam impossíveis de existir. Um exemplo delas é o "raio trator" que os cientistas da NASA, do Japão, da Rússia e de outros países que se uniram para desenvolver uma defesa para nosso planeta contra asteroides que se dirigem para a Terra, realizaram depois de muitos erros e acertos. Com tudo, precisam alterar também os sistemas de crenças para que o ser humano não perca sua humanidade para as máquinas e para que possamos viver com as facilidades que as máquinas nos proporcionam na paralela da nossa evolução espiritual e mantermos assim, o calor do amor em nossos corações e não a frieza da inteligência artificial das novas gerações.

Mostro neste livro que, por mais que se busquem respostas no futuro, na tecnologia e na ciência cartesiana (materialista) não conseguirão desvendar determinados mistérios se não aceitarem trabalhar com as Leis naturais que regem o nosso Universo.

A doença sempre foi um mistério diante do qual todos os grandes sonhos perdem a força e o mundo passa a parecer nublado. Onde está a felicidade, então?

Pesquisadores e estudiosos sérios tentam constantemente provar a existência de outras forças atuando sobre o organismo. Sabem que em nossos vasos sanguíneos fluem propriedades semelhantes à eletricidade que os próprios médicos chamam de "Sistema Nervoso Elétrico".

A ciência médica, cada vez mais, está admitindo que o ser humano seja regido por uma espécie de eletricidade semelhante àquela que flui pelos fios de nossas casas. Mas muitos médicos esbarram na dúvida dessa realidade, talvez devido ao excesso de sua própria intelectualidade que os conduz ao questionamento e ao ceticismo característico da mente intelectual.

Isso gera uma constante polêmica que aumenta ainda mais a distância entre o ser humano e seu verdadeiro "eu".

Hoje até mesmo os cientistas conseguem comprovar não só a existência da Força Criadora em laboratórios como também comprovam a existência de outras energias através do efeito Kirlian. Infelizmente, muitos ainda resistem, seja por medo ou por qualquer outro motivo, e teimam em não acreditar e compreender sobre o funcionamento das outras dimensões e de outras leis da física que não podem ser ensinadas nas faculdades devido ao perigo que acarretam se forem utilizadas por pessoas que trabalham somente pelo desejo do poder.

O ser humano, devido à densidade mental que limitou sua consciência, estabeleceu três dimensões visíveis; comprimento, largura e altura - não considerou, entretanto, a vívida dimensão mental que possui como a quarta dimensão ou a percepção extrassensorial para guia-los nesta dimensão.

Por que os animais reagem a sons e imagens que você não percebe?

Por que eles farejam à longa distância? Porque sua fisiologia e seu campo etérico possuem uma sensibilidade maior que a dos seres humanos para sobrevivência e Anatomicamente foram desenvolvidos para nos guiar enquanto estivermos "cegos" de nós mesmos.

Está provada, pela física, a existência de cores, sons e aromas, além da nossa limitada percepção sensorial. Somos limitados por ignorância e falta de treino.

A mente humana foi arquitetada pela natureza, com equilíbrio e perfeição, para que pudéssemos usufruir dos benefícios das leis físicas e naturais do Universo, mas a consciência materialista afastou das culturas religiosas e educacionais todo o conhecimento que liberta e que cura o ser humano.

A PNL (Programação Neurolinguística), que abordaremos nas próximas páginas, nos ensina, cientificamente, que as pessoas são vítimas de suas próprias criações mentais e que o cérebro pode ser programado a acreditar somente no que é registrado no seu inconsciente.

Desde criança somos influenciados pelo ambiente em que vivemos, fazendo de nossas vidas um espelho das atitudes e das crenças de outras pessoas.

Com este livro, pretendo fazer com que o leitor supere suas próprias crenças e dê a si mesmo a oportunidade de descobrir as dimensões escondidas no âmago de suas emoções. O leitor sentirá no decorrer da leitura que este livro está voltado exclusivamente para o seu controle emocional, para fazê-lo entender que sua saúde, suas finanças, sua vida familiar, amorosa e suas relações de amizade dependem do equilíbrio entre a razão e a emoção.

Após muitos anos de convívio com todas as raças, credos e sistemas educacionais percebi que a resistência contra ser autônomo emocional e espiritualmente existe em muitas pessoas porque temem a mudança. Esse medo foi gerado pelas religiões que surgiram para limitar a grande sede de conhecimento natural do ser humano, porque sabiam que os humanos possuem uma genética futurista e aventureira.

Seja qual for a sua crença, acrescente à sua cultura a informação de que tudo pode ser mudado se escolher novos caminhos sem medo e sem o complexo de culpa que injetaram em você.

Meu trabalho é a minha missão de relembrar o ser humano deste século que ainda temos tempo para criar um "efeito borboleta" e mudarmos o futuro deste planeta caminhando em direção ao grande amor Crístico.

Portanto, procurarei transmitir com simplicidade um conhecimento milenar de cura que não depende da capacidade intelectual do indivíduo, mas sim da percepção de seu próprio sistema interior.

Enquanto as pessoas buscarem a cura de suas doenças no corpo físico, continuarão soterradas sob uma avalanche de perguntas sem respostas, porque a doença não existe fisicamente, mesmo diagnosticada como existente.

O leitor que desejar se aprofundar nesses estudos e quiser conhecer melhor a ciência aplicada neste livro, encontrará, na última página, indicações de livros e endereços de profissionais sérios e mestres em atendimento às pessoas interessadas.

E então, caro leitor, você está pronto? Aperte o cinto porque vamos decolar!

A verdade destruída do passado

Entre os meus estudos sobre a dificuldade de o ser humano compreender os assuntos sobre a força mental, fiquei feliz ao encontrar no autor Nelson Liano Jr, que passa em seu livro *Bruxas: as Habitantes do Ar*, um dos motivos reais que geram essas dificuldades, pois mostra, claramente, o passado em chamas. Em reconhecimento à sua maravilhosa obra, transcrevo um trecho do livro que resume, grandemente, meu interesse em ajudar as pessoas a resgatarem, em seus corações, a verdade sobre a saúde e a felicidade.

"As correntes subterrâneas da prática e especulações religiosas foram relegadas àquelas que se encontravam em posição ameaçadora para as ortodoxias cristãs, que se lançaram às guerras santas das cruzadas. O dogma católico se impôs na parte ocidental da Europa à força de massacres contra os heréticos, expulsões e massacres de judeus, queima de bruxas, perseguições de grupos inteiros que ameaçavam a unidade da Europa sob a égide papal".

"A ideia do diabo tornou-se presente nos espíritos das gentes que o viam como agente provocador de todos os males que afligiam a cristandade"...

"As acusações de assassínio ritual e de prática de magia negra, as condenações e queimas de livros rabínicos, como o *Talmud*, liga-se ao combate e caça às bruxas, à guerra santa de extermínio, aos cátaros, à queima de cristãos novos e à criação da Santa Inquisição. Judeus, mulheres, místicos, revolucionários, acupunuristas, seitas heterodoxas, todos, destinados à fogueira purificatória. Os judeus, assim como as bruxas, eram acusados de praticar magia negra sob o disfarce da medicina, atentando contra a saúde dos cristãos. A peste negra que assolou a Europa no século XIV foi atribuída à ação maligna de judeus e bruxas. Sobre esse assunto, o cronista alemão Conrad Von Nemegenberg faz o seguinte relato: 'Foram achados numerosos poços envenenados e um número incalculável de judeus foi massacrado na Renânia, na Francônia e em todas as cidades alemãs... '

"Para atingir as suas pretensões hegemônicas, a cristandade não se limitava a queimar pessoas vivas. *A claridade provocada pelas chamas seculares das fogueiras, ao invés de iluminar o planeta, trouxe as trevas, destruindo todo o tipo de conhecimento que extrapolasse o limite imposto pelos dogmas da religião dominante. Ideologicamente os juízes inquisitoriais queriam extirpar da cultura humana tradições e costumes que ameaçassem o domínio do Vaticano, que significava o centro do poder político da época. Como os nazistas, fascistas, stalinistas e outros tipos de ditadores centralizadores de poder, os enviados papais percorriam a Europa destruindo toda espécie de literatura filosófica que desafiasse a 'Verdade Divina'.*" (grifo da autora)

Outra autora admirável, Helene Bernard, escreve em seu livro *As Grandes Iniciadas:* "Na verdade, a fé dos cátaros era tão grande que podia ser comparada à dos primeiros mártires do cristianismo". Sua doutrina era verdadeiramente inspirada pelo espírito do ideal cristão primitivo, antes de ele ter sido desvirtuado por algumas falsas interpretações.

"Receberam a morte pelo fogo com a mesma coragem dos mártires do tempo do Império Romano. E, entretanto, suas crenças foram de tal modo desfiguradas pelos inquisidores que eles foram acusados de admitir o suicídio como um ato desejável.

"Toda ação provoca uma reação e o poder dos papas, depois dessas lutas sangrentas, foi grandemente enfraquecido. Em vista da contínua e cruel violência do fanatismo dos inquisidores, das suas perseguições aos que se lhes opunham, as populações dos países ocidentais rejeitaram a autoridade espiritual da Igreja..."

Vamos resgatar os conhecimentos que se encontram fragmentados pelo mundo.

Aceite alguma ajuda "alternativa" e deixe-se levar pela magia dessa realidade! Deixe livre as águas do saber para que o mundo todo volte a conhecer os princípios da mente pura e, finalmente, que possa desatar os "nós" da saúde!

Grandes homens

Dados arqueológicos presumem que aproximadamente há cinco mil anos os chineses desenvolveram a automassagem *do in* durante o reinado de Chin Shih Huang Ti, o lendário Imperador Amarelo, considerado o pai da acupuntura e dos fundamentos da medicina chinesa.

Esse trabalho era baseado na teoria do *fluxo de ki*, a energia da vida. Hoje, todo esse movimento oriental do in, shiatsu, moxabustão, acupuntura e outro são comprovados pela da ciência médica ocidental. Os meridianos de energia localizados no corpo humano foram registrados, em nossa era, através de aparelhos eletrônicos altamente sofisticados e pelo efeito Kirlian.

Homens importantes na história do mundo criaram escolas e deram suas vidas para provar a existência de "forças energéticas", movimentando nossas células e tudo o mais que existe no Universo.

Os pitagóricos escreveram sobre a Escola Itálica, que Pitágoras fundou 492 anos a.C. e em que ensinava a seus adeptos a força da conduta e da mente sobre o corpo.

Grandes filósofos se manifestaram ativamente em suas respectivas épocas: Demócrito (362 a.C.); Tales (562 a.C.); Sócrates (399 a.C.); Heráclito (480 a.C.); Platão (347 a.C.); Aristóteles (322 a.C.) e muitos outros que, através do autoconhecimento, da física, da metafísica, matemática, astronomia, astrologia e medicina, reconheceram na mente o poder invisível da cura.

O conceito hoje estabelecido, a respeito das vidas dos

avatares Jesus e Sakiamuni (Buda), está preso a dogmas que as pessoas adquiriram através da educação pós-Inquisição porque grande parte da Verdade pregada pelos avatares, messias e profetas perdeu-se literalmente em cinzas, sendo preservada apenas por grupos de homens e mulheres, secretamente, devido a pressões políticas da época.

O Vaticano, a maçonaria, a Ordem Rosacruz e outras sociedades secretas possuem trancados em seus cofres os pergaminhos originais da época de Jesus Cristo, o que faz deles os grandes mestres dos "símbolos reais da salvação". Mas, sabe-se que o Vaticano não transmite a verdade, restringindo-se, apenas, àquilo que lhe convém para impedir que a humanidade destrua o poder de grandes líderes através da verdade. Jesus disse que a verdade nos libertaria e a verdade foi camuflada desde o último imperador de Roma: Constantino.

As religiões proliferam e se desunem, devido às interpretações variadas da Bíblia, dos outros livros sagrados e das sutras. Corrompem seus próprios princípios para garantirem sua crença e acabam se distanciando da poderosa frase do Mestre: "Ama a teu próximo como a ti mesmo".

Hoje, os grandes homens que conseguiram preservar a pureza e a simplicidade da alma trocam informações em Tradições, Ordens e Sociedades Secretas que são protegidas das mentes céticas contaminadas pela ignorância e pela sede de poder. Muitos católicos, evangélicos e espíritas preservaram em seus corações o verdadeiro ensinamento sem se deixarem corromper pela vaidade ou pelo fanatismo. Mas, este assunto é longo e polêmico. Ensinarei neste livro somente o que nos interessa sobre saúde, facilitando às pessoas a se autoconhecerem e a se conscientizarem do seu próprio poder de cura.

Esclarecendo

O **inconsciente** será a personagem principal deste livro e muitos de seus segredos serão revelados no decorrer de sua leitura. Você descobrirá como rejuvenescer, como melhorar sua estética, sua saúde e como realizar seus desejos através do seu inconsciente.

Este assunto é para ser praticado, não é utópico!

Portanto, como o acesso ao inconsciente exige compreensão e perspicácia, não pretendo complicar, muito menos revolucionar, quero apenas simplificar para que todos possam utilizar esses conhecimentos que foram esquecidos.

De nada adiantará colocar neste livro termos sofisticados e complexos que exijam pesquisas por parte do leitor, mesmo porque passei anos de minha vida pesquisando para concluir que tudo se resume na simplicidade do pensamento. Para atingirmos nossos objetivos, pela mente inconsciente, devemos falar e agir com objetividade, criando frases curtas e direcionadas para o nosso interior. Portanto, a linguagem deste livro será sempre simples para que todos possam encontrar suas respostas e até para facilitar aos estudantes universitários que estudam tantos livros e técnicas complexas.

Desejo que todas as pessoas, cada uma dentro de suas possibilidades, despertem a *vontade*, porque vontade é o que precisamos para combater o desânimo, a tristeza, a ira, etc., principais responsáveis pelas doenças.

Digo, com plena convicção, que o tempo não é o responsável pelas doenças e que a fatalidade não existe!

Afirmo que tudo depende do nosso próprio mundo interior, isto é, que nós geramos nesta vida o que inconscientemente achamos conveniente, independentemente de nossas vidas passadas. Tudo pode ser programado.

E o mundo é um grande espelho mágico! Atrairemos para a nossa vida aquilo em que acreditamos profundamente. Se acreditamos que determinadas pessoas são falsas e traiçoeiras, com certeza seremos atingidos por elas e, certamente, diremos: "Eu não disse? Não se pode confiar em ninguém!". E assim nosso ego estará realizado.

Mas, se ao contrário, acreditarmos que, assim como nós, todas as pessoas buscam a felicidade, que também necessitam de compreensão, que também alimentam o medo de serem atacadas e trapaceadas, se acreditarmos que todos buscamos o mesmo objetivo e que, no final do túnel, todos procurávamos a mesma coisa, certamente, seremos vistos da mesma forma e, pela lei da *causa e efeito,* seremos ajudados e benquistos.

Se você ainda não se convenceu disso, não é porque você seja realista ou porque tenha o "pé no chão". Isso nada tem a ver com o que eu disse.

Além do mais, é desnecessário ter o "pé no chão" quando o caminho de volta para suas convicções é bem conhecido por você, não é mesmo?

Solte-se e liberte-se das limitações impostas por suas próprias crenças. Comece mudando apenas o seu jeito de falar e perceba que as pessoas também mudarão sua maneira de falar.

Dirija seu ambiente com sua nova conduta e não espere que as coisas mudem por si mesmas: isso seria viver de ilusão!

Você pode ter e ser o que quiser se conseguir acreditar que tudo é reflexo de si mesmo. Acredite na forma do amor que borbulha dentro de cada um de nós! Acredite que, sem amor, o mundo se dirigirá para as conveniências que criam transtornos. Amar é deixar-se penetrar no mundo alheio, para compreendê-lo e não para julgá-lo ou transformá-lo.

O amor ultrapassa as barreiras do medo que limita o nosso dia a dia e a nossa saúde.

Amor é sinônimo de harmonia, de paz, de doação, de satisfação que fazem brilhar a luz do olhar e refletir no coração a alegria de viver: ame seu Planeta; ame seus pais; ame a tudo e a todos e você deixará de esperar algo de alguém, pois seu coração estará preenchido de felicidade.

Esperar algo em troca enfraquece a vontade. Quando esperamos demais, perdemos de vista a verdadeira troca e não percebemos, nem compreendemos o quanto os nossos valores são diferentes dos valores das outras pessoas. É por isso que nos magoamos quando não somos compreendidos ou reconhecidos pelos outros. Saia dessa casca de ovo e cresça!

As pessoas apenas refletem o que estamos espelhando, porém não é sempre que conseguimos ver nosso próprio reflexo. É observando os outros que saberemos como agimos verdadeiramente em nosso mundo interior e secreto.

Liberte-se dos fatores superficiais. Somos muito mais profundos do que mostram as aparências. Vamos melhorar a cada dia, para melhorarmos nosso ambiente, nosso mundo e nossa saúde!

Pense nisso

Alguma vez você percebeu que, "coincidentemente", no mesmo dia em que você estava triste, outras pessoas lhe pareceram tristes também?

Você até perguntou se elas estariam tristes, aborrecidas ou bravas com você! Será que elas não estariam, apenas, refletindo a sua própria tristeza? É possível que você mesmo tenha fechado as portas para que elas não se aproximassem para conversar.

Pense nisso e não julgue as pessoas antes de analisar suas próprias emoções.

Comunicação universal

A natureza criou a comunicação universal através de formas visíveis e invisíveis à sensibilidade humana. O ser humano desenvolveu formas de comunicação feitas pela associação de ideias e pela observação.

Milhares de anos se passaram até chegarmos à linguagem falada e escrita. Comparando os desenhos pré-históricos e inscrições hieroglíficas encontrados em camadas profundas da terra, percebemos o mesmo interesse entre os seres humanos. Com isso acredita-se que, pelas necessidades naturais do nosso planeta, foram sendo registrados, na mente humana, determinados movimentos corporais, expressões faciais e sons específicos que se tornaram comunicação universal, empírica e genética. Da mesma forma existe a comunicação do universo mente-corpo, mas eliminada da consciência humana por seres mentalmente densos e com interesses egoísticos, como já expliquei anteriormente.

Portanto, ajude sua mente a recobrar os sentidos observando, sinceramente, sua conduta diária. Dê mais atenção ao seu corpo e note que em determinados momentos de sua vida, sua saúde se altera quase que inexplicavelmente. Repare que, quando a turbulência dos seus problemas desaparece, você se encontra aparentemente aliviado das tensões, mas aparece o mal-estar, as dores de cabeça, problemas nos rins ou até o fígado debilitado que constituem uma série de mensagens do inconsciente sobre o corpo, difíceis de entender.

É desta maneira que a sua mente interna lhe diz que você resolveu os problemas, sejam eles de ordem familiar, profissional, amorosa etc, mas ficaram guardados no coração os sentimentos de mágoa, de orgulho ferido, de frustração porque as coisas não foram como você desejaria que fossem e até de raiva por ter passado por aquela situação.

Engane-se à vontade, mas saiba que seu inconsciente não pode ser enganado, pois ele sabe exatamente o que você pensa constantemente e, por isso, manda-lhe respostas e sinais o dia inteiro. Conheça essa sua outra parte.

A mente é o ponto de partida da saúde e o pensamento é o seu leme.

Na verdade, o corpo é a tela onde se projetam as emoções. E todas as emoções negativas são projetadas em forma de doenças. Essas somatizações acontecem a curto ou longo prazo e os sentimentos de infelicidade, de desgosto, de raiva, mágoa e ressentimentos arrastados por muito tempo dão origem às doenças mais graves.

Devemos solucionar as questões duvidosas e problemáticas de nosso coração o mais rápido possível para impedirmos o inconsciente de se comunicar através da linguagem do corpo alertando-nos sobre nossa conduta. *O inconsciente relaciona universalmente a função do órgão* a uma emoção equivalente.

Muitos estudiosos desse assunto são hoje mestres e pregam para o bem da humanidade, como por exemplo, a saudosa Louise L. Hay, autora do livro *Cure seu Corpo* que curou-se de um câncer maligno após compreender o processo de cura mental, mantendo uma atitude positiva em relação à doença.

Joseph Murphy, autor do livro *O Poder do Subconsciente*, também se curou de câncer maligno acreditando que seu estado de saúde era apenas projeção de sua mente negativa, corrigindo sua conduta mental através de exercícios de autossugestão.

O paranormal, psicólogo e médium Luiz Antônio Gasparetto divulga essa verdade através de seus programas de rádio e televisão, de CDs e livros, contendo exercícios de autoestima e de autoconhecimento.

O mestre Masaharu Taniguchi (1893-1985), Ph. D. fundador da Escola de Vida Seicho-No-Ie, através de seus livros e cursos ministrados por preletores instruídos por ele mesmo, nos ensina uma forma simples de compreender que as doenças são projeções da mente. Ele próprio curou-se de anemia crônica exercitando positivamente as suas emoções. A filosofia oriental é digna e precisa nesse aspecto.

A atriz Cláudia Jimenez (que atuou durante muito tempo no programa "Escolinha do Professor Raimundo" e representou a Bina na novela "Torre de Babel" — Rede Globo de Televisão), que se curou de câncer maligno através da autoestima, declara publicamente que sua cura foi através do autoconhecimento. Ela incentiva todo tratamento alternativo porque conhece o valor desse trabalho.

É com imenso prazer que relaciono, ao final deste volume, as diversas obras publicadas pelas pessoas acima citadas.

Conheça a base da PNL
Programação Neurolinguística

Para que você possa encontrar soluções por este livro

A PNL estudou profundamente as reações do corpo e encontrou os canais de acesso à mente inconsciente. Assim desenvolveu uma comunicação com todas as partes do cérebro para buscar a raiz das doenças no âmbito emocional e comprovou que, antes mesmo de um indivíduo verbalizar seus pensamentos ou sentimentos, o corpo, através do sistema nervoso, transmite movimentos musculares e oculares imperceptíveis. Essa comunicação não verbal pode trazer ao ser humano, como está trazendo, uma autocomunicação, o que quer dizer que, conhecendo-se a comunicação não verbal de si mesmo e das outras pessoas, é possível entender os porquês dos problemas de saúde ou pessoais.

Está comprovado que através dos movimentos dos olhos, da cor da pele e temperatura do corpo, ou movimentos sutis dos músculos, são reveladas as verdadeiras intenções de uma personalidade.

Atualmente, psiquiatras, psicólogos, médicos e até mesmo advogados e outros profissionais trabalham intensamente, aplicando os conhecimentos da PNL, obtendo resultados extremamente positivos em relação ao comportamento de clientes, ou funcionários, em se tratando de empresas.

Para atravessarmos as grandes nuvens de ilusão que escondem o nosso verdadeiro ser, é preciso, a cada momento, conhecer melhor o funcionamento da mente humana.

A PNL vem sendo desenvolvida desde a década de 1970, a uma velocidade incrivelmente assustadora. Foi criada, exatamente, em 1975, por Richard Bandler e John Grinder.

Em 1979, no Rio de Janeiro, foi realizado um *workshop*, dirigido por John O. Stevens, que trouxe estas informações a muitos terapeutas.

Posteriormente outros *workshops* foram realizados no Brasil por ilustres representantes da área.

A PNL não se limita apenas à mensagem cerebral porque já é um marco em nossas vidas, pois está mudando padrões antigos e renovando a mentalidade dos homens nos campos da comunicação, da saúde e, principalmente, fazendo com que as pessoas compreendam seu próprio sistema interno de comunicação. Isso significa que estamos começando a atravessar a ponte que nos levará a conhecer o maior de todos os mistérios da vida: nós mesmos.

O desenvolvimento e aperfeiçoamento desse trabalho estão resgatando do nosso âmago, as raízes do autoconhecimento que farão renascer, num futuro próximo, toda a sabedoria perdida do passado.

Temos de auxiliar as pessoas a reconhecerem a capacidade de contato consigo mesmas, pois o sofrimento crescente, as dúvidas e as más interpretações de determinados fenômenos afastam o ser humano cada vez mais de seu caminho.

O abismo entre o corpo e a mente necessita de uma ponte por onde as pessoas não tenham medo de atravessar para buscar respostas nas mãos do Grande Conselheiro que habita nosso templo interno.

Quando houver compreensão, respeito e convicção absolutos das leis do Universo ocorrerá a unificação do ser e seus poderes esquecidos pela intelectualidade, os quais retornarão com força e equilíbrio. É assim que será afastada da mente humana toda crença de doenças e conflitos, dando-nos escolhas verdadeiras para que possamos fazer jus ao "livre-arbítrio".*

Pela PNL é realizado um trabalho individual para cada pessoa que deseja se encontrar ou eliminar traumas, fobias, depressões e todo tipo de desarmonia interna. Com o apoio de profissionais da área, vários trabalhos de recuperação e reabilitação de meninos de rua, presidiários, doentes mentais ou indivíduos com desvio moral e social, vêm sendo realizados com resultados cem por cento positivos.

Cabe a nós o apoio e reconhecimento a esses profissionais que tanto têm se empenhado no objetivo de resgatar essas pessoas de seu mundo nebuloso.

Os interessados encontrarão na última página indicações de profissionais e livros a respeito do assunto.

Conhecendo-se através dos hemisférios cerebrais

Os hemisférios cerebrais se dividem em dois (direito e esquerdo). Existem outras linhas de estudo que analisam o cérebro em quatro partes, mas neste livro estudaremos apenas as duas fontes principais.

O comportamento e a maneira de pensar e sentir depende de várias áreas cerebrais como o *lobo frontal*, sistema límbico, amídalas cerebrais, etc. Mas, para equilibrarmos nossas polaridades cerebrais (hemisférios esquerdo e direito), precisamos nos conhecer um pouco mais. Descubra, aqui, qual a parte de seu cérebro que está mais desenvolvida e procure harmonizar-se, pois, quando um dos hemisférios predomina, o indivíduo passa a ter deficiência de aprendizagem, dificuldade em comunicar-se, conflitos internos sem explicações, medos desordenados e uma série de problemas emocionais que podem levá-lo à "gerar" doenças ou a procurar drogas como subterfúgio pela incompreensão dos fatos.

Esta linha de pensamento vem trazendo, junto à PNL, um complemento para o autoconhecimento.

Hemisfério esquerdo	Hemisfério direito
Detalhista	Amplo
Mecânico	Criativo
Substância	Essência
Preto e Branco	Cores
Cético	Receptivo
Linguagem	Meditação
Lógico	Intuitivo e Artístico
Fechado	Aberto
Cautela	Aventura
Repetitivo	Novos caminhos
Verbal	Telepata
Analítico	Sintético
Memória	Espacial
Intelectual	Emocional

Para equilibrar os dois hemisférios é necessário praticar o lado que estiver menos em evidência, ou seja, é necessário passar a criar situações que exijam mais do seu lado esquerdo ou do seu lado direito do cérebro. Por exemplo: se você é uma pessoa extremamente detalhista, procure ser mais amplo em suas observações e críticas. Se você é mecânico em suas ações no dia a dia, procure ser mais criativo buscando inventar situações que o façam criar. Não darei exemplos porque desejo que você comece a criar desde já!

Assim, seguindo esta tabela de conduta, você poderá ter um ponto de partida em sua transformação e, consequentemente, o equilíbrio intelectual e emocional. Tudo dependerá de sua própria força de vontade, já que ninguém poderá ajudá-lo se você não o desejar.

A psicanálise admite

A tese de que todas as doenças podem ser curadas é respaldada pelos estudos da psicanálise, segundo os quais ficou comprovado que doenças e infelicidades têm como causa a culpa inconsciente e contrariedades profundas. Aqueles que têm interesse por este assunto encontrarão no livro O Homem contra si Próprio, de Karl A. Menninge (hoje, somente em sebos) no qual o autor cita abundantes provas e conclui que muitas doenças e infelicidades são formas de autopunição e que até as guerras são formas de autopunição coletiva.

No livro Sapos em Príncipes, o Dr. Richard Bandler aborda, convicto, a cura do câncer pelo trabalho da visualização empregado na PNL – Programação Neurolinguística.

O Dr. John Grinder, coautor do mesmo livro, garante também que foram realizados trabalhos de recuperação com um grupo de seis pessoas condenadas definitivamente pelo câncer. Esse trabalho ocorreu em Fort Worth, fazendo com que os pacientes se voltassem para si mesmos e "conversassem" com a parte causadora do câncer. Com a ajuda dessa remodelagem mental, obtiveram a remissão completa nos pacientes. Um deles fez com que um quisto ovariano do tamanho de uma laranja diminuísse até sumir, num espaço de duas semanas. A ciência médica acha que isso é impossível, mas a cliente relata que tem as radiografias para comprovar o fato.

Os médicos, e já há uma boa parcela deles, começam a admitir que as pessoas podem "tornar-se doentes" psicologicamente. Sabem que os mecanismos cognitivos psicológicos podem criar enfermidades e que coisas tais como o "efeito placebo"[1] podem curá-las. Mas esse conhecimento não é explorado de forma útil na cultura norte-americana. A remodelagem[2] é uma forma de começar a fazer isso. A remodelagem é o tratamento "de escolha" para qualquer sintoma psicossomático. Certificando-se de que a pessoa já tenha esgotado os recursos médicos, é aplicada a remodelagem que dará à pessoa conhecimentos de si própria, tornando-a dona de maiores opções para suas decisões. Estará livre, então, de falsas crenças ou ilusões que a limitavam. "Assumimos que todas as doenças são psicossomáticas" (Dr. Richard Bandler e Dr. John Grinder) — criadores da PNL — Programação Neurolinguística. As doenças físicas são todas psicossomáticas incluindo os acidentes: "Psico = Mente e Soma = Corpo". A mente desenvolve a doença e atrai acidentes no corpo.

O Dr. Joseph Murphy, em seu livro *Viver sem Tensão*, também aborda o sofrimento humano, concluindo que "o que o homem pensa em seu íntimo, assim ele o é; conforme ele crê, assim lhe será feito". Os que quiserem se utilizar desse conhecimento com profundidade encontrarão em seu livro *Como Utilizar o seu Poder de Cura*, métodos práticos e reconhecidos pela psicanálise, onde o autor nos dá a fórmula para nos valermos da grande força de que dispomos e da qual não utilizamos.

Psicanalistas brasileiros aplicam métodos modernos em seus pacientes e confirmam, através da prática, que a recuperação da saúde de seus pacientes é obtida, rapidamente,

---

1 *Efeito placebo* — *É o efeito da sugestão. Segundo pesquisas médicas, pessoas que tomaram um medicamento falso, pensando ser verdadeiro, curaram-se e outras responderam bem ao tratamento.*

2 *Remodelagem* — *É um trabalho da PNL que, resumindo, faz com que o paciente entre em contato com seu sistema interno (inconsciente) e "apague" ou "modifique" imagens passadas, ou seja, programas que estavam registrados negativamente em seu subconsciente, causando traumas, doenças, fobias, etc., no presente são compreendidos, transformados ou eliminados, dando-lhe novas opções de vida feliz.*

pelos recursos e habilidades que eliminam os estados emocionais limitantes.

O Dr. Flávio Emílio Nogueira Junqueira (NLP Master Practicioner) atuou na área da PNL em São Paulo e registrou, em sua clínica, recuperações completas de pacientes com doenças terminais. Não se trata de milagres, mas sim de ciência e estudos do funcionamento do cérebro. Psicólogos, psicanalistas e muitos médicos reconheceram, há três décadas, esse novo padrão de terapia, mudando a história e a organização pessoal de seus clientes. Hoje o processo de aperfeiçoamento domina até a área médica e, em breve, ninguém mais poderá negar que a saúde depende exclusivamente do estado emocional de cada indivíduo e não de fatores externos, como muitos ainda pensam.

Aprenda a analisar psicologicamente

Na antiguidade, os egípcios e os orientais (chineses e tibetanos) analisavam as doenças estabelecendo linhas imaginárias sobre o corpo, fatores externos ou genéticos como muitos ainda pensam, linhas que foram sendo traçadas conforme suas observações sobre os efeitos que ocorriam na anatomia e fisiologia do ser vivo.

"Passaram a utilizar as descobertas dos homens primitivos, que perceberam a existência de uma espécie de energia circulando pelo corpo através de pontos espalhados. A curiosidade crescente fez com que a energia sentida fosse simbolizada para ser entendida pela mente humana"

Segundo a ideia dos chineses, o Universo era uma unidade de fluxo de energia a que chamaram de *ki*. Para que os mundos na 3° dimensão fossem criados a hierarquia do Universo manifestou dois aspectos opostos e complementares: *o negativo e o positivo*. Os chineses chamaram a esses dois processos de

---

3 *Livro dos primeiros socorros do-in*

yin e yang, respectivamente. Essas duas expressões se atraem continuamente, de onde deriva a criação de todas as coisas do Universo desta dimensão.

Para melhor entendimento, serão dados os exemplos a seguir e poderemos então fazer o leitor compreender a raiz de todas as doenças:

Aspecto Yin	Aspecto Yang
Mental	Físico
Feminino	Masculino
Contração	Expansão
Depressão	Ansiedade
Vegetal	Animal
Onda curta	Onda longa
Interior	Exterior
Escuro	Claro
Frio	Calor
Tempo	Espaço
Elétron	Próton
Leve	Pesado
Descendente	Ascendente
Água	Fogo
Violeta	Vermelho
Dentro	Fora
Yoga	Aeróbica
Suavidade	Agressividade
Doce	Picante, Azedo, Salgado, Amargo
Ortossimpático	Parassimpático

Todos os aspectos opostos que, em plena harmonia, realizam a função de gerar pois são complementares.

Para que estejamos energeticamente equilibrados, devemos estar conscientes se nosso estado emocional, nossa alimentação, e nosso cérebro estão equilibrados na balança dos aspectos dos hemisférios yin e yang.

Quando essas duas partes se desequilibram e uma delas passa a dominar, a energia do ki *(energia da vida)* é bloqueada em nosso corpo, acarretando sérios danos na fisiologia, a anatomia e na psiquê humana.

Podemos perceber essa deficiência do ki através dos meridianos (pontos) espalhados pelo corpo, que um profissional de shiatsu reconhece com facilidade. Inclusive, pode ser diagnosticado antes mesmo de somatizar qualquer tipo de enfermidade.

É importante saber que este fluxo energético pode ser manipulado pela própria pessoa que se encontra em desequilíbrio, usando os conhecimentos do *do-in* (caminho de casa). Existem muitos cursos sérios que indicaremos no final deste livro para os que se interessarem pelo assunto.

Continuando com a análise, os chineses reconheceram, há mais de cinco mil anos, que o corpo humano é dividido, literalmente, em direito e esquerdo e que estão associados a eles os diversos planos de doenças ou acidentes, bem como o estado emocional do paciente, mesmo que este não esteja consciente dos seus sentimentos.

É possível analisar a situação familiar, profissional, amorosa, etc., de uma pessoa, apenas conhecendo sua doença. Isso será explicado no decorrer deste livro.

Faremos, a seguir, uma descrição deste ensinamento, para que seja compreendida a seriedade desse estudo milenar.

A partir desse quadro, passe a ter cautela e maior senso de observação, tanto para a sua vida particular, quanto para a vida de seus colegas e familiares. É muito importante respeitar o pensamento de reserva de outras pessoas! Portanto, se desejar conferir esse ensinamento, faça-o sem imposições e com sutileza. Analise e observe o que o inconsciente esconde sob o consciente.

Descubra-se em seu corpo

(Obs.: doenças, acidentes, mal-estares, são toques do inconsciente)

Antes de analisar seu corpo, ou de outras pessoas, você precisa saber a verdade sobre o 'pai" da medicina e como ele analisou os lados esquerdo e direito do corpo.

Há aproximadamente 11 mil anos, astrônomos sumo-sacerdotes da ilha de Atlantis, considerada pelos arqueólogos antigos, mito de Platão, por muitos milênios. Sabiam que a cada 26 mil anos ocorrem catástrofes naturais e, estando próximo de ocorrer uma, construíram grandes barcos nos quais colocaram pares (machos e fêmeas) de animais, pessoas, alimentos e equipamentos e se lançaram ao mar para sobreviverem. Cada barco com seu sumo-sacerdote e seus conhecimentos, aos poucos, foram encontrando áreas para recomeçarem a vida.

Atracaram em terras mais tarde conhecidas pelos nomes atuais como Califórnia, México, Peru, Amazônia, China, Tibete, Índia, Egito, Rússia e muitos outros lugares onde, simultaneamente, construíram as famosas pirâmides escalonadas em pontos estratégicos do planeta, medido e calculado pela tecnologia avançada que possuíam. (Mais informações sobre essas descobertas arqueológicas e traduções dos hieróglifos veja no Google o documentário "Olho de Horus".

Imhotep que significa "o sábio que veio em paz", atracou nas terras do Egito e lá arquitetou a pirâmide escalonada, conhecida hoje, como SAQQARA.

Imhotep como arquiteto, médico, astrônomo, astrólogo, e Grande Sábio, deu origem a uma nova civilização cujas doenças foram erradicadas, pois tratava o ser humano como um todo (físico, mental, emocional, psicológico e espiritual)

Imhotep é reconhecido hoje, como Hermes Trismegisto,

"o Pai da Medicina".

Hermes possuía um grande **caduceo** (símbolo do Tridente de Neptuno mestre na mitologia grega) para ensinar medicina aos estudantes de sacerdócio, com conhecimentos do funcionamento dos chacras (vórtices de energia eletromagnética) que fazem o organismo funcionar.

Ensinou que a ponta esquerda do "garfo" simboliza o hemisfério esquerdo cerebral - o masculino (Yang). A ponta direita do garfo simboliza o hemisfério direito cerebral: o feminino (Yin) e a haste central representa a coluna vertebral onde se alinham os chacras no plano etérico, astral e físico.

Nesse caduceo era revelado que, constantemente, é emitida uma força energética do hemisfério esquerdo para o lado direito e do direito para o esquerdo, onde elas se cruzam trocando as polaridades pelo chacra da garganta e na área da coluna cervical.

Na haste central representando toda a coluna, sobe outra energia, conhecida pelos indianos como sunshuna ou kundalini que permeia os chacras.

As polaridades energéticas por sua vez, que cruzam para o lado oposto, retornam para o seu lado original em seguida, descendo e subindo pela coluna e atravessando os chacras em espiral. Essa espiral é conhecida como "fogo serpentino", ou "serpente de fogo", que se enrola na coluna, alimentando a vida.

Pela medicina egípcia sabemos que todo o lado esquerdo do corpo, dentro ou fora, quando doente ou ferido, significa que a pessoa, homem ou mulher, está em conflito consciente ou inconsciente <u>contra algum homem</u> que tenha poder emocional ou financeiro sobre ela.

E o lado direito do corpo, dentro ou fora, doente ou ferido, significa que a pessoa, homem ou mulher, está em conflito, consciente ou inconsciente <u>contra uma mulher</u> que tem poder emocional ou financeiro sobre ela.

A <u>medicina chinesa antiga</u> ensina que todo lado direito representa a mulher, e o lado esquerdo o homem, devido ao retorno das energias das polaridades.

Mas a medicina chinesa, por ter permitido, durante séculos, que qualquer pessoa adquirisse esse conhecimento, sofreu serias mudanças e adaptações conforme a crença de quem a estudava, principalmente pela medicina ocidental que decretou que essas energias, que são enviadas dos hemisférios, nada mais são do que "trocas motoras" que ocorrem no sistema nervoso central. Dai surgiu o erro de interpretação de que a "troca motora" é o mesmo que *emanação magnética psíquica*.

É óbvio que o nosso cérebro trabalha pelas trocas motoras. Um exemplo: num AVC (*acidente vascular cerebral*) - também conhecido como *derrame cerebral* – quando ocorre do lado direito do cérebro, é evidente que o lado esquerdo do corpo ficará comprometido, e vice-versa. Mas não podemos analisar as emoções que desenvolvem as doenças olhando para a parte motora, pois não são elas as responsáveis pela psicossomatização e sim as energias sutis que não são detectadas pelas máquinas e instrumentos da medicina convencional.

Na tentativa de se tornar científica, uma parte da medicina chinesa se rendeu à ciência materialista provocando confusão e incertezas nas pessoas que querem se curar.

Quando digo aos alunos novos que devem perdoar "alguma mulher" quando estão acometidos de doenças no lado direito do corpo, eles ficam confusos e me fazem a já esperada pergunta: mas Cris, o lado direito não é o masculino e vice-versa?

A todo momento, pacientemente, explico a verdadeira história das polaridades de **Imhotep** e das distorções que o tempo causou a esse conhecimento.

Ensino que a medicina egípcia, por ter sido, e ainda o é, uma ciência hermética (fechada) e permitida somente aos estudantes de sociedades secretas, não sofreu alterações.

A medicina egípcia nos ensina que as emoções, negativas ou positivas, causadas por nossas projeções sobre outras pessoas e acontecimentos, que realmente não são fáceis perceber em nós mesmos e que também a raiva ou magoa contra alguém, ocorrem pela nossa conduta interior projetada ou espelhada naqueles que nos transtornam. Ou seja, quando adoecemos ou ferimos o lado esquerdo do corpo é porque estamos, inconscientemente, identificando **em algum homem** os nossos próprios conflitos de caráter e sentindo nele um poder que ele próprio não tem. Na verdade somos nós que transferimos para esse homem, aquilo que **não sabemos que carregamos no fundo da alma:** erros do nosso caráter e, ressentimentos inconscientes contra nosso pai. Quando adoecemos ou nos ferimos no <u>lado direito</u> do corpo é devido à projeção do nosso interior sobre uma mulher que transferimos, sem termos consciência disso, a raiva, a mágoa e o ressentimento que guardamos na alma contra nossa mãe, desde a primeira infância.

Por isso explico a importância e o poder de fazer a oração do perdão - que está no final deste livro - para os nossos pais biológicos durante três meses (período do ciclo regenerativo da mente). A oração deve ser para os pais biológicos, mesmo que você não os tenha conhecido, porque a nossa "memória natal" ou seja, memória de quando estávamos no ventre da nossa mãe, guarda ressentimentos dos pais que nos trouxeram para este mundo. Caso você não tenha conhecido seu pai biológico, inicie a oração dizendo: "Pai que me trouxe a vida...". Caso você não tenha conhecido sua mãe biológica, inicie dizendo: "Mãe que me trouxe a vida...". Além da oração do perdão, procure conhecer um pouco de anatomia básica: posição dos órgãos e suas respectivas funções. Isso o ajudará a saber com quem você está realmente em conflito inconsciente e se o seu verdadeiro problema emocional é com seu pai ou com sua mãe, mesmo que eles não estejam mais neste plano. O fígado, por exemplo, como está localizado no lado direito do corpo, representa sua mãe e os problemas nele representam mau humor, raiva contida, criticas e nervosismo secreto contra mulheres difíceis ou ausentes que espelham sua mãe.

Se for problema no baço - lado esquerdo do corpo - representa raiva e ressentimentos contra homens que são ausentes, dominantes ou austeros, assim como foi seu pai.

Entenda que fazendo a oração do perdão corretamente e, alternadamente, um dia para seu pai e outro para sua mãe, durante três meses, sem falhar, sem questionar e sem contar para ninguém, os conflitos virão à tona de sua consciência para em seguida desaparecerem do seu coração.

Assim que você estiver psicológica e espiritualmente reconciliado com seus pais biológicos, ocorrerá o desbloqueio e a saúde, a prosperidade, a felicidade e o amor virão até você.

Você perceberá em si mesmo que a pessoa, seja ela quem for não terá mais poderes para derrubá-lo, porque **honrar pai e mãe** - nossas raízes - fortalece a nossa autoestima e inteligência levando-nos à cura de todas as doenças, abre as portas para prosperidade financeira, salva o casamento ou surge um novo amor espiritualizado para você!

Nossas raízes (os pais) precisam ser "adubadas" pelo amor e pelo perdão profundos, pois só assim nossos antepassados descansarão ou se libertarão e os nossos descendentes serão frutos brilhantes e transformarão o planeta Terra num mundo muito melhor.

Quando os alunos me perguntam sobre **"conflitos consigo mesmo"**, que também geram doenças, oriento-os no sentido de que, para descobrir os verdadeiros e profundos autoconflitos, use a **lei da projeção egípcia**, ou seja, o mecanismo de defesa do inconsciente, chamado **projeção** segundo Sigmund Freud. Ao perceber o que sentimos em relação às pessoas, conhecemos o nosso verdadeiro "conteúdo" emocional e o que precisamos mudar em nós mesmos e não nas outras pessoas.

Tentar encontrar os conflitos contra nós mesmos sem levar em consideração aquilo que projetamos nos outros se tornará difícil e demorada a harmonização interna e o reequilíbrio dos hemisférios direito e esquerdo cerebrais.

Lembre-se: aquilo que você critica mentalmente em alguém ou admira de coração nesse alguém, nada mais é do que a visão de si mesmo espelhada no outro.

Sei que não é fácil acreditar, mas se você deseja se curar, policie seus próprios pensamentos e se dê uma nota.

Assim você compreenderá que nada acontece por acaso e que quando alguém o magoa ou o enfurece é porque você viu nessa pessoa algo de si mesmo, que você não quer ver, nem admitir que tem o mesmo potencial escondido sob sua sombra.

Doenças ou acidentes no lado direito do corpo

Tanto em homens quanto em mulheres representam conflitos conscientes ou inconscientes, mágoas, raiva, tristeza, incertezas, perdas, disputas, medo, inseguranças e ate vinganças relacionados a mulheres que possuam poder emocional e ate financeiros sobre você. Mae, filha, sogra, patroa, nora, irmã, cunhada ou qualquer mulher que direta ou indiretamente produz raiva ou magoa no seu coração.

Doenças ou acidentes no lado esquerdo do corpo

Tanto em homens quanto em mulheres representam conflitos conscientes ou inconscientes, magoas, raiva, tristeza, incertezas, perdas, disputas, medo, inseguranças e ate vinganças relacionados a homens que possuam poder emocional e ate financeiros sobre você. Pai, filho, sogro, patrão, genro, irmão, cunhado ou qualquer homem que direta ou indiretamente produz raiva ou magoa no seu coração.

Para que nosso corpo fique livre dessas psicossomatizações é necessário que haja uma autorreflexão sincera e um reajuste na harmonia entre **yin-yang**, ou seja, devemos conhecer os motivos que outras pessoas tiveram para estar em conflito conosco.

Descubra o motivo desse desequilíbrio e reconcilie-se com você mesmo e com as outras pessoas, mesmo que elas estejam em outro plano Cósmico. É importante estarmos de bem com a nossa consciência.

Após o próximo tópico, definiremos cada doença e cada emoção. Assim o leitor poderá encontrar uma saída, tanto para a recuperação de sua saúde, como a reestruturação de seu mundo familiar, profissional, amoroso ou qualquer outra situação que o fez causar um desequilíbrio energético em seu próprio corpo.

Influencias do meio ambiente

Apesar de surgirem cada vez mais médicos e remédios no mundo, as doenças aumentam em vez de diminuírem. Esse fato estranho deve-se à excessiva preocupação das pessoas com seu corpo. Os médicos nem sempre são culpados. Mas há aqueles que, por razões que não nos cabe julgar, levam seus clientes a acreditar que estão realmente doentes, ou que poderão vir a ficar, caso não se preocupem com o corpo. Consequentemente a humanidade fica com o organismo cada vez mais fragilizado. Receitam, por exemplo, uma dieta rigorosa com base em estudos meticulosos do índice de calorias, vitaminas dos alimentos, em vez de ensinarem aos seus pacientes a busca do equilíbrio emocional. Transtornam ainda mais suas emoções pelo sentimento de culpa gerado no indivíduo ao tentar seguir rigidamente essas tabelas alimentares.

Quando as pessoas não conseguem cumpri-las por alguma razão, logo se desesperam e tornam-se ansiosas pelo nervosismo e pela autocobrança. Quem, hoje em dia, consegue seguir, perfeitamente, essas tabelas de calorias e vitaminas? E, ainda mais, com o avanço da bacteriologia, os médicos tornaram-se muito exigentes quanto à esterilização dos alimentos. Entretanto, se fervermos ou cozermos os legumes para eliminar as indesejáveis bactérias, a vitamina C, por consequência, será eliminada e, se quisermos preservar essa vitamina, não poderemos eliminar as bactérias. Ficamos, pois, numa situação muito difícil. Há pessoas que, por temerem profundamente a contaminação ou intoxicação, seguem à risca todo tipo de cuidados, até mesmo perdendo sua liberdade de agir e pensar.

Para comprovarmos as influências quanto às crenças estabelecidas e polêmicas criadas sobre a alimentação, citarei algumas divergências de teses sobre o arroz, na década de 1930. Naquela época, alguns laboratórios dietéticos recomendavam o arroz não polido, pois, segundo eles, o arroz polido (sem embrião), prejudicava os intestinos. Os médicos, por sua vez, afirmavam que o arroz integral era o mais nutritivo e que o arroz beneficiado era bagaço.

Mas nas universidades, professores afirmavam que o arroz integral era prejudicial à saúde porque continha muito magnésio. Para eles, o melhor era o arroz polido, pois o pó usado no polimento era rico em cálcio.

Hoje já se sabe que o arroz integral é um alimento completo e o mais rico para o nosso organismo.

Se até os "experts" no assunto divergiam entre si, que dizer dos leigos que procuravam a verdade alimentar para viver melhor? Mas, as divergências sobre a alimentação sempre existirão. Portanto, se dermos ouvidos a cada uma dessas opiniões, ficaremos realmente neuróticos.

Aprendi, convivendo com os pensamentos e hábitos dos orientais, que as pessoas fantasiam demais suas preocupações devido às informações erradas ou polêmicas do mundo. Muitas doenças surgem devido ao sugestionamento e à associação de ideias que essas divergências de opiniões acabam provocando nas pessoas. Quanto mais nos preocuparmos com "regras alimentares", maior será o medo de errar e, psicologicamente, estaremos entrando num labirinto com a expectativa de encontrarmos uma doença em cada saída.

Não devemos ter excesso de preocupação com o que comer, porque nossa intuição natural sabe o que nosso corpo necessita. Para que tenhamos saúde é preciso compreender que o ser humano não é feito com "material de segunda" segundo o mestre Masaharu Tanigushi da Seicho-No-Ie. A Natureza criou o ser humano à sua imagem e, portanto, organizado e completo para se recuperar com a energia vital nata. Inclusive deu-nos o direito a um pequeno "livre-arbítrio" que usamos conforme aquilo que aprendemos na infância e no decorrer de nossa vida.

Um exemplo de influência negativa a respeito do corpo humano é induzir uma gestante, às vésperas do parto, através de orientação médica e conselhos dos mais velhos, a providenciar "certos remedinhos que serão necessários" para a saúde da criança. Ora! Isso mostra o quanto a humanidade está presa ao conceito de doença desde o nascimento. A criança já vem ao mundo informada sobre os cuidados que deverá ter para evitar as doenças e, lamentavelmente, são poucas as pessoas que acreditam na força da energia vital, que dispensa qualquer remédio.

Sabemos que o cavalo selvagem tem maior resistência física do que aquele criado no melhor haras do mundo porque o primeiro possui resistência ambiental pela sua exposição, enquanto o segundo, criado pelo ser humano, não desenvolve resistência natural uma vez que está preso às regras alimentares e condicionamentos impostos.

A liberdade de movimentos, a despreocupação com regimes e o equilíbrio das emoções traz ao ser humano a satisfação de viver e descobrir que seu corpo não precisa de nada para continuar a vibrar as energias já latentes. É a própria mente que destrói o que a Natureza cria com perfeição.

O corpo é o reflexo daquilo que acreditamos e não poderá existir doença se não acreditarmos nela.

Ver a doença e considerá-la realidade é o mesmo que considerar realidade a sombra do nosso próprio corpo refletida no chão. Ela está ali, mas é apenas um reflexo e não nosso corpo. Se sua sombra o incomoda, não lute contra ela. Descubra qual é o foco de luz que está sobre você e desligue-o. A sombra com certeza desaparecerá.

O mesmo poderá ser feito com relação à saúde. Se a doença persiste, descubra qual é a emoção negativa que você vem alimentando em seu coração e "desligue-a" de sua mente, que a somatização desaparecerá. Exercite-se diariamente com autossugestão positiva, evitando as contradições futuras. Se encontrar bloqueios pelo caminho aceite a ajuda de um profissional de psicoterapia, ou leia livros que o reeduquem através de informações de autores que dedicaram suas vidas para salvar aqueles que sofrem, vítimas de uma educação negativa.

Seja qual for a doença, saiba que sua gravidade equivale à gravidade de seu sofrimento mental sobre o passado, sobre o presente ou preocupações relacionadas ao futuro.

A partir dos próximos capítulos, você encontrará o apoio necessário para recuperar sua saúde e entender que estamos sempre aprendendo enquanto vivermos e que nada neste mundo deve ser desprezado como utopias.

O poder da conduta deve ser conhecido por todas as mentes a ponto de ser aceita e aperfeiçoada diariamente por cada um de nós.

Foram selecionados os mais variados problemas de saúde e analisados psicologicamente para que o leitor entenda que toda e qualquer doença é gerada pelo sofrimento, atritos, conflitos de toda espécie e perturbações emocionais.

Esses estudos foram realizados no decorrer dos últimos

cinco mil anos. Portanto, quero deixar claro que não estou criando polêmicas, nem tampouco interessada em críticas. Sou apenas uma mensageira e desejo, apenas, que as pessoas se salvem de "suas doenças" e que comprovem, em si mesmas, o que comprovei em minha vida e na vida de mais de milhares pessoas que atendi até esta data.

Existem muitas formas de se conseguir a felicidade almejada: religiões, tratamentos terapêuticos, tratamentos esotéricos, filosofias, meditações caseiras, orientações em templos com grandes mestres ou, simplesmente, acreditando nela. Mas, saiba que, sem disciplina e sem exercícios práticos no seu cotidiano, os resultados serão nulos e, consequentemente, sua fé, seja no que for, enfraquecerá.

Quem busca a felicidade é porque acredita nela, portanto, aqui vai um conselho: nunca questione aquilo que poderá conduzi-lo à porta certa. Lembre-se: a felicidade está onde você quer vê-la. Não precisamos entender as forças que são estranhas ao nosso cérebro. Basta aceitá-las, com carinho e humildade, deixando um pouco a razão de lado.

Quando surgirem dúvidas no decorrer da leitura deste livro, converse com outras pessoas que conhecem o assunto e aproveite, também, para desenvolver um pouco mais seu senso de análise próprio. Com isso você conseguirá conhecer-se interiormente e descobrir, finalmente, o que significa amar-se ou amar ao próximo como a si mesmo.

OBS.: Comece praticando uma nova conduta. Pare imediatamente de julgar e criticar os defeitos alheios, pois esta é uma falha de caráter que provoca vários distúrbios orgânicos. Faça uma "forcinha" e elogie mais as pessoas.

A linguagem do corpo

Da cabeça aos pés, tudo foi estudado, comprovando que cada parte do nosso corpo tem uma linguagem a ser entendida. A cabeça, o tronco, os membros e cada órgão interno recebe um impulso nervoso do cérebro que é comandado pelas emoções.

Quando analisamos os movimentos do corpo ou o funcionamento de cada órgão, percebemos que carregamos diferentes sentimentos para diferentes movimentos do nosso corpo: o desejo de mover os dedos faz com que movamos os dedos; o desejo de expressar uma opinião faz com que abramos a boca para falar e, assim, tudo é naturalmente dirigido pelo desejo consciente de realizar algo.

Mas, existem os desejos inconscientes, que também fazem com que o cérebro impulsione energia para mover ou imobilizar partes do corpo. Como exemplo disso temos muitas paralisias musculares psicossomáticas ocasionadas por um desespero de causa e pelo sentimento de "fim de estrada", que ocorrem quando o indivíduo percebe que não tem saída ou solução para algum problema pessoal. A tensão nervosa chega a paralisar seus membros e até a fala.

Há uma infinidade de reações nervosas que causam doenças, sendo que uma grande parte delas a medicina não reconhece como inconscientes. Vamos mostrar, então, o que um pensamento crônico pode transformar em seu corpo, através das reações químicas comandadas pelo cérebro.

Começaremos pela cabeça e seus órgãos, continuaremos pela coluna vertebral, articulações, ossos, dentes, braços, mãos, dedos, unhas, pernas e seus problemas, pés, análise da pele, rejuvenescimento, estética, músculos, doenças simples e, finalmente, falaremos sobre as somatizações de doenças nos órgãos internos e sobre as doenças terminais, como câncer e AIDS.

Capítulo 1
Cabeça e seus órgaos dos sentidos

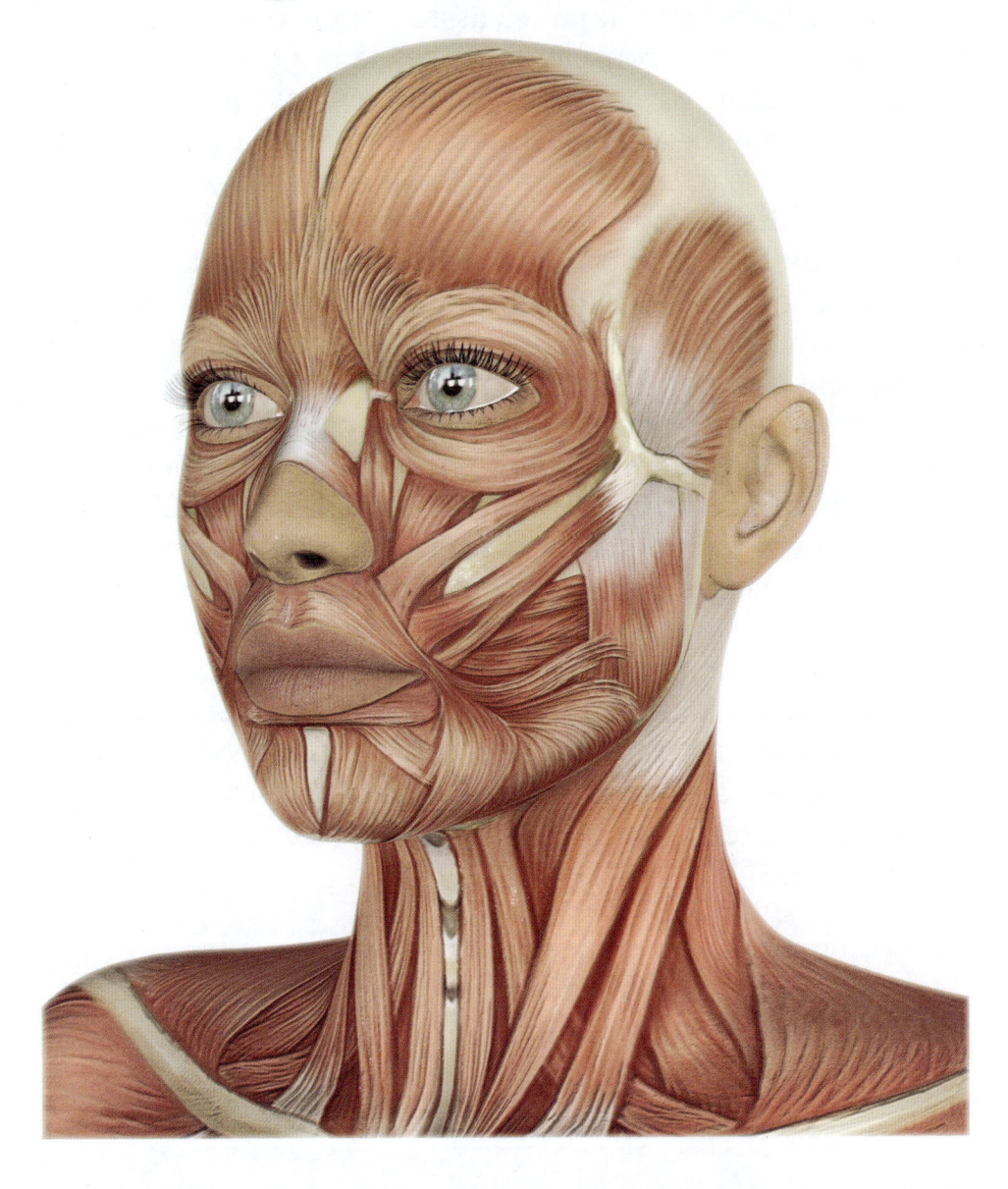

Cabeça

A cabeça está relacionada com a razão. Quando o indivíduo não permite que as intuições o guiem e tem pressa de resolver alguma questão pela própria razão, precipitam-se problemas ou acidentes em sua cabeça. Seu inconsciente está lhe mostrando que, por mais inteligência que possua, a cabeça tem limites.

Tumores no cérebro indicam não só pensamentos negativos, "coagulados" e enraizados pela teimosia em não querer mudar esses conceitos, mas também conflitos profundos e constantes entre os familiares. Quando estes tumores ocorrem em crianças, indicam que os pais, que são *yin* e *yang*, estão em atrito extremamente irracional. Buscam a própria razão, acreditando teimosamente em fatos antigos e negam-se a renovar seus conceitos. Isto vale ainda para atritos e conflitos ou ressentimentos guardados de avós, mesmo já falecidos.

Sentimentos repentinos de traições devidos à desconfiança e à falta de afeto para com pessoas estranhas causam também rigidez cerebral e tumores.

Muitas vezes a educação familiar programa a criança no sentido intelectual. Negam-lhe o direito de ser criança e proíbem-na de ser livre para escolher. Tratam-na sempre de forma a desenvolver o máximo de seu raciocínio através de jogos, de estudos avançados e de conversas com adultos. Vestem-na impecavelmente e as suas amizades são sempre do melhor nível econômico ou intelectual possível. Isso faz com que a criança não se conheça interiormente e os problemas emocionais futuros serão para ela sensações inexplicáveis e desesperadoras.

É importante saber que as crianças, até os 14 anos, refletem os sentimentos dos pais; até os 7 anos e meio refletem as emoções da mãe e até os 14 anos e meio refletem as emoções do pai.

Para que haja equilíbrio entre razão e emoção é preciso compreender que as emoções são o termômetro de nossa conduta diária. A PNL nos mostra que é através das atitudes francas que se buscam maiores contatos com o que se deseja, tanto no âmbito familiar como no financeiro, pois toda e qualquer ambição, seja ela material ou espiritual, tem por objetivo o bem-estar emocional próprio.

É perdoando, renovando e dando à sua mente uma abertura maior para aceitar ideias de outras pessoas que qualquer tumor desaparecerá e você estará livre de acidentes e ferimentos na cabeça. Seja mais flexível para consigo mesmo e harmonize-se com todas as coisas do céu e da terra. A revolta, a desconfiança e a falta de dedicação aos superiores provocam doenças na cabeça.

A cabeça representa a energia yang masculina, portanto para acabar com doenças e acidentes na cabeça você deverá buscar o equilíbrio pela conduta yin. Mais adiante você saberá mais sobre cabeça.

Fé sem perdão não funciona

O perdão é a forma de provar a si mesmo que as emoções negativas estão sob o seu controle e que você conhece seu próprio potencial para conquistar novos caminhos. Com esse desprendimento e com essa confiança em si mesmo, você poderá "soltar" de sua mente os acontecimentos desagradáveis, pois na verdade tudo que vivenciamos faz parte do nosso crescimento e nos impulsiona a compreender os sentimentos das outras pessoas.

Ninguém nos agride, nos trai, nos abandona ou nos rouba sem que tenhamos, consciente ou inconscientemente, provocado tais comportamentos. Mesmo em se tratando de acontecimentos vindos de pessoas estranhas, nosso poder de atração é o responsável por isso. Saiba que existem duas leis no Universo, sem as quais não haveria ordem planetária no sistema solar nem no ecossistema e tudo seria o caos: *os semelhantes se atraem e lei da compensação.*

A primeira reação de quem recebe essa informação é de incredulidade, pois é difícil entender como podemos "ser semelhantes" às pessoas que nos fazem mal.

Sempre temos algo em comum com quem nos faz infeliz. Se abandonarmos o sentimento de vergonha, os preconceitos e o orgulho, encontraremos estreitos laços com esses acontecimentos ou com essas pessoas. Temos sempre guardado na manga um pensamento que achamos incorreto mas que nunca "mostramos", seja devido aos padrões morais ou sociais, ou, até mesmo, profissionais. Isso nos torna inconscientes do que realmente sentimos em relação a nós mesmos. Constantemente submetidos a opiniões externas, passamos a enxergar somente o que está do lado de fora de nossa personalidade. Portanto, conheça-se melhor antes de negar a verdade que se esconde por trás do medo de não estar sendo bom ou perfeito com os outros ou com você mesmo.

Aprenda a se conhecer sob todos os aspectos aceitando, com a maior naturalidade, as alegrias e as tristezas. Isso o ajudará a corrigir o "leme" de seus pensamentos, afastando, cada vez mais, os "semelhantes desagradáveis" da sua vida. Antes de tudo, perdoe-se e você verá como será fácil perdoar aos outros.

Sempre que guardamos mágoas, ressentimentos, ódio, ou revolta, mais cedo ou mais tarde, somatizamos uma doença para justificar a perda de energia que tivemos devido à situação provocada por aqueles sentimentos.

Perdoar verdadeiramente é questão de inteligência!

Quando a doença não desaparece, nós sabemos que a pessoa não perdoou. Quando você "achar" que perdoou, desconfie de si mesmo e volte, conscientemente, àquela situação que causou a mágoa. Se você ignorar o acontecimento e olhar a outra pessoa com carinho e bondade, sentindo o coração livre e com esperanças renovadas, saiba, então, que você perdoou verdadeiramente.

De nada adiantará rezar e suplicar pela cura se seu coração está bloqueando a energia vital, mantendo vibrações opostas ao bem.

A vibração do amor de Deus depende da vibração que você emana. Portanto, se você não conseguir tornar seus sentimentos livres das emoções negativas, sua vida estará presa a um círculo vicioso.

Raiva e mágoa são como um muro alto que esconde o sol de nossa casa! Assim são nossos sentimentos passados. Livre-se deles e, com certeza, sua saúde voltará a brilhar.

Doença não existe! Saúde é o estado normal das pessoas!

Doença é apenas uma nuvem de mau tempo dentro de sua cabeça que perdura enquanto perdurar sua mágoa, seu ódio, seu medo, etc.

Aprenda a aprender com a vida. É nela que você pode criar e recriar. Brinque com o destino. Faça como as crianças que vivem aquilo que imaginam como se fosse real. Dê a si mesmo o direito de sonhar: o pensamento é força criadora. Crie um mundo melhor para você, perdoando a tudo e a todos. "Solte" o passado de uma vez para não deixar seu futuro ser um constante passado sem expressão e sem mudanças.

A vida nova só existe quando o passado é esquecido. Se você não sabe perdoar, também não é digno da saúde que procura!

Na Bíblia está escrito: "Perdoa setenta vezes sete".

Enxaqueca e dor de cabeça

Os indivíduos que sofrem de enxaqueca têm um orgulho muito forte e não permitem que pessoas autoritárias mandem em sua vida ou controlem seus passos. Resistem a tudo e a todos que, conforme eles acreditam, queiram invadir seu espaço vital. São pessoas que não relaxam aos prazeres, pois receiam ser dominadas de alguma forma. Normalmente têm medo do sexo ou de suas consequências devido a limitações morais, familiares, etc.

Se você se identifica nesta situação, solte-se e deixe seu coração "falar". Não use a razão constantemente, pois devemos equilibrar os dois hemisférios cerebrais (razão e emoção), para evitarmos esses conflitos internos e suas somatizações. Suavize seus pensamentos.

Quando surgir uma dor de cabeça, pare e reflita sobre o que está acontecendo ao seu redor.

Será que alguém ou alguma situação contrariou você? Ou talvez você tenha se sentido desconsiderado(a) por alguém um tanto importante de quem você esperava maior consideração.

Seja o que for, pense sobre a sua própria conduta e veja o quanto você está sendo inflexível para consigo mesmo(a) e com os outros. Aceite docilmente o que aconteceu e se proponha a mudar o seu caminho através de seus ideais e você vai ver como a dor irá desaparecer. Acredite que qualquer dor de cabeça é sinal de um orgulho muito forte, conforme já expliquei, e para acabar com ela é preciso modificar os seus pensamentos exatamente no momento da dor. Tudo é uma questão de exercício e de flexibilidade. Tente, pelo menos uma vez, acabar com a dor sem o auxílio de remédios. Esqueça o medo e apenas reconheça o quê ou quem contrariou você e desarme-se procurando uma boa maneira de mudar sua vida para melhor.

A paciência e a coragem com você mesmo acabarão com uma simples dor de cabeça ou com a enxaqueca.

Veja alegrias em ambientes que você não gosta de frequentar e não resista à contrariedade que o fez entrar neste ambiente. Experimente se soltar e se divertir mais, em vez de negar e criticar as opiniões diversas as suas. Lembre-se de que sua carência e seu desejo de receber amor e carinho aumentam quanto maior forem a sua inflexibilidade e o seu orgulho. OK?

Derrame cerebral

É sinal de um gênio difícil e reflete uma pessoa que prefere a morte a ter de mudar seu comportamento, que resiste, rigidamente, em suas opiniões, crenças e condutas. O derrame mostra que a pessoa vive tensa e teimosa em suas observações e críticas e constantemente atrita com outras pessoas, sobrecarregando seu cérebro com pensamentos e emoções fortes.

Não queira ser o dono da verdade! Solte esse "método" de conseguir a atenção das pessoas para si. Mostre-lhes que você também é sensível e pode ter seus medos como elas. Converse pausadamente e ouça o que os outros têm a lhe dizer. Faça de sua inteligência um veículo amistoso e flexível. Policie-se até que consiga estar livre dessa rígida personalidade e do sentimento de vítima que o domina. Não é somente o mundo que necessita de mudanças: você também necessita. Não é demérito para ninguém aceitar, humildemente, ideias e opiniões de familiares e de amigos. Somos amados pelo nosso carisma e não pelos atritos que criamos. Não é possível que você aprecie o sentimento de dó que as pessoas passarão a sentir por você! Cresça e deseje ser feliz com seus próprios sonhos e liberte as pessoas para que sigam seus caminhos, como prova de seu verdadeiro desprendimento e confiança.

Elimine de sua conduta a necessidade de controlar tudo e todos, pois essa conduta você a trouxe da sua infância difícil. Solte-se!

Epilepsia

É o extremo da confusão mental. É uma espécie de paranoia na qual a pessoa sente-se perseguida e completamente assustada com a vida, não conseguindo mais sentir as satisfações que o mundo lhe oferece porque está sempre rejeitando a vida.

Muitas convulsões epilépticas são causadas quando a pessoa perde o controle dos sentimentos e sua cabeça começa a gerar pensamentos negativos. Ela sente vontade de fugir para acabar com tudo que a assusta.

Muitos casos são espirituais e a pessoa deve ser orientada a fazer caridade dentro de sua verdadeira missão espiritual. Aconselho-a a procurar um astrólogo profissional para que ele localize, pelas 12 casas do mapa astrológico dessa pessoa, qual é a missão que foi incumbida a ela. Pois trabalhando em sua missão, ela aumentará o poder de luz e proteção em si mesma contra o ataque de espíritos sem luz.

Sinta gratidão pelos seus antepassados, sem evocá-los e a sua vida se tornará livre da escuridão.

De qualquer maneira, o portador de epilepsia deve familiarizar-se mais com os princípios espiritualistas e buscar a cura através do equilíbrio energético e espiritual.

Se você sofre desse mal, precisa saber mais a seu próprio respeito e descobrir as razões de suas crises. Elas estão relacionadas com o hemisfério direito do cérebro e com os seus corpos espirituais.

Saiba que você trouxe para esta vida muita sabedoria e bondade e por isso deve exteriorizá-las imediatamente através de exercícios de boa conduta e pensamentos de muito amor para com as pessoas, coisas, animais e tudo o que existe. Reconcilie-se com todas as pessoas e ore pelo seu anjo da guarda, que está precisando de luz para enxergá-lo neste mundo tão denso de emoções.

Procure pessoas certas e não caia nas mãos de charlatães do mundo espiritual que, além de fazer com que você gaste fortunas e até sacrifique animais, farão de você uma presa fácil, mantendo-o à mercê deles para o resto da vida.

É simples dissolver esse "carma" de saúde: basta exercitar-se no sentido da paz e viver sob uma conduta positiva, criando ambiente de amor à sua volta. Isso fará seu mundo espiritual encher-se de bênçãos e as entidades de luz protegerão você eternamente. Confie!

O conflito entre os pais que não têm paz no coração e que temem "inimigos invisíveis" geram filhos com esse tipo de problema. Portanto, o perdão e a crença num mundo melhor farão desaparecer essa "doença".

Lembre-se de que tudo na vida necessita de exercícios para que haja progresso!

Por isso, exercite sua mente para buscar o equilíbrio dos seus pensamentos. Enquanto os pensamentos estiverem soltos e amontoados em sua cabeça, sem uma ordem, o conflito continuará. Harmonize-se e trabalhe, ardentemente, pela sua cura. Você pode conseguir o domínio total de sua vida, praticando os bons pensamentos. Elogie as pessoas, diga frases alegres e carinhosas, pense sempre no melhor e aja com calma em suas decisões e opiniões. Fazer caridade fora de casa fará com que seu chacra frontal se equilibre e como esse chacra é o que controla o sistema nervoso central, além de abrir a visão espiritual, você se curará completamente. Não se aflija. Relaxe!

Olhos

As vistas representam o futuro. Dependendo de como se olha para o futuro, elas podem ser saudáveis ou doentes em qualquer idade. De acordo com a cultura de cada país que ensina diferentes maneiras de olhar o futuro, temos a indiana que acredita na reencarnação e respeita os mais velhos. No Egito ensinam o respeito às palavras do Senhor Maomé e entregam o futuro a Aláh. Nos países ocidentais ensinam que as pessoas com mais de quarenta anos começam a ter problemas nas vistas; que é mais difícil arrumar emprego;

que as mulheres correm riscos se quiserem engravidar, etc.

Se observarmos a Índia e o Egito quase não vemos pessoas usando óculos, mas se observarmos o Brasil, Eua, Europa e outros países ocidentais, percebemos que a cada cinco pessoas que passam, uma usa óculos.

Notem que no país onde a cultura que impõe crenças limitantes e medo, faz com que as pessoas olhem para o futuro com pensamentos negativos e até temem fazer planos por acreditarem que o futuro rejeita as pessoas com mais de 40 anos.

Santo Deus, quanta bobagem ensinam às pessoas do mundo ocidental, tirando-lhes a fé e a esperança!

No livro Os fundamentos do Budismo, de Elena Roerich, representante oficial da Ordem Rosacruz no Tibete, encontramos: **"Carma é a ação de consequências do que é feito pelo homem em atos, pensamento e palavra...** Daí, a responsabilidade do homem diante de tudo que existe e, sobretudo, diante de si mesmo..." "O que chamo de carma não é mais que pensamento, pois, tendo pensado, o homem agiu com seu corpo, sua palavra e sua mente".

Você, que aceita essa verdade, discipline-se e queira ser feliz. Reconheça, em si mesmo, que seu comportamento pode ser melhorado e que alguns hábitos negativos de sua personalidade devem ser mudados.

Se sua visão enfraqueceu e você já não consegue ler ou enxergar como antes, ou mesmo se você trouxe essa deficiência desde o nascimento, está na hora de refletir sobre seus pensamentos e atitudes passados. Consulte o "arquivo" das emoções e procure aquele sentimento de recusa e inflexibilidade em acreditar que tudo pode mudar.

Provavelmente algum fato, ou a própria vida, o feriu fazendo com que você prefira não ver tal ou tais coisas ou pessoas que o fizeram sofrer.

Você diz que já esqueceu o problema e que até já perdoou. Entretanto, seu inconsciente não mente e você pode estar sendo vítima de sua consciência orgulhosa. Há muitas maneiras de "negarmos" a visão:

— quando estamos em estado de depressão constante;

— quando um fato desagradável em família nos "cega" de raiva ou ressentimento;

— quando passamos certos momentos em nossa vida que não nos agradam, ou teimamos em não ver o outro lado das questões ou, ainda quando não queremos mais cruzar com a pessoa ou situação que nos atormenta e até por ter perdido alguém para a morte.

Para exemplificar, vou contar um fato.

Certa ocasião, conversando com uma mulher, que havia perdido a visão repentinamente, ouvi dela que ficou cega do olho esquerdo por causa do rompimento do nervo óptico, segundo diagnóstico dos médicos. Perguntei-lhe há quanto tempo o fato havia acontecido. "Há cinco anos", respondeu-me. Passei, então, a fazer-lhe novas perguntas para que, através de suas próprias respostas, eu pudesse auxiliá-la em sua reabilitação.

Perguntei-lhe se guardava mágoa de alguém ou não queria ver algum homem que lhe fizera tanto mal. Ceticamente respondeu-me que não tinha problemas com homem algum. Resolvi ir mais fundo e direto na questão: perguntei-lhe qual o fato marcante que lhe ocorreu há cinco anos envolvendo algum homem.

A essa pergunta sua reação foi imediata: deixou vir à tona suas emoções escondidas. Era o que eu buscava. Ressentida, revelou-me que naquela época seu pai havia falecido e que isso fez com que ela sofresse muito. As cenas descritas e a sequência de detalhes sobre a morte de seu pai mostraram-me que carregava em seu coração o trauma de sua perda. Disse-lhe, então, que enquanto ela não perdoasse o pai por tê-la deixado e não passasse a aceitar os acontecimentos da vida com compreensão e gratidão, sua vista não voltaria ao normal.

Se o cérebro dessa mulher estiver com o hemisfério cerebral esquerdo mais desenvolvido — cética, analítica, fechada, repetitiva, etc. — com certeza terá de esperar muito tempo até que outras pessoas lhe digam o mesmo, fazendo-a entender o quanto é importante o autoconhecimento para a solução de muitos problemas. Mas, se seu hemisfério cerebral direito for o mais desenvolvido — amplo, receptivo, aberto, intuitivo, emocional, meditativo, — ela, pelo menos, pensará no assunto e encontrará uma forma de "conversar" com seu próprio coração e descobrir porque ainda sofre inconscientemente.

É muito fácil para a mente restaurar um nervo óptico! Difícil é mandar uma mensagem simples e direta para que ela trabalhe objetivamente, pois a mente consciente desconhece que a comunicação com a mente subconsciente (parte mais rasa do inconsciente onde podemos usar hipnose, sugestionamentos, falar com pessoas em coma etc) deve ser clara e simples.

Todo e qualquer esforço no sentido de exteriorizar a força interior através de rituais, alegorias, frases longas, orações, etc., esbarra na dificuldade da realização total, ou seja, quanto mais complicamos a mensagem que deve ser dirigida à mente subconsciente, menos ela assimilará o objetivo que você deseja.

Ela responde com maior rapidez às frases simples, curtas, objetivas, firmes (positivas) e coerentes com as emoções.

Interiorize-se, concentre-se e mande à sua mente desejos e emoções com absoluta convicção, caso contrário ela preferirá manter como resposta o pedido anterior, ou seja, os sentimentos convictos que você mais frequentemente manifestou, mesmo que tenham sido negativos. Para sua mente inconsciente (parte mais profunda do ser e que comanda o subconsciente) basta pensar com emoção e crença para que ela se manifeste psicossomaticamente ou através do ambiente em que vivemos.

Portanto, se algo em nossa vida causou-nos sensações fortes de tristeza, medo, ódio, desgosto, o corpo servirá como porta-voz da nossa mente, para nos mostrar que estamos saturando nosso coração, guardando tantos "lixinhos" do passado ou medos do futuro. Por isso, será necessário dar outro comando para nosso subconsciente de forma clara positiva e com autoliderança. Reprogramar o cérebro é uma arte que requer disciplina, perseverança e força para nunca mais falar nem pensar no passado dolorido e sim repetir palavras, pensamentos e atitudes novas de alegria, esperança e fé. Isso cura todo o corpo.

Deseje ver

Sua mente está fazendo tudo para o seu bem. Ela não distingue o bem e o mal que a consciência conhece. Portanto, ajude o seu inconsciente a compreender o que você quer. Para ela basta ser coerente com o pensamento-emoção e lá estará trabalhando imediatamente como o "gênio da lâmpada", realizando todos os seus desejos.

Queira ver! Deseje ver! Faça amizade com seu ego e elimine a vaidade extrema, o orgulho, o medo, que "proíbem" o ser humano de ver o que tem de ser visto.

Pare de se incomodar com as coisas feias da vida. Pare de comentar a parte feia do mundo, o que há de errado na política, na família e com os amigos e colegas. Observe o mundo, veja como ele sobrevive pelas coisas boas e aprenda a conviver com as más, usando-as como experiência e ferramenta para cavar mais fundo a jazida das coisas boas do seu coração.

Não é criticando o lado ruim das pessoas que você fará com que elas mudem. Pelo contrário: é elogiando suas boas intenções e seus pequenos atos corretos que as fará melhorar. Todo ser humano deseja ser elogiado e tende a não aceitar críticas, proibições e não melhora, às vezes, por simples orgulho ferido.

Procure ver além das aparências. Queira ver o bem que existe em tudo e você sentirá que seu mundo está protegido pelos bons pensamentos que você mesmo emanou no passado. Tudo aquilo que pensamos torna-se realidade, mais cedo ou mais tarde. Então pense somente em coisas boas; fale somente palavras de amor; saiba repreender com carinho, veja as razões das outras pessoas e não seja tão "pequeno" a ponto de achar que ver o outro lado da questão seja perder tempo. Todas as pessoas têm sua verdade, que deve ser respeitada.

Perdoe, seja forte e paciente, porque jamais paramos de aprender. Tudo que, aparentemente, parece ser uma ameaça, no fundo está nos propiciando uma nova forma de lidar com nossas próprias emoções. É a vida nos dando oportunidade de crescer.

Se seu padrão de pensamentos é único e restrito e você acha que a verdade é somente a sua, reflita e seja sincero para consigo mesmo. Procure, pela humildade, ver tudo ao seu redor com o coração de criança.

As mudanças da vida são necessárias para o nosso desenvolvimento interior. Portanto, queira ver tudo para crescer e ser totalmente feliz.

Miopia

Existem vários tipos de miopias, mas, como exemplo geral, citarei apenas um. Muitas pessoas que sofrem de algum problema de visão só percebem que são portadoras dessa anomalia depois de passarem por situações desagradáveis: como a moça que flerta com o rapaz a certa distância e descobre, depois, que se trata do próprio noivo; ou o homem que vê um poste mais à frente e só nota o engano depois da cabeçada.

A miopia é um defeito de refração da luz. O olho focaliza melhor as imagens mais próximas porque o eixo do globo é muito longo. Além de certa distância, não consegue distinguir as imagens com a mesma nitidez porque a capacidade de acomodação do cristalino é limitada. O míope, quando quer enxergar algo mais afastado, procura forçar o músculo ciliar, na tentativa de reduzir o tamanho do eixo. Esse tipo de miopia chama-se axial e decorre da diferença de tamanho do eixo.

Depois disso a análise psicológica é óbvia e você já deve ter percebido que pessoas míopes não conseguem aceitar fatos e determinados acontecimentos que fogem do alcance de sua crença. Normalmente enxergam "curto" quanto a determinados problemas e nunca reconhecem que são radicais em suas posições.

Discutir um assunto com elas requer tato e muita paciência, ou então aceite suas opiniões ainda que discorde delas.

Os míopes, por não se deixarem envolver por ideias adversas, concentram-se no que sabem fazer e, naturalmente, entendem muito bem do assunto a que se dedicam.

Se você tem problema de miopia, comece a reparar em seu comportamento perante um grupo de amigos e analise, sinceramente, suas atitudes e opiniões. O fato de parecer que estejam contra você não significa estarem errados. Podem estar tentando fazê-lo ver aquilo que você não está vendo. Tente ser mais flexível de coração, mesmo que pareça um absurdo. Deixe que o tempo lhe mostre o quanto você pode aprender com a vida e com a experiência de outras pessoas, desde, é claro, que você relaxe e aceite os acontecimentos novos. Queira ver a vida em toda a sua extensão e saiba que a revolta só prejudica sua saúde e... não altera o mundo. Ame-se e viva todas as imagens que lhe forem oferecidas com carinho e sinceridade! Volte a "enxergar", vale a pena aprender com tudo e com todos, pois quando estivermos despidos do orgulho nossa paz espiritual resolverá todos os problemas e, com, certeza, descobriremos novos e grandes amigos.

Desvie de seu caminho as incertezas, os medos e qualquer tipo de sentimento que o afastem de seu objetivo, pois sua visão saudável depende de suas convicções e determinação para com o futuro. Seja flexível em qualquer situação que o obrigue a tomar decisões. Perceba e acautele-se contra seus pensamentos imediatistas e egocêntricos.

A miopia manifesta-se em pessoas egocêntricas que não se importam com os outros ou não aceitam facilmente, opiniões alheias. Na verdade são pessoas que possuem uma visão muito estreita do mundo e enxergam somente seus próprios problemas particulares e veem apenas os aspectos imperfeitos das pessoas e coisas. Miopia é vista curta. Torne-se uma pessoa mais prestativa, tanto dentro de seu lar quanto fora dele. Cuide dos seus afazeres, mas pense também em ser útil aos demais que precisarem de sua ajuda. O importante é aumentar o seu campo de "visão" da vida, começando a enxergar os problemas de pessoas que sempre estiveram ao seu lado, mas que você nunca percebeu. Solte-se para a vida e veja como você pode crescer ainda mais e abandonar, definitivamente, os óculos sem precisar de cirurgia.

Hipermetropia

Quando o eixo do globo ocular é muito curto, isto é, quando o globo está achatado no sentido **anteroposterior**, a captação de imagens próximas é prejudicada. Por isso os hipermetropes não conseguem focalizar objetos muito próximos: isso exigiria um grau de curvatura impossível para o olho com eixo curto.

Pessoas com este tipo de problema têm medo do presente. Poucos percebem este fato porque o presente lhes passa despercebido. Na verdade vivem das sensações do passado, preocupando-se com o futuro. O indivíduo que não toma decisões rápidas, está sempre vivendo o futuro e não se dá o direito de aproveitar o presente torna-se hipermetrope como reflexo de seu modo de pensar.

Queira ver tudo claramente e sinta com segurança todos os detalhes do seu agora. É insensato comer sem mastigar. Você deve estimular em sua visão aquilo que representa, inconscientemente, o que está perto, ou seja, o presente. Sinta-se protegido pelas mãos da Natureza e confie em você mesmo, desejando libertar o passado que já se foi e o futuro que ainda está sendo formado com os "tijolinhos" dos seus pensamentos e conduta. Exercite-se no sentido de caminhar observando tudo que está à sua volta, analisando cada situação com calma e sentindo prazer em acelerar seu ritmo de vida para perceber a beleza do presente.

A hipermetropia é o reflexo da mente que só consegue ver longe, isto é, de quem vive se preocupando com fatos e coisas referentes aos outros e se descuida de si mesmo.

Descuidando-se de si mesmo a pessoa não percebe o que se passa ao seu redor e, como reflexo disso, pode ter uma anomalia visual que consiste na dificuldade de ver objetos próximos.

Pessoas com esse problema têm tendência a se incomodar com assuntos alheios e com coisas que não lhe dizem respeito. Portanto, mude sua atitude mental para que possa restabelecer a visão das coisas que estão próximas. Inteligentemente, busque o equilíbrio entre cuidar dos outros e cuidar de si próprio. Entendeu?

Astigmatismo

A córnea normal é um segmento perfeito de esfera e se comporta como uma lente sem defeitos, que desvia todos os raios de luz para um determinado ponto focal. O astigmatismo é um defeito de visão decorrente da diferença do raio de curvatura entre dois ou mais meridianos. Em lugar de um ponto focal, existem dois e, por isso, o indivíduo não consegue focalizar, simultaneamente, num mesmo plano, tudo o que vê. Um astigmático que colhe, por exemplo, um sinal em forma de cruz não poderá focalizar ao mesmo tempo os braços horizontais e os verticais. Poderá fazê-lo só separadamente. Pessoas que possuem este tipo de problema costumam complicar tudo e não facilitam seus pensamentos. Não conseguem agir sem antes ficar deduzindo consequências dos fatos. Se alguém lhes apresenta uma solução para o problema, logo acharão que não dará certo antes mesmo de uma análise detida. Sempre acreditam que existe outro meio de solução, ou que não existe meio algum, e em sua mente o problema se torna complicado e cansativo.

Você que está com a visão astigmática, lembre-se de confiar mais nas pessoas que gostam de você. Se o problema for grande demais relaxe e peça ajuda sem questionar, pois outras pessoas que têm visão mais ampla da vida podem lhe mostrar que a coisa não é tão complicada assim.

Não sofra por aquilo que você acha ser difícil de resolver, mesmo porque é sua mente que o está deixando confuso. Queira ver tudo calmamente e esqueça o orgulho. Sugestione-se que a vida é simples e gostosa de viver e que o mundo é exatamente aquilo que acreditamos que seja! Portanto, projete-o com harmonia e paciência. Ame-se em primeiro lugar e "solte" do coração aquilo que o assusta.

O astigmatismo é provocado pela distorção mental de quem se irrita facilmente quando outras pessoas tentam controlar seu caminho ou dirigi-lo em seus pensamentos. Aceite com carinho as coisas que você vê e seja uma pessoa alegre e positiva com aqueles que o cercam. Isso o fará compreender com maior facilidade as intenções do mundo.

Será que você percebeu que é uma pessoa dividida?

Será que você ainda não se tocou que seu sofrimento aparece com mais força quando você precisa decidir entre duas situações importantes?

Seja mais simples e determinado e pare de complicar! Quando alguém lhe perguntar algo seja claro, objetivo e sem muitas explicações, pois a cura do astigmatismo depende da sua tranquilidade ao falar, contar ou explicar qualquer fato, com menos detalhes e sem se preocupar se foi compreendido ou não. Deixe que as pessoas perguntem caso elas queiram mais explicações e, mesmo assim, encontre palavras que resumam várias frases, isso acabara com o astigmatismo. Tenha foco.

Estrabismo

Quando a criança nasce estrábica os pais, obviamente, se preocupam em levá-la ao oftalmologista para resolver o problema através de cirurgia ou de correção com lentes apropriadas. Mas o fator principal que deu origem ao defeito nos nervos oculares da criança é a desarmonia entre seus pais. Quando o casal diverge, rigidamente, de opinião e ambos não admitem os erros um do outro e vivem uma vida de emoções extremas, causa um reflexo psicológico no subconsciente do filho que está para nascer. Pensamentos cruzados dos pais provocam verdadeira declaração de guerra e isso acaba projetando o estrabismo no bebê, como símbolo dos propósitos divergentes dos pais.

A própria criança traz consigo determinadas indecisões que a atormentam. Normalmente, crianças estrábicas são seres muito sensíveis espiritualmente e tanto podem tornar-se pessoas com inteligência acima do padrão normal ou pessoas revoltadas e propensas a ser revolucionárias.

Muitas delas nascem canhotas e percebem a vida de forma diferente das outras. Por isso os pais devem harmonizar-se para que a criança possa canalizar todo seu potencial para um caminho saudável. Toda dificuldade nos faz crescer e descobrir capacidades que possuímos e não percebemos. Até encontrarmos a porta certa que nos trará a paz, divergimos de nossas próprias emoções. O que quero dizer é que a criança, no ventre da mãe percebe, inconscientemente, os problemas que estão do lado de fora do seu mundo; sente certa impotência e revolta que fazem com que ela "não queira ver" o que está acontecendo.

O estrabismo tem sua explicação científica ou física, mas a raiz desse problema se forma antes do nascimento como psicossomatização dos conflitos de seus pais ou de mães solteiras que carregam revoltas ou críticas contra seu pai ou contra outros homens do seu convívio.

Você, que é estrábico, aprenda a ser um mediador dos fatos. Use a sua mente analítica para compreender as opiniões dos outros e procure sensibilizar-se com os defeitos alheios, perdoando-os. Volte-se para o mundo de seus pensamentos e observe, com calma, tudo que o aflige. Tenha calma para resolver questões e não se impressione com pessoas aparentemente dominantes. Ninguém poderá nos prejudicar sem a nossa permissão. Seja calmo e tranquilo para solucionar as situações da sua vida. Somente assim você conseguirá fazer com que seus olhos centralizem-se, pois seu problema é apenas o reflexo dos seus pensamentos contraditórios e atitudes perante a vida.

Os pais atraem o tipo de filho que mais combina com o ambiente em que vivem. Espiritualmente as pessoas também sofrem o efeito da lei universal "***Os semelhantes se atraem***", portanto, praticamente escolhemos os nossos pais e nossos filhos. Isso o ajudará a compreender que você também trouxe a este mundo um comportamento extremista que combina com o de seus pais e, consequentemente, você entra em estado de guerra com facilidade.

Tenha suas próprias opiniões, mas com calma e determinação.

Quanto mais você se aceitar e dirigir sua vida, sem se deixar ferir com as opiniões dos outros, colocando a atenção num objetivo "seu", mais rapidamente seus olhos voltarão ao normal. E quando alguém lhe pressionar com palavras ou olhares, saia de perto ou diga que vai pensar e permaneça firme e seguro. Seja sempre você mesmo e verá que seus olhos, pouco a pouco, se centralizarão. Acredite!

Presbiopia e arteriosclerose
(ver também Eczema na cabeça)

A presbiopia é um defeito que ocorre com o passar do tempo. É considerada um problema da velhice, pelo enfraquecimento dos olhos que já não conseguem distinguir o que está perto. A dificuldade para ver, com nitidez, objetos próximos é a manifestação de uma mente aflita e preocupada com o que o futuro lhe reserva. Nos idosos esta dificuldade reflete a preocupação com os anos que lhes restam nesta existência e a dificuldade em viver plenamente o agora. Eles vivem aflitos tal qual o viajante que, seguindo pela estrada ao entardecer, preocupa-se com o caminho que ainda terá de percorrer. Se essas pessoas deixarem de temer o futuro e passarem a viver plenamente o **agora**, ficarão curadas da presbiopia. A presbiopia é, também, reflexo de uma mente rígida, ou seja, mente teimosa e intransigente, incapaz de aceitar as opiniões dos outros. A mente "endurecida" produz o efeito do "endurecimento", a redução da elasticidade e a diminuição da capacidade de acomodação do cristalino.

Velhice é sinônimo de "mente endurecida". Portanto, não só a visão sofre com essa atitude mental, mas o corpo todo. A arteriosclerose também é um resultado dessa forma de pensar, pois é consequência do endurecimento das artérias que deveriam ser flexíveis.

Você que está sofrendo de presbiopia, lembre-se de viver o agora com mais intensidade e prazer e aprenda que a Natureza nos criou para sermos eternamente jovens. A mente humana, envolvida por acontecimentos desagradáveis, é que se deixa envelhecer endurecendo seu coração.

Queira ver tudo ao seu redor e não tenha medo do futuro, pois ele será, sempre, o reflexo daquilo em que acreditamos. Pense positivo em todas as questões e sorria mais vezes para o mundo. Com certeza você sentirá seu corpo rejuvenescendo e sua visão voltando ao normal. Ponha em prática agora mesmo isto que você está aprendendo e não tente mudar a vida das outras pessoas. Mude seu comportamento que o efeito sobre as pessoas será bem maior: a felicidade é uma questão de opção.

O desejo, às vezes vaidoso, de usar óculos, para parecer intelectual ou mais importante, aciona qualquer defeito visual para que você tenha, realmente, motivos para usá-los!

Daltonismo

É próprio de pessoas que têm a mente egoísta e cheia de caprichos. A mente que não consegue acolher com imparcialidade "todas as cores", também não acolhe com imparcialidade todas as pessoas e todas as coisas.

O daltonismo representa a manifestação da mente rebelde que não aceita os conselhos dos mais velhos ou de autoridades e indica uma pessoa que se irrita por coisas fúteis e passa a implicar com os familiares, amigos, etc.

Procure harmonizar-se com tudo e com todos e seja uma pessoa dócil e bondosa com todos. Isso fará desaparecer a rebeldia infundada de sua mente e o daltonismo desaparecerá totalmente. Tudo que acontece com nosso corpo é manifestação de nossa conduta mental. Portanto, trabalhe positivamente seus hábitos e pensamentos e você verá como são maravilhosas as verdadeiras cores da vida. Apague esta ilusão negativa e passe a ser mais grato pela vida, sem se prender aos aspectos ruins que, com certeza, são passageiros. Tudo é passageiro! Relaxe!

Olhos vermelhos

Significam "irritação" com o que você está vendo ao seu redor e que está convivendo com pessoas que o contrariam e que vivem com padrões de felicidade diferentes dos seus. Você não é obrigado a conviver com aquilo que seu coração não deseja. Aprenda a aceitar a solidão, pois o tempo é o nosso melhor amigo. Tudo em que acreditamos acaba se concretizando. Então confie plenamente em seu futuro e saiba que a felicidade está sempre conosco. Basta se sensibilizar e amar tudo que está ao seu redor, sem revoltas. Entre em sintonia com aquele com quem você convive e procure compreendê-lo. Cada ser humano tem suas expectativas e suas crenças secretas. Normalmente as pessoas não percebem que estão irritando alguém, isso porque, para elas, seu próprio comportamento é correto e normal. Seja paciente com as diferenças e busque se conhecer melhor, pois dentro de você existe uma fonte inesgotável de energia e paz que precisam ser exteriorizadas. Seu cansaço justifica sua irritação secreta, mas não justifica que você continue se machucando. Liberte-se, sem medo, de tudo aquilo que o magoa e aguarde, com alegria, a compensação que a Natureza lhe trará.

Tumefação e inchaço na região acima dos olhos

Denota descontentamento ou revolta contra alguém que ocupa posição mais elevada. A parte superior da cabeça — olhos, cabelos e crânio — simboliza os superiores (*me-ue*, em japonês).

Sentimento de revolta contra pessoas mais velhas: patrão, sogro, sogra, pais, marido, esposa, irmãos mais velhos, ou pessoas que ocupam posição mais elevada, provocam doenças que se manifestam na parte superior da cabeça. Você já parou para pensar o quanto você ainda depende delas? Ou o quanto você quer que elas aceitem a sua verdade? Ou o quanto você não aceita a verdade das outras pessoas? Relaxe e desça da sua teimosia e vaidade, que os seus olhos serão lindos como os olhos de uma criança.

Tumefação e inchaço ao redor dos olhos

Se a pessoa apresentar aspecto sombrio e abatido significa desordens emocionais devido a problemas de relacionamento com alguém, inclusive conjugal além das invasões de espíritos sem Luz. Bolsa abaixo dos olhos mostram preocupação doentia com contas a pagar e muita insegurança e medo quanto ao futuro das finanças. São pessoas que perderam a fé e vivem perturbações internas com pensamentos sombrios secretos.

Terçol

Significa que você está com raiva de uma determinada situação. Pode ser que você esteja fazendo algo que o contrarie e que pensava não mais precisar fazer. Evite sentir raiva de alguém, pois as dimensões humanas são diferentes e é por isso que devemos ser mais compreensivos para com as ideias opostas às nossas. Se você não gosta do que está acontecendo, mude seu modo de pensar e compreenda as razões das outras pessoas. Saiba que você tem seu livre-arbítrio* e que ele é o responsável por todas as suas experiências no decorrer de sua vida. Alegre-se por possuir o direito de mudar e escolher aquilo que o faz feliz.

Conjuntivite

Significa que você está se frustrando ou com a vida em geral, ou com um fato em particular. Tente solucionar essas coisas com paz em seu coração e não com essa raiva embutida. Lute pelos seus ideais de forma amistosa e paciente, acreditando que no tempo certo, você se realizará.

Pare de olhar o mundo com esse sentimento "amarrado".

Compreenda que na vida só temos aquilo que acreditamos poder ter e manter. Você tem liberdade para pensar e reformular sua vida, portanto, aproveite as situações "desagradáveis", para perceber seus próprios erros e corrigi-los.

Ouvidos

Se alguém que convive com você o aborrece constantemente, fala o que quer e o que não quer, diz o tempo todo o que você deve fazer, controlando-o, reclama de tudo que você faz, grita nos seus ouvidos coisas que o magoam e você perde seu espaço em seu próprio ambiente (ufa!!!), sem dúvida sua mente ficará congestionada de pensamentos como: "não aguento mais ouvir essa pessoa, não suporto mais suas tolices, não quero mais ouvi-la", etc.. Com isso seu inconsciente entrará em ação para atender ao seu pedido e entenderá, literalmente, sua ordem mandando-lhe uma surdez como resposta.

Viu como é fácil? Pois saiba que seu inconsciente é tão responsável que cuidará da sua surdez com muito zelo para garantir-lhe uma velhice... bem silenciosa.

Mesmo que você se afaste definitivamente da pessoa que o irrita, sua mente inconsciente não voltará atrás, pois, para lhe restaurar a audição ela precisará de uma outra ordem com a mesma intensidade emocional que a anterior.

Para isso você deverá ser coerente e sincero para consigo mesmo. De nada adiantará outra ordem, se nos arquivos das suas emoções estiver registrada a "mágoa de ouvir". Primeiro aprenda a perdoar, sejam os pais, marido, esposa, mãe, patrão. Se você acha que tem razão de sobra, então dê um pouco dessa "razão de sobra" à pessoa que o magoou. E quando não mais existir esse conflito em seu coração, sua outra mente entenderá o que você precisa. É inútil tentar se enganar dizendo que "já esqueceu" o assunto, pois o tempo leva do consciente as imagens, mas a mente inconsciente conserva as lembranças, sejam elas boas ou más.

Nosso cérebro se assemelha a um computador: tudo que for registrado em sua memória assim permanecerá, até que se mude a programação.

Enquanto o ser humano não levar a sério a máxima *conhece-te a ti mesmo*, não saberá, jamais, que dentro dele há uma força gigantesca de atração e repulsão, capaz de comandar seus atos positiva ou negativamente.

Os psiquiatras, psicólogos, neurolinguistas, psicanalistas e parapsicólogos sabem que o inconsciente tem aquela tendência cega em perseguir seus objetivos. E sempre triunfa! A não ser que tenhamos compreendido a Lei de Causa e Efeito e aprendido a controlar nossos próprios pensamentos de forma positiva.

A AMT — Atitude Mental Positiva — vem trazendo ótimos resultados na vida de quem a aplica, pois essa postura equivale à mudança de programação de sua mente inconsciente.

Se a surdez for de nascença, pode ter acontecido que seus pais não queriam "se ouvir" e discutiam teimosamente.

A criança, até tornar-se dona de seus próprios pensamentos, é reflexo dos pais e devido a isso torna-se, muitas vezes, vítima da desarmonia existente entre eles. Sabemos, entretanto, que é no mundo espiritual que a criança faz, inconscientemente, a escolha de seus pais, fundamentada pela semelhança de vibrações. Quando ela se tornar adulta, deverá reconhecer esse fato e buscar compreender a situação, trabalhando seus pensamentos e conduta em direção à cura.

A mente inconsciente já conhece seus desejos desde antes de você nascer. Portanto, a solução é você crescer, aprender as leis universais e aplicá-las. Informe-se mais sobre o poder da força vital e veja por si mesmo do que ela é capaz.

Se seu filho chegou ao mundo sem audição, reflita sobre sua conduta passada e reconheça a ação e reação de sua mente. Pense com calma em tudo aquilo que você disse ou pensou relacionado à audição. Não há necessidade de criar sentimentos de culpa ou de acusação contra seu cônjuge, pois ambos buscam juntos um caminho de harmonia e de reconciliação. Além do mais, todo sentimento de resistência causa mais distúrbios.

Exercite sua humildade, agradeça e perdoe seus pais, irmãos, sogros, marido, esposa e pessoas que possuam autoridade sobre você. Dessa forma, seu universo estará se libertando dos medos, mágoas e ressentimentos e abrindo o canal da força vital que recuperará a audição de toda a família. Queira ouvir a voz de seu coração e reconheça que todas as pessoas possuem suas razões e que lutam por elas da mesma forma que você pelas suas.

Treine sua mente para ver os aborrecimentos como sinal positivo para sua evolução comportamental. Saiba olhar os dois lados da moeda. É bom ouvir as razões do outro, não só por educação, mas por respeito e carinho.

Ninguém poderá tirar-lhe o que é verdadeiramente seu. Relaxe e tente resolver a questão com algumas renúncias e flexibilidade, porque a lei da compensação trará até você aquilo que o fará feliz. E, com certeza, trará também uma audição novinha em folha!

Quanto a acidentes ou qualquer fator externo, estes também estão relacionados à questão das vibrações semelhantes, ou seja, seremos atraídos para aquilo que nos causará danos apenas se nossa mente estiver dirigida negativamente, guardando ressentimentos.

Não são coincidências. Nossa mente inconsciente é muito inteligente para acharmos que as coisas acontecem aleatoriamente em nossa vida. Mantenha uma conduta positiva perante todos os acontecimentos e você verá, lentamente, como tudo irá se transformando para melhor, debaixo de seu nariz.

Labirintite

A labirintite significa pensamentos atrapalhados, nervosismo reprimido, o efeito de um golpe emocional, a necessidade de liberdade para pensar e agir, a sensação de falta de amor, sentimento de solidão, dificuldade para expressar-se, estar tonto com tantos problemas emocionais, sentir-se desamparado e teimar em continuar tentando pelos velhos caminhos que nunca deram certo. Pare de tentar achar a saída!

Se você continuar reprimindo seus medos, acabará entrando em pânico. Abra o jogo e liberte-se das amarras que o sufocam, colocando seus sentimentos em primeiro plano. Sua saúde está lhe pedindo para gritar pela sua felicidade. Pare de se anular. Jogue fora os "lixos" guardados em seu coração e descubra seus verdadeiros sonhos, escondidos nessa escuridão. Seja você mesmo e respeite sua vida. Deixe para resolver os problemas na hora certa, pois vivê-los no dia a dia é prejudicial ao coração. Acredite que sua felicidade só depende de você e de sua conduta forte e decidida. Aja com humildade, mas seja firme em suas opiniões. Acalme-se e lembre-se que você já é feliz. Pois ninguém e nada neste mundo poderão fazê-lo infeliz. Somos nós, e não os outros, os únicos responsáveis pela nossa existência. Reaja! Acorde!

Nariz

O nariz é o símbolo do Eu. Pessoas que sofrem com doenças no nariz têm tendência egocêntrica e presunçosa. Assemelham-se às crianças de até seis anos de idade. Nessa idade, elas não vivem em grupos e, se estão em alguma rodinha de crianças, com certeza estão brincando sozinhas, com seus próprios brinquedos, falando "sozinhas", e ficam iradas quando se tenta fazê-las participar de equipes ou aceitar ideias diferentes das delas.

Os problemas nesta região acontecem quando o indivíduo corre atrás de méritos e ignora opiniões alheias só para não perder os elogios, e quando existe o medo de não ter os seus feitos reconhecidos. Nesses casos acontece que o seu inconsciente obstrui suas narinas, mostrando-lhe que você não está "respirando" a vida livremente. A obstrução pode ser do tipo pólipo nasal, rinite, sangramento, etc. O sangramento ocorre também devido aos seus sentimentos de carência relacionados à incompreensão das outras pessoas.

O sangramento simboliza ainda que você chegou ao limite de suportar as tristezas de sua vida e tem vontade de chamar a atenção de quem possa ajudá-lo.

Sinusite – Rinite

Sinusite é um sinal de que seu ego está profundamente irritado com alguma pessoa que convive com você ou que você nem conheça, mas o contrariou fortemente. É provável que essa pessoa tente constantemente invadir seu espaço vital. Sinusite é a "inflamação" mental relacionada com alguém próximo; é a atitude mental rebelde ou a rebeldia nutrida contra os pais.

Nos contos de fadas e bruxas, o nariz sempre foi o símbolo da magia e da intuição. Na verdade, o nariz representa a nossa sensibilidade quanto à aceitação ou recusa de algo ou de alguém.

Quanto à rinite o processo começa na infância reprimida pelo pai ou pela mãe autoritários.

A criança não pode ter suas próprias opiniões e iniciativas e quando se manifestava logo era "castrada" com um imponente "não!" Isso fez com que a criança perdesse, com o tempo, o contato com suas próprias emoções, tornando-se um adulto que não percebe em si mesmo quando algo o contraria. Acaba cedendo às exigências ou dominações de outras pessoas mais determinadas e, logo em seguida, tem crise de rinite como sentimento de contrariedade.

Recentemente, ao final de uma palestra que dei numa cidade do Brasil, eu estava sentada assinando meus livros quando, de repente, uma mulher se aproxima de mim com sua filha de oito anos e me pergunta: "como faço para acabar com a rinite de minha filha?".

Respondi-lhe que era importante descobrir qual dos pais reprimia constantemente a filha, A mãe negou que nem ela e nem o marido tinham esse comportamento.

Enquanto conversávamos sua filhinha foi até a mesa em que estavam meus livros à venda e, sem que a mãe visse, escolheu um livro e disse para a vendedora que logo a mãe o pagaria. Ao chegar com o livro abraçado no peito, sua mãe perguntou-lhe com voz autoritária: "O que é isso?" e a filha docilmente, respondeu: "Mamãe, eu escolhi esse livro para mim".Com um sonoro "não!" a mãe esbravejou: "devolva agora esse livro. Você já possui outro!". A criança, envergonhada e indecisa, acabou devolvendo o livro para a vendedora.

Meu coração quase saiu pela boca, por não poder dar o livro para a criança, senão eu estaria passando por cima de sua mãe, mas lhe dirigi, com a voz quase sussurrando, o seguinte comentário: "Você percebeu que acabou de "castrar" a sua filha, sem lhe explicar, com carinho, e ainda a fez passar vergonha na frente do publico?".

Bem, não preciso dizer que a mãe saiu pisando forte, muito "indignada" com o que eu falei. Mas ela própria havia me perguntado o que deveria fazer para acabar com as crises de rinite da filha. Quando lhe mostrei que ela reprimia a filhinha sem lhe dar chance de ser ela mesma, a mãe, "autoritária", resistiu à minha explicação e não admitiu que ela própria, em sua infância, fora também reprimida e que estava repetindo os erros de seus pais sobre a filha.

Toda doença tem cura quando, pelo menos, percebemos e admitimos que carregamos certas condutas negativas.

Para acabar com a rinite "crônica" na vida adulta você deverá aprender a perceber em si mesmo o que quer ou o que não quer da vida. Deverá falar o que quer com firmeza e saber dizer não sem medo de possíveis retaliações que você poderá vir a sofrer como resposta.

Para acabar com a rinite aprenda a falar com a boca e com o coração para que seu nariz não tenha que "falar" por você.

Quando o forçarem a fazer algo diga que vai pensar, pois você não é obrigado a fazer o que os outros querem. Torne-se independente financeiramente, e até emocionalmente, para não ter de se submeter a situações constrangedoras.

Faça terapia e descubra quem é você. Certamente isso fará aumentar a sua autoestima e coragem para, com firmeza e respeito, dizer o que pensa, <u>sem culpa</u> ou <u>arrependimento</u> e, principalmente, sem medo de ser punido ou de perder o afeto de certas pessoas. Pense que elas é que devem ter medo de perder seu afeto e não você! Recoloque-se em seu devido lugar. Afinal, é você quem tem esse direito!

O sentimento de gratidão das pessoas que sofrem de sinusite ou rinite é quase que superficial e para se obter a cura total da dificuldade de respirar é necessário que comece reconhecendo que no passado ficaram suas melhores experiências e foi lá que você aprendeu tudo o que sabe hoje. Seus pais, amigos, patrões, funcionários, todos, direta ou indiretamente, o ajudaram a crescer. O demérito está com aqueles que não aceitam, com humildade, as diferenças de opiniões, pois se consideram os mais inteligentes e infalíveis.

Os verdadeiros sábios procuram sempre aprender, ao contrário dos presunçosos, que acreditam saber mais do que os outros.

Coloque em prática o que você sabe em benefício das outras pessoas e de si próprio. Admita, humildemente, os seus erros e sua ignorância em determinados assuntos, porque somente assim você descobrirá suas limitações e procurará se aperfeiçoar.

O ego limita a mente e nos faz acreditar que não precisamos de ajuda. Ledo engano! Imagine se os planetas, inclusive a nossa Lua, um belo dia "resolvessem" abandonar nosso sistema solar. Imagine que consequências dramáticas para a humanidade adviriam disso! Maremotos e terremotos seriam provocados pela alteração da força gravitacional. O que quero dizer é que, para vivermos, devemos estar em harmonia com tudo e com todos - assim como os astros gravitam, harmoniosamente, em torno do Sol. Não podemos viver isoladamente achando que não precisamos de ninguém, pois as diferenças dos outros é que nos fazem enxergar coisas que antes não víamos.

Para que a sinusite e a rinite desapareçam definitivamente torne a sua mente dócil e receptiva, acolhendo as palavras dos pais ou autoridades, sem opor resistência ou seja desprendido e bem humorado quando for desafiado ou contrariado por qualquer pessoa ou situação.

Coriza

É a inflamação catarral da membrana mucosa das fossas nasais. Ocorre em pessoas extremamente sensíveis que acham que só se pode conseguir o que se quer se alguém o permitir. Você, que tem coriza, cresça e pare de sentir-se como criança chorosa e vá à luta. Com lágrimas você não vai a lugar algum. Tenha vontade de criar suas próprias coisas e sentir prazer por elas e com elas. Participe ativamente e aceite a si mesmo com amor e sabedoria. Saiba amadurecer com alegria e dinamismo, sem perder a juventude. Perca o hábito de sentir-se vítima e enxergue que você tem capacidade e argumentos para agir diferente quando sentir-se acuado.

Boca

O estado do corpo simboliza a própria pessoa.

Pela boca é que saem os pensamentos em forma de palavras. Se você é daqueles que dizem palavras rudes, que ferem o coração de outras pessoas, criticam os outros às escondidas, não aceitam novas ideias, são inflexíveis quanto às suas próprias opiniões, são ásperos ao falar e principalmente não reconhecem esse comportamento em si mesmos, então, como projeção de sua conduta, você terá sérios problemas: surgirão aftas, feridas dentro e fora da boca, herpes e outros males que o ferirão assim como suas palavras ferem a outros.

Mesmo que você não seja uma pessoa assim, mas se em algum momento de sua vida sua boca apresentar esse tipo de problema, reflita e analise seu comportamento de ultimamente.

Seja dócil ao falar e procure se acalmar diante de certas situações. Não comente, sob nenhum pretexto, os defeitos de outras pessoas e evite "rodinhas" de amigos que têm como único objetivo criticar e "fofocar". Lembre-se, as palavras e os pensamentos são como o bumerangue: voltam-se contra nós mesmos.

Discipline-se para conversar e perca o hábito de "falar mal" dos outros. Se sua intenção é a de ajudar, então comece destacando as boas qualidades das pessoas, comentando sobre elas, com elogios. Deixe que o mal desapareça por si só. Quando não damos atenção ao mal, ele se torna insignificante perto das coisas boas que focamos com nossa visão.

Amplie sua mente, passe a aceitar as mudanças que a vida lhe oferece e se afaste das pessoas que desconhecem os efeitos da "Lei do Retorno" (ou da compensação). Mesmo porque elas estão sempre perdendo tempo em criticar os outros.

Assim como a boca, o ânus também simboliza a "saída". Portanto, o comportamento acima citado e também o alto grau de ansiedade para mudar a vida provoca fístula anal, hemorroidas, prolapso anal, hemorragia anal, etc.

Se você tem o hábito de repreender os outros aos gritos, cuide para ser mais gentil e doce. Aos poucos você sentirá que os erros alheios não eram tão graves assim, ou, pelo menos, aprenderá a lidar com eles de uma forma mais amistosa e compreensível.

Garganta

A garganta simboliza a fala. É o canal de saída daquilo que você pensa. Sua expressão e criatividade são reconhecidas através desse canal. Portanto, se algo o impede de falar, se o que você tenta expressar não é compreendido ou o que o incomoda não pode ser dito, saiba que sua garganta responderá com uma inflamação, com tosse ou pigarro.

As dores de garganta expressam seus sentimentos contrariados. Tudo aquilo que bloqueia a nossa fala e nos obriga a "engolir sapos", trará inflamação das amídalas, problemas nas cordas vocais e até silêncio total da voz, simbolizando o pensamento: "Já que não posso falar o que quero, não falo mais".

Aprenda a livrar-se do medo de falar. Expresse suas opiniões, seus desejos, seus desgostos e crie ao seu redor uma atmosfera de liberdade para viver. Você não é obrigado a fazer o que não quer, portanto, reaja! Liberte de dentro de você aquilo que o incomoda e busque o novo em sua vida.

Se você cansou de falar e nada mudou é porque está na hora de você mudar. Se você pretende ter voz para solucionar os seus problemas, enfrente a situação, pois o problema está dentro de você e não nas outras pessoas. É bom que você se modifique porque para onde for você levará consigo a sua forma de agir diante das dificuldades.

Mágoa é acomodação. Quem quer ser feliz vai à luta e não se deixa aprisionar pelo ego. Esqueça, de uma vez por todas, tudo aquilo que o frustrou e busque sua independência, tanto financeira quanto sentimental. Procure sua integração pessoal de forma harmoniosa e compreenda que é exatamente quando estamos lutando contra a tormenta que ondas maiores cobrem nossa visão. Portanto, desanuvie os seus pensamentos. Reme a favor da maré. Diga firme e calmamente o que você pensa sobre tudo e, com certeza, sua garganta ficará totalmente curada.

Tosse

Representa a raiva que "não sai da garganta".

Se você está vivendo um problema com alguém para quem sua opinião não vale nada, se alguma pessoa o está deixando constantemente furioso e é impossível confessar-lhe essa raiva, ou se você está sendo obrigado a aceitar uma determinada situação contra sua vontade, sua garganta ficará congestionada e sensível.

Os pigarros demonstram a tensão nervosa por estar emocionado com algum acontecimento sem, entretanto, poder demonstrar esse sentimento. O mesmo pode-se dizer das tosses incessantes. Os acontecimentos que desencadeiam tosses ou pigarros são, muitas vezes, sentimentos e pensamentos rápidos e secretos do incômodo relacionado a algum ambiente, assunto ou pessoa.

Em certas ocasiões, o importante é relaxar, respirar e analisar, calmamente, a situação. Enquanto você estiver supervalorizando o acontecimento, suas emoções serão fortes e desequilibradas.

Fale o que pensa, chore se for necessário, mas libere o seu interior, evitando assim ficar sufocado pelos seus pensamentos.

Catarro

Simboliza que a pessoa está respondendo negativamente às opiniões dos outros e que está nutrindo raiva e medo de ter de agir como as outras pessoas esperam que ela aja. Aparece naqueles que não acreditam que somos responsáveis por tudo que nos acontece e que estão sempre esperando algo inevitavelmente ruim acontecer. São pessoas que não percebem que estão acumulando iras "na garganta", só porque desconhecem seu poder nato de criar seu destino.

Se você continuar guardando essa convicção errônea de que os acontecimentos da vida são pura fatalidade, acabará sufocado, mas, se você acredita no que pensa, externe sem medo sua opinião e mude, imediatamente, o que está errado.

Seja você mesmo. Pense e aja com liberdade, mas seja calmo e compreensivo, para não criar atritos. A revolta contra os que limitam sua vida vai criar mais catarro. Portanto, para acabar com essa excreção desagradável que o impede de respirar livremente, escolha caminhos de prazer saudável para você e comece a realizar algum sonho só seu, assim seu pulmão e brônquios se libertarão do catarro, assim como você se libertará dos ambientes que o sufocam.

Cabelo

Calvície

Muitos homens e mulheres que hoje têm queda de cabelos ou que já sejam calvos, provavelmente se sentirão ofendidos ao lerem esta mensagem. Gostaria, entretanto, que isso não acontecesse e que houvesse compreensão por parte do leitor, pois o que eu digo a seguir servirá de apoio para o seu autoconhecimento e desenvolvimento comportamental.

Toda observação colocada neste livro foi desenvolvida através de pesquisas e estudos com bases nas milenares medicinas chinesa, japonesa e indiana. Portanto, minha intenção é fazer com que todas as pessoas passem a se conhecer melhor e, a partir daí, sejam capazes de trabalhar seu próprio aperfeiçoamento.

Kami é a palavra chave para a saúde dos cabelos. *Kami*, em japonês, além de significar cabelo, significa também os superiores e Deus.

Os cabelos nascem na parte superior da cabeça, que é o ponto mais alto do nosso corpo. A queda de cabelos acontece àqueles que (não aceitam) seus superiores, seja por palavras, seja pela conduta ou mesmo porque os ignoram.

Muitos líderes religiosos são calvos na região parietal.

Eles acreditam que estão despertando espiritualmente, entretanto, apenas possuem o conhecimento da palavra de Deus e tornam-se muitas vezes presunçosos.

Pessoas que desejam muito brilhar e se destacar têm tendência a se tornar calvas, pois se revelam extremamente orgulhosas e individualistas.

Existem dois fatores muito fortes que dão origem à calvície: a tendência que a pessoa tem de controlar tudo (não podendo ser contrariada) e um orgulho fortíssimo que chega a cegar. Há também os hipersensíveis que se magoam com atitudes, até sutis, de outras pessoas, por guardarem em seu inconsciente o sofrimento provocado pelo *bullying* sofrido na infância, ou na adolescência, devido à timidez, e costumam guardar esse ressentimento no coração por muito tempo ou... para sempre!

Aqueles que vivem inconscientemente sempre se defendendo de ataques imaginários e, como defesa, fazem acionar suas glândulas sebáceas, causam maior oleosidade no couro cabeludo e costumam ser vítimas da calvície.

Alguns animais, quando se sentem acuados, liberam um odor repelente, mudam de cor ou produzem um aumento de gordura na pele para se tornarem escorregadios e conseguir uma chance maior de escapar do inimigo, ou de afugentá-lo. Isto acontece também com o ser humano, desde que ele possua certas crenças primitivas que o levem a se defender constantemente. Este fato não significa absolutamente que uma pessoa assim seja primitiva em sua conduta, mas que apenas age acreditando que este mundo é hostil.

Quanto à afirmação de que a calvície é um problema hereditário, o que posso dizer é que o que é transmitido de pai para filho não é o problema em si, mas o temperamento atávico que se desenvolve pela educação. Em outras palavras o que acontece é que o pai traz consigo uma crença que transfere, inconscientemente, ao seu filho, inclusive pelas atitudes.

Hoje os cientistas provam, por testes em laboratórios, que os genes sofrem transformações com o auxílio de substâncias orgânicas e químicas. Outras experiências comprovam a eficiência e o poder da energia elétrica nervosa do próprio indivíduo transformando sua escala genética.

É cômodo aceitar que a verdade da calvície está na natureza humana.

A natureza humana é perfeita! Nós é que, por falta de conhecimento, agimos na defesa ou no ataque, provocando sérios danos ao nosso organismo.

Os pensamentos diários são responsáveis pelo acúmulo de emoções boas ou ruins. As emoções "trocam" informações com o sistema nervoso e com o cérebro e, através de outros estímulos nervosos, mandam agentes químicos como resposta. Esses agentes químicos vão trabalhar de forma a destruir ou reconstruir as células sobrecarregadas por aquele estímulo nervoso. Veja: se o pensamento for negativo, a emoção será negativa e enviará ao cérebro um chamado de "socorro". Este, por sua vez, mandará, rapidamente, um "exército" de agentes químicos para o local do conflito e assim começará o "massacre" interno. Como, inconscientemente, cada parte do nosso corpo simboliza uma emoção, o "exército" irá atacar exatamente onde foi chamado.

No caso de pessoa calva, o ataque acontecerá no alto da cabeça, porque é ali que se encontram os superiores que "atrapalham" o brilho dessa pessoa. Assim, com a queda dos cabelos que simboliza a queda da hierarquia, os poderes pessoais e os agentes químicos terão cumprido a missão de "tirar" do caminho os que estão "acima".

Agora queremos ajudar as pessoas calvas ou com queda de cabelos a recuperarem a sua verdadeira maestria interna e fazê-las vivenciar a paz e a harmonia com todos e, consequentemente, a recuperarem os seus cabelos através da aceitação de si mesmas como seres que estão sempre aprendendo.

Quando os cabelos caem, isto é um sinal de que está faltando gratidão pelos pais e superiores e que você questiona tudo que lhe mostram de "novo". Os homens (carecas) são aqueles que não aceitaram o que seu pai fez com o dinheiro da família e inconscientemente, derrubam seus cabelos (pai) para representar que não querem repetir o mesmo erro do seu pai. É como se ele tirasse o pai da cabeça mesmo o amando, para não ser igual a ele.

Quanto à personalidade, você vive, quase sempre, nos extremos da emoção: é dócil, mas de repente, por causa de uma discussão com alguém, ou por ter sido desprezado, torna-se totalmente agressivo. Às vezes tem vontade de quebrar tudo à sua volta e "arrancar" a raiva de seu coração. E sofre com seus próprios pensamentos de vingança e justiça.

Pare de sofrer! Fatos passados só irão afetá-lo se você quiser. Toda essa dor que você sente é porque lhe faltam segurança e autoestima. Arranque dos seus pensamentos essa sensação de solidão e vazio e confie mais na força que o faz viver. Pare de se preocupar com o que os outros vão pensar e liberte-se desse orgulho, aceitando, com carinho, as opiniões alheias.

Seja você mesmo e assuma a sua identidade com respeito por tudo o que você conseguiu pelos seus próprios méritos.

Sempre haverá alguém mais importante do que nós em nossa escala de vida. Somos eternos estudantes e, por isso, devemos ser humildes para valer e aprender a voltar atrás gentilmente, quando errarmos ou acharmos que alguém errou em relação a nós. Essa será a maior prova de beleza interior que podemos dar.

Amigo ou amiga, se você está com dificuldade em encontrar o caminho certo dentro de suas emoções, procure aceitar a ajuda de um profissional, sem medo de perder seu brilho ou seu poder. A ajuda dos outros somente funciona quando a aceitamos.

Yoga, tai-chi-chuan, PNL – Programação Neurolinguística, psicólogos transpessoais. Tente de todas as formas, encontrar essa saída. Mergulhe na natureza de seu ser e saiba que essa sua sensibilidade é consequência de uma riqueza espiritual mal trabalhada em seu interior. Mas não diga aos terapeutas que você quer seus cabelos de volta durante as sessões, pois a maioria deles não acredita que os cabelos voltem e vão tentar desencorajá-lo. Diga apenas que você quer descobrir sua paz interior e flexibilidade sem anulação.

Exteriorize, com força, tudo de bom que existe dentro de você. Seja calmo para resolver as dificuldades face aos seus opressores e acredite que, para a força vital fazer renascer seus cabelos, basta abrir as portas do amor infinito e do perdão. Todo calvo se torna um líder na carreira, no relacionamento, na família, nos grupos de amigos, no transito. Isso faz com que se torne mais difícil tentar entender que o calvo deve ser líder de si mesmo e aceitar, com alegria, que é preciso "abaixar a cabeça" para certas pessoas ou situações.

Compreende, agora, que para fazer voltar os cabelos, será necessário partir para uma viajem interior e reescrever os sentimentos da infância em relação ao pai e às finanças da família? Mas, a ansiedade e a obsessão em ter os cabelos de volta são os maiores inimigos da saúde do bulbo capilar.

Essa jornada pode ser serena e focada na libertação dos desejos rígidos de subir ao "topo" e não na recuperação dos cabelos.

Quando você descobrir, em si mesmo, que pode ser líder e alcançar seus sonhos mais ricos, sem ser centralizador e sem ser rígido, saberá que ter cabelos é ter aceitação do que está no alto: Deus, patrões, pais e qualquer autoridade.

Ache o caminho do meio observando e repetindo a conduta dos líderes cabeludos. Mas, lembre-se de usar a *Lei do Silêncio* para que seus cabelos cresçam.

Quando você menos esperar, as pessoas passarão a notar e comentar que seus cabelos estão nascendo. Mas, continue sua mudança interior e não pense nos cabelos, pense na alegria da criança que seu coração precisa resgatar.

Seja eficiente em tudo sim, mas sem exigir de si a perfeição. Seja uma eterna criança feliz, que erra, aprende e acerta. Boa Sorte!

Tanto faz sua idade ou sexo. A magia da paz é ilimitada e é através dela que o mundo consegue ajustar suas diferenças.

Use com determinação a força de sua imaginação e crie um novo EU sem mágoas e com muitos cabelos.

O grande segredo é exercitar seu poder de concentração no dia a dia, sem se distrair com fatores externos. Concentre a sua atenção.

Perceba seu olhar, assegure-se de que ele não esteja "vidrado" em algo ou em algum pensamento. Relaxe e "pisque" suavemente seus olhos quando estiver conversando ou apenas pensando, pois com isso você criará em seu subconsciente uma imagem sem orgulho e sem ressentimentos.

Em breve você poderá sentir como é bom poder recuar dos desafios e descansar os pensamentos e o coração, sem medo da humilhação ou sem o "medo de perder".

Confie plenamente em sua capacidade, mas saiba abaixar a cabeça em qualquer circunstância e deixe seu poder espiritual falar por você.

Eczema na cabeça

Percebeu que, novamente, estamos falando sobre problemas no alto da cabeça O eczema pode significar desrespeito para com os superiores, que os cônjuges não estão se entendendo, pois estão, de alguma forma, desrespeitando a Deus (*kami*, em japonês), que significa que ocupa o grau máximo. Devemos nos lembrar de que todas as associações feitas com os diferentes significados de *Kami* levam ao alto da cabeça.

A pessoa muito orgulhosa, além de perder os cabelos, ainda fica propensa à arteriosclerose como reflexo da inflexibilidade mental. Teimosa e de ego muito forte em sua personalidade, passa, também, a sofrer de hipertensão, indicando tratar-se de pessoa irritada com alguém dominante que convive com ela.

Pelas leis do Universo "Semelhante atrai semelhante", mesmo que você não admita, se tem eczema na cabeça, é devido à sua personalidade dominante que se irrita com outra pessoa também dominante.

Relaxe e procure compreender, sem pressa, a versão de vida dessa pessoa, tendo o coração paciente e amoroso para que ela não o derrube.

Eczema em criança

Eczema em criança significa que os pais estão vivendo uma relação desarmônica na qual a mulher nutre revolta contra o marido. Por que tanta revolta?

Entenda que a desarmonia só prejudica, não acrescenta nada de bom. Deixe que as pessoas sejam elas mesmas. Alimente seu coração apenas de amor! É inútil perder tempo com revoltas. Imagine um mundo repleto de prazeres saudáveis para você e lute para consegui-lo sem entrar em atrito com seus opositores. Observe se você está exatamente no lugar em que deveria estar. Reflita e verifique se não está forçando uma situação desnecessariamente. Dê tempo ao tempo e passe a agir com mais naturalidade e sem ansiedade. Acredite que tudo vai melhorar e sinta antecipadamente em seu coração que tudo já melhorou. Só assim a felicidade que você procura se manifestará e, consequentemente, seus filhos serão saudáveis como reflexo dessa harmonia.

Respeite os superiores, sem orgulho, e aprenda com eles. Sempre aprendemos alguma coisa, principalmente se nosso coração for dócil e estiver em paz. No caso de marido e mulher, é necessário o equilíbrio do poder e da harmonia para irradiar energia positiva para os filhos.

Ser forte não significa resistir teimosamente. Ser forte significa soltar-se, confiante, em suas ideias, adaptando-se, inteligentemente, às ideias das outras pessoas. Principalmente às do cônjuge.

Eczema em adulto

Significa turbulência mental e ideias contraditórias. É reflexo do conflito gerado pelo excesso de segurança com suas ideias, causando um orgulho teimoso contra seus superiores, sejam eles pais, patrões, cônjuge, sogros, etc.

Seja mais flexível para com você mesmo e para com todas as pessoas. Tente aceitar, docilmente, outras ideias. Largue mão de se irritar com os pensamentos opostos aos seus, pois toda ideia lançada tem seu fundo de verdade e pode colaborar de alguma forma com você. Os grandes sábios escutam os pequenos discípulos, pois é através das perguntas simples que o sábio analisa seu próprio conhecimento.

Acalme-se e reconstrua sua imagem. Mude, abertamente, para ajudar aqueles que não conseguem deixar de ser orgulhosos.

É gostoso mudar. Mude seu comportamento e seu corpo responderá com saúde. Acredite!

Capítulo 2
Coluna vertebral

Imhotep (Hérmes Trismegisto) O pai da medicina. Construiu as colunas dos Templos egípcios baseado na poderosa engenharia da coluna vertebral.

Coluna vertebral

A coluna vertebral é o suporte do corpo. É o pilar da estrutura óssea e muscular. Ela é responsável pelos movimentos dos braços, pernas e dos órgãos. Pela análise psicológica a coluna simboliza nossas raízes genealógicas e tudo que suportamos dos dilemas da vida. É como o grande pilar de um edifício onde a parte invisível é a que sustenta a estrutura toda.

A parte invisível, para nós, são os nossos antepassados. Quando uma criança nasce com problemas na coluna, ou desvio de vértebras, é porque a desarmonia familiar vem de muitas gerações. É o tipo de família que necessita de apoio espiritual e psicológico, pois as estruturas estão cada vez mais abaladas de pai para filho.

Nesse caso, os pais deverão recorrer à sua religião e orar pelas almas dos antepassados, uma vez que de geração a geração ocorre a interferência energética. Mas saiba que invocar o nome de quem já está no plano espiritual não é saudável para nenhuma das partes.

Os espíritos precisam se libertar. Logo, para aqueles que falam sempre com seus mortos ou que fazem cultos constantes, devem ter coragem, amor e fé para entrega-los nas mãos de Deus e dos espíritos socorristas. Devem, portanto, manter sua conduta digna no dia a dia para que seus antepassados sintam orgulho dos entes queridos que aqui ficaram.

Não pronuncie mais seus nomes e observe que várias doenças na família, problemas da coluna e até financeiro desaparecerão, pois a conexão com os problemas dos antepassados estará rompida e sua família não mais canalizará os sofrimentos ilusórios daqueles que se foram.

Somente quem tem grande mediunidade entenderá estas explicações.

Durante muito tempo distorceram o que Buda pregou, assim como distorceram as palavras de Jesus.

Buda disse: "reverenciai aos antepassados" (sentir gratidão) e não "cultuais os antepassados".

Por isso saiba que, ao se tornar uma pessoa harmoniosa para com os pais, cônjuge, filhos e pessoas estranhas, ser caridosa, alegre, honesta, fiel, leal e otimista fará com que todo o mal da sua casa desapareça. Cuidado com que você faz com rituais aos mortos porque você pode estar os "amarrando" e não os libertando.

Jesus ensinou: "Deixe que os mortos enterrem os mortos". (*Mateus v. 8, cap. 22*)

Para curar a coluna vertebral você precisará conhecer sua "impressão digital", ou seja, buscar seu autoconhecimento através de um mapa astrológico sério, pela numerologia pitagórica e até pela cabala. Com isso, você aprenderá a não "carregar" mais do que pode nesta vida.

Também há a interferência inconsciente dos próprios pais que vivem em desarmonia. Todo e qualquer aspecto negativo da conduta dos pais refletirá na saúde dos filhos.

Desvio da coluna significa que a pessoa tem medo de tomar decisões importantes porque teme perder ou magoar alguém. Ela está normalmente lotada de responsabilidades, sendo que a maioria dessas responsabilidades não deveria ser sua. Costuma assumir tarefas dos outros e, com isso, suas costas ficam sobrecarregadas.

Por mais que ore, essa pessoa tem sempre dúvidas e não confia plenamente no futuro.

Saiba que tentar apoiar-se em velhos pensamentos — por falta de habilidade para suportar a vida — provoca desvio de vértebras e pensamentos travados "travam" a coluna.

Conheça o simbolismo do seu corpo para comunicar-se melhor consigo mesmo. Aprenda a respeitar seus limites e respeite-se acima de tudo, pois sua coluna foi projetada para suportar você, e não o mundo. Cuidado com os volumes de pensamentos e de emoções que você carrega.

Problemas com as vértebras cervicais significam cabeça sem apoio, confusa, com medo do ridículo, indecisa, amargurada, a pessoa sente-se sobrecarregada e se sente responsável pelos problemas dos outros; denotam sentimento de culpa, ressentimento e tudo que for relacionado ao excesso de responsabilidade.

Procure ser mais flexível consigo mesmo e não tente "carregar" mais do que pode.

Toda dor ou problema na cervical indica pessoa "sargentona", que controla tudo e todos e não tem tempo para seus prazeres pessoais.

Você alega que cuida demais do outros, porém afirmo que você se tornou dominante demais. Mude, se solte, se cure!

Vértebras torácicas

Simbolizam as contrariedades. Problemas nas vértebras torácicas acontecem com pessoas que vivem suportando a vida da maneira que não gostam, que têm medo do fracasso, que culpam outras pessoas pelas suas tristezas, sentem-se amarguradas, recusam o amor por idealizá-lo demais, vivem conflitos internos por se sentirem rebaixadas pelos outros, têm medo de assumir sozinhas suas responsabilidades e fracassos, "entopem-se" de motivos para não desfrutarem da vida e experienciam tudo que é relacionado com certas punições internas e sentimentos de culpa.

Analise esse simbolismo através dos seus desejos secretos e não pelos seus pensamentos.

Vértebras lombares

Problemas com as vértebras lombares significam contradições nos sentimentos e ocorrem com pessoas que, ao mesmo tempo em que precisam do amor, recusam-no por necessitar de liberdade e de sua individualidade. Mostram indecisão quanto à posição que deve ser tomada em seu relacionamento amoroso e dúvidas quanto aos seus sentimentos.

A região lombar também significa dificuldade financeira, insegurança quanto ao futuro profissional e insegurança quanto a contas a pagar no futuro.

Outra explicação para os problemas nesta área está ou no bloqueio dos prazeres sexuais ou no seu extremo oposto (abuso sexual).

O fato de não conseguir tomar uma decisão e arrastar problemas sentimentais por muito tempo faz com que a pessoa sinta raiva de si mesma. Essa inflexibilidade amorosa é responsável pelas dores lombares, desvios típicos (hiperlordose) e faz essa região tornar-se rígida e dolorida.

As pessoas que não se dobram docilmente para as outras enrijecem esta região.

Sacro

Significa dificuldade para compreender as mudanças na hierarquia e problemas nesta área. Traduzem uma pessoa que não sabe perder; que não quer ajudar nas mudanças e na implantação de novas ideias, que perde o controle do seu próprio poder, vive apegada ao passado e não aceita renovações. Essa atitude mental propicia uma desestruturação emocional, pois suas bases são sempre as mesmas: as velhas teimosias. O mundo está em constante renovação, tanto material quanto espiritual. A cada geração os conceitos da vida mudam e quem não acompanha a transformação se perde em seu mundo de fantasias. Aceitar coisas novas não significa abandonar seus ideais ou seus princípios, mas, sim, aperfeiçoar suas próprias ideias. Solte-se sem medo de perder o controle das coisas. Deixe que as pessoas tomem seu próprio rumo e aprendam a viver. Não temos o direito de possuir a vida de outra pessoa, impedindo-a de se desenvolver. Igualmente nunca devemos permitir que pessoas ao nosso redor nos privem do nosso poder pessoal. Saber se colocar diante de uma invasão de privacidade não significa brigar, gritar ou ofender com ironia, significa se posicionar com firmeza e certeza daquilo que quer sem medo de perder ou de ser "retalhado" verbalmente. Quem sabe o que quer e quem é, não perde a calma. Relaxe e viva a sua vida com maior intensidade. Aumente o poder sobre você mesmo. Seja determinado, sem dependências.

Cóccix

Problemas no cóccix, ou qualquer tipo de acidente nesse local, significam que a pessoa desequilibrou-se em suas energias, por ter sofrido um abalo emocional muito forte. Seus sentimentos foram feridos violentamente e sua segurança perdida; sua base de vida foi estremecida e a lembrança de seu passado tornou-se cada vez mais dolorosa.

Uma pessoa que tem problemas nessa região denota mágoas profundas, sente-se só e sem forças.

Quem, que lhe dava segurança, se afastou de você? O que você perdeu que lhe causou a sensação de ficar sem chão?

O cóccix também é responsável por filtrar as energias mais densas do ambiente, que podem provocar dores nessa região, principalmente quando a pessoa permanece por muito tempo em um local carregado de energias negativas ou de alta tensão. Para não ter problemas no cóccix será importante trabalhar em si mesmo, constantemente, o desapego e a independência emocional ou financeira, com alegria e prazer em sentir que você é livre por dentro. Elimine a necessidade de ser reconhecido ou amado e saiba que existem ciclos que começam e ciclos que acabam por toda a nossa vida. Relacionamentos, carreira, amigos, sofrimentos e alegrias. Seja flexíxel e aceite as situações novas que a vida trará para você. Isso acabará com os riscos de doenças e acidentes no cóccix.

Dor ciática

A definição da dor ciática é "a afecção extremamente dolorosa do grande nervo ciático".

A ciática prende os movimentos pela dor. Simboliza que a pessoa não está se permitindo sentir prazer. Também não está vivendo do jeito que gostaria de viver.

Não se feche como uma ostra. Deixe fluir a troca de amor com as pessoas. As mágoas do passado não justificam os seus bloqueios. Sua viagem por este planeta continua e por isso você deve colaborar consigo mesmo. Não resista à felicidade e aos prazeres que você costumava ter. Saiba equilibrar paixões e sabores, que tudo ficará bem.

A evolução do ser humano acontece em degraus: suba-os respeitando o limite de tempo certo para cada coisa.

Abra seu coração e seu corpo para a vida, sem sentir medo de fazer o que gosta porque ninguém tem o poder de bloqueá-lo. Só você mesmo é quem cria bloqueios fantasiosos e sofre por eles. A dor ciática revela que você cuida demais dos outros ou do trabalho e não se diverte mais. Quando digo divertir-se me refiro aos momentos de alegria e prazer seja com os amigos, passeios, namoro saudável, dançar, cantar, viajar, cinema, teatro ou ficar em casa curtindo seu lar com a família ou sozinho. Volte a se respeitar para que seu corpo reaja e se cure.

Resolvendo os problemas de coluna

Antes de tudo comece organizando sua residência. É importante você sentir-se bem onde mora. Saiba que as condições em que a sua casa se encontra são um reflexo das condições de seu estado de espírito. Faça uma limpeza geral em seu guarda-roupa. Desfaça-se de coisas velhas e sem uso para você.

Reformule seus objetivos sem medo e pergunte-se: "O que gosto mais de fazer?" "É esse o tipo de vida que quero levar?"

"O que vou sentir se tomar uma decisão no amor?" "Para onde irei ou o que farei depois das minhas decisões?". Seja qual for o tipo de decisão que você deva tomar, procure ser objetivo e corajoso. Mude de vida e acabe com essa guerra interna de se achar responsável pela vida das pessoas que convivem com você. Harmonize-se com a vida e deixe que ela flua suave e naturalmente, sem que você oponha resistência alguma. O tempo é o nosso melhor amigo, portanto tenha calma e aprenda a controlar a sua ansiedade.

Sinta-se sustentado pela vida, ame-se e faça a você mesmo aquilo que gostaria que lhe fizessem. Conheça novas pessoas, marque passeios para descarregar seus medos e sinta que a felicidade está sempre acessível para quem quer recebê-la. Acredite que você merece sentir prazer e alegria. Aprenda com as experiências da vida e passe a treinar sua personalidade a dizer o que pensa. Pare de se sentir vítima em todas as situações, pois somos responsáveis por tudo que vivemos. Assuma o fato de que eram os seus pensamentos que estavam negativos e inseguros e, por isso, seu ambiente e suas emoções não andavam bem.

De agora em diante cuide para ser mais alegre, otimista, confiante e largue o que não é seu. Nós só assumimos as respon-sabilidades dos outros quando queremos comandar suas vidas.

Mas, se o seu caso está ligado a uma pessoa deficiente em casa, saiba que esse foi o maior dom que a vida lhe deu. Encare com amor essa responsabilidade, sendo flexível com você mesmo e aceite docilmente essa missão, porque pessoas como você possuem uma capacidade extra, em todos os sentidos.

Na Bíblia está escrito: "Bem aventurados os que choram porque deles é o reino dos céus". E também, *"Não vos preocupeis com o que comer ou com o que vestir; em primeiro lugar buscai o Reino de Deus e sua justiça, e isso vos virá como acréscimo"*.

Capítulo 3
Articulações

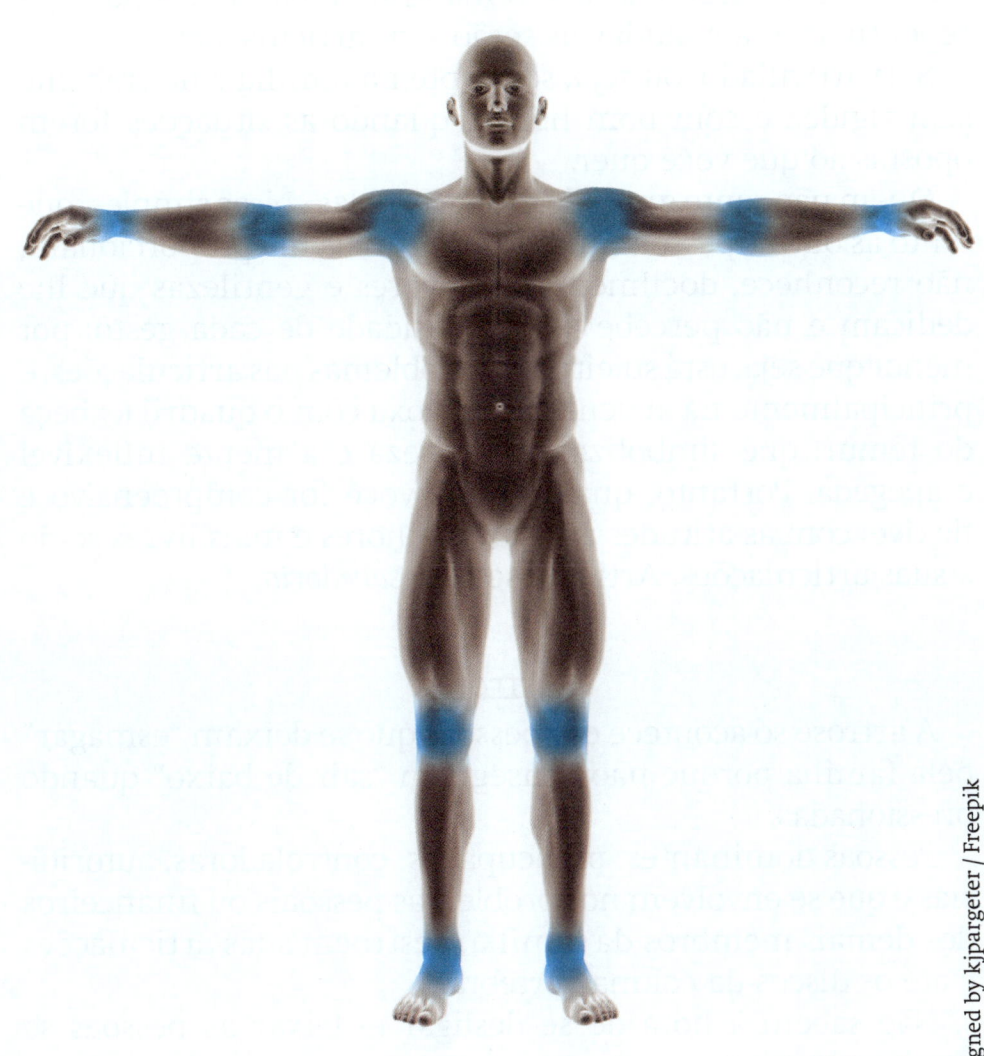

Articulações

As articulações simbolizam a gratidão no relacionamento humano e facilidade para compreender as mudanças obrigatórias no seu rumo. Quanto mais natural e confortador for seu jeito de aceitar a vida com suas atribulações e mudanças repentinas, mais saudáveis serão suas articulações.

Seja articulado, ou seja, se adapte na família e no trabalho sem rigidez e com bom humor quando as situações forem opostas ao que você quer.

Quem não sente gratidão e alegria pelas coisas simples, que tanto as outras pessoas quanto a Natureza lhe proporcionam, não reconhece, docilmente, os favores e gentilezas que lhe dedicam e não percebe a grandiosidade de cada gesto, por menor que seja, está sujeito a ter problemas nas articulações, e principalmente na articulação da coxa com o quadril (cabeça do fêmur) que simbolizará a avareza e a mente inflexível e apegada. Portanto, quanto mais você for compreensivo e flexível com as atitudes alheias, melhores e mais livres serão a suas articulações. Articule-se com *sabedoria*.

Artrose

A artrose só acontece em pessoas que se deixam "esmagar" pela família porque não conseguem "sair de baixo" quando pressionadas.

Pessoas dominantes, preocupadas, controladoras, autoritárias e que se envolvem nos problemas pessoais ou financeiros dos demais membros da família, destroem suas articulações e até os discos da coluna vertebral.

Não sabem a hora de se desligar e deixar as pessoas se resolverem.

Saiba que artrose é sinal que a pessoa sente necessidade de ser o "pilar" de sustentação de todos. É um sinal do masoquismo inconsciente de ter que viver para "salvar e proteger" os demais se esquecendo de si mesma.

Com certeza você viu muita desarmonia em sua infância e desejou, profundamente, arrumar "aquela bagunça", mas por ser criança, não tinha o conhecimento, a autoridade e nem a sabedoria para lidar com tudo aquilo.

Sua mente fez com que você nunca relaxasse, pois quando você se "distraia" algo saia do seu controle. O sentimento exagerado de reponsabilidade e de obrigação para com todos faz com que você carregue uma culpa inconsciente ou consciente, gerado em sua infância, por você não ter conseguido fazer sua família feliz.

Entenda que todos precisavam ter se esforçado para ser melhor, não só você! E quando digo família, me refiro também às pessoas que trabalham com você como se fossem parte da sua família.

Solte do seu coração e do seu inconsciente a necessidade de proteger tanto tudo e todos. Pare de sentir raiva secreta ou declarada diante dessas pessoas, quando elas não fazem o que você aconselha ou ordena. Todos têm suas próprias razões e se você não for maleável, suas articulações serão esmagadas pela sua tensão muscular que se "encolhe" ao ponto de destruir a lubrificação das suas articulações. Seja "úmido" (amoroso e polido), não "seco" ao lidar com pessoas difíceis. Enquanto você acreditar que elas são teimosas, assim elas continuarão para você, não porque elas são, mas porque você pode apenas estar se projetando nelas. Afinal, quem está com a artrose é você.

Encontre o caminho do equilíbrio para que sobre tempo para você se divertir fora da família ou sem os problemas dela.

Procure a ajuda de um psicólogo, de um psicanalista ou na PNL para desprogramar a necessidade de ser o alicerce de todos. Artrose revela que você foi exigido demais na infância, por alguma autoridade e foi castigado quando não fazia o que impunham a você. Elabore essas autoexigências com terapias apropriadas e você descobrirá uma paz interior que antes não conhecia, mesmo cuidando de tanta gente.

Ensine as pessoas a fazer por elas mesmas, mostre as "portas", mas não as abra. Faça-o de forma suave e desapegada, sem se martirizar quando não fizerem por si só.

Ore por elas e diminua o excesso de conselhos que você lhes dá com tanta frequência.

Não se culpe, pois ninguém desenvolve seus músculos apenas vendo outra pessoa fazendo os exercícios por ele.

Busque se amar, se perdoar e a se dar direitos, não só deveres. Deus já o conhece e Ele aprovou seus prazeres também!

Artrite

Representa um coração cheio de críticas e ressentimentos por pessoas que não valorizam seus esforços. Pessoas com esse tipo de inflamação são as que, às vezes, perdem tempo questionando, em pensamentos, os porquês das atitudes das pessoas. Não conseguem sentir que são amadas e geram conflitos de carência. Pare de olhar os defeitos da sua família e pare de se sentir pressionado por pessoas que você permitiu fazer isso com você. O perdão vai curar seu corpo e não importa a sua idade, pois ele liberta seu coração do perfeccionismo e das críticas impregnadas na sua alma devido a uma infância difícil. A medicina egípcia sabe que a idade não tem nada a ver com doenças e sim o que a pessoa faz com suas emoções durante a vida. Velhice é um estado de espírito e esse estado é o que defini como será seu corpo, saudável ou doente. Lembre-se que as crenças da sua família ou da sua cultura fizeram você ter sentimentos que o envenenam ou o curam. Acabe com a artrite sentindo-se mais jovem hoje e sempre. O espírito jovem vai curar seu corpo! E juventude significa alegria, gratidão e fé no futuro. Divirta-se! Ria com o fígado! Cure-se!

Cotovelos

Correspondem às surpresas da vida quando precisamos mudar de caminho, mas resistimos porque achamos que ainda não é necessário. A resistência a mudanças e movimentos causada por dúvidas quanto à posição a ser tomada, gera cotovelos rígidos ou inflamados, simbolizando rejeição pelas coisas novas ou, simplesmente, que a pessoa não consegue acreditar que o novo será bom. Se o processo de inflamação nos cotovelos for constante, analise seus pensamentos diários, reconheça o ponto chave e veja se não é você que sente que está impossibilitado de se articular como desejava. Esta situação pode ocorrer não apenas no âmbito profissional, mas também no dos trabalhos caseiros.

Aceite mudanças radicais tais como: a troca de residência, de emprego, de carreira, de cidade, de relacionamento amoroso e perceba quando o ciclo de acontecimentos da vida termina para começar outro. Será que alguém está forçando você a fazer essas mudanças e é você que não está aceitando? Perceba os sinais que a vida traz. Faça seu mapa astrológico com astrólogos sérios e científicos caso você esteja inseguro para fazer essas mudanças radicais. Os verdadeiros astrólogos sabem usar a matemática e não a adivinhação para mostrar seus novos rumos e suas novas colheitas.

Trabalhe–se para mudar!

Entorses

Acontecem quando a pessoa torna-se teimosa e recusa-se interiormente a seguir uma direção que não lhe agrada, ou quando sente raiva por não poder mudar, de uma vez, determinada situação que a arrasta para caminhos contrários àquele desejado. Significa, também, rigidez de pensamento e confusão mental: a pessoa pensa em muitas coisas ao mesmo tempo, atordoando-se e provocando o desequilíbrio, literalmente falando. Ao aperceber-se desse seu estado de espírito, reaja em sentido inverso: acalme-se e pense cuidadosamente na decisão a ser tomada com referência àquilo que o perturba. Assim você evitará surpresas desagradáveis, com tombos ou entorses. O segredo para não torcer as articulações está na concentração dos pensamentos (foco) numa só direção e na desaceleração da ansiedade e do pensamento.

Hérnia de disco

Significa que a pessoa está profundamente indecisa quanto à sua vida. Sente-se totalmente desamparada e seus pensamentos a deprimem, pois a impossibilitam que encontre saída para essa situação. A hérnia de disco é a forma de impedir a articulação da coluna e mostra, simbolicamente, o quanto a pessoa se sente "amarrada", o quanto os movimentos estão presos e essa dificuldade é gerada porque a apoio necessário para a movimentação não é encontrado. Então, simbolicamente, isso ocorre quando a pessoa não recebe apoio de alguém no momento em que mais precisa e se sente sobrecarregada. Acabe com a expectativa de acreditar que você precisa de ajuda. Aceite qualquer ajuda sem frustação e entenda que se você carregar menos problemas, preocupações e trabalho não ficará na expectativa de que alguém virá ajudá-lo.
Relaxe!

Inflamação

Para sua melhor compreensão quanto à análise de determinadas doenças, saiba que todas aquelas que terminam em "ite" significam inflamação: artrite, tendinite, etc. A ira constante, a raiva acumulada, o nervosismo contido, geram atrito interno, febre e inflamações que serão somatizadas (doenças e acidentes) em seguida. Mas se os sentimentos forem desabafados e retirados completamente do coração, a inflamação não acontecerá, ou será eliminada conforme o grau de sua compreensão e de seu perdão.

Joelhos

Eles deveriam equilibrar o seu passado (coxas) com o seu futuro (pernas).

Aqueles que não conseguem aceitar opiniões alheias (orgulho) e agem como crianças (infantis emocionalmente) para defender seu espaço, mostram que precisam amadurecer mais para poder compreender as novas formas de se defender contra aqueles que se lhes opõem. Faltar com respeito para consigo mesmo deixando de realizar seus objetivos ou suportando todas as contrariedades, domésticas ou profissionais, também não é uma maneira correta de comunicar-se. A anulação pessoal só acontece quando a pessoa não conhece outros meios de se expressar e acredita que já tentou de tudo para mudar uma situação desagradável que a aflige. Se você se sente ferido em seus sentimentos e em seu orgulho porque está fazendo coisas que contrariam seu verdadeiro modo de ser, se está se desrespeitando ao forçar uma situação por não saber como corrigi-la e vive com o coração repleto de críticas e desapontamentos, saiba que seus meniscos, ligamentos e ossos do joelho serão afetados. Eles irão inflamar e poderá até ocorrer estiramento ou rompimento dos ligamentos, mesmo que seja provocado por algum acidente. Nós somos induzidos, cegamente, pelo nosso inconsciente, para o bem ou para o mal, conforme no que acreditamos ou pensamos constantemente.

As pessoas que não se "dobram" para os outros e teimam

em sustentar as suas opiniões acabam somatizando um joelho que não dobra, que não flexiona e é extremamente dolorido.

A análise de nossa conduta mais secreta é, realmente, um trabalho difícil que requer sinceridade e lealdade com relação a nós mesmos. Para revertermos o quadro de doenças, dores e outros sentimentos para a saúde e felicidade, devemos reconhecer nossas emoções diárias, e não somente nossos pensamentos, para que possamos trabalhar na mudança do nosso interior. O que você perderia se aceitasse que a pessoa que o deixa tenso, tem razão também? Como você se sentiria se conversasse e escutasse os supostos absurdos da pessoa que você considera difícil? E se você soubesse que só convivemos com pessoas que têm a mesma frequência vibracional que a nossa? E que elas só estão, sem saber, nos mostrando nossa própria rigidez. Imagino que para você ter hoje problemas nos joelhos é por ter tentado de várias formas mudar essa pessoa que o aflige e nada conseguiu. Será que se você passar a olhar para sua própria conduta diante dela e de outras pessoas, encontrará dentro de si alguém sem paciência e autoritário? Mude! Dobre sem se anular. Tenha mais piedade e compaixão das pessoas que não enxergam a si mesmas e cure seus joelhos! Nenhum médico pode cura-lo! Só você pode se curar mudando sua forma de sentir e agir em todas as situações da sua vida.

Ombros

Simbolizam tudo que carregamos de responsabilidade e qualquer inflamação nessa área significa que os nossos superiores, ou as pessoas que exercem alguma autoridade sobre nós, não estão reconhecendo o nosso esforço, não elogiam nosso trabalho, tomam para si nossas ideias, criam conflitos desnecessários, não colaboram conosco e, ainda, negam que estejam nos causando qualquer infortúnio.

Isso gera uma tal ira que chegamos a desejar golpeá-los inconscientemente. Às vezes, poderemos até assumir esse desejo pelas evidências do atrito.

A bursite é a inflamação das bolsas de líquido lubrificante (sinovial) das articulações dos ombros. Simboliza a "prisão interna e conflitante" do seu coração e está relacionada a algum superior ou à pessoa a quem você deu algum comando e ela teve resistência contra você tornando-se superiora ao desobedecer suas ordens.

Bursite revela a vontade inconsciente de dar um "soco" numa pessoa que simboliza a autoridade sobre você ou que realmente seja seu chefe ou chefa e nunca reconhece o bem que você faz.

Uma vez que os ombros são responsáveis pelas tarefas e serviços de nossa vida, tudo aquilo que visar o bloqueio dos movimentos em nosso trabalho causará somatização mostrando a amargura por não podermos desenvolver as ideias, a criatividade e o desempenho ideais.

Questione-se sinceramente a respeito disso e descubra se esse trabalho é realmente importante para você ou se ele propicia o seu desenvolvimento profissional e pessoal. Ajude seu inconsciente a compreender que alguma coisa deve ser mudada, tanto em sua conduta quanto na forma de expressar o seu serviço. Acreditar que os outros têm o poder de nos atar em nosso caminho é acreditar que somos mecânicos e que nosso conhecimento é limitado. Se a responsabilidade de cuidar da família faz você se sentir acorrentado, então está na hora de reformular e parar de assumir responsabilidades que não são suas. Dividir o trabalho e reeducar os entes do nosso convívio requer sabedoria, força de vontade, desprendimento, diálogos e fibra para, com amor, colocar cada um em seu devido lugar. Nós somos responsáveis pela carga que levamos sobre nossos ombros, portanto, livre-se dela sem traumas, reconhecendo que só conseguimos ajudar verdadeiramente as pessoas quando permitimos que elas conheçam seu potencial através do trabalho e cuidando de suas vidas.

Se seus ombros estão inclinados para frente é porque estão se sentindo sobrecarregados e vítimas da fatalidade. Solte-se plenamente e acredite que, da mesma forma que você conheceu seu potencial, assim outras pessoas — pais, filhos, marido, esposa, alunos etc. — também necessitam exercitar-se a fim de desenvolverem suas capacidades. Incentive-os positivamente mostrando-lhes as qualidades que possuem, mas que ignoram. Se eles não aceitam você como líder ou não aceitam o que você faz ou pede, então está na hora de você soltá-los de sua mania de comandar e controlar. Tire-os de cima dos seus ombros com compaixão e não faça chantagens emocionais, mostrando e falando tudo o que você fez por eles. Na verdade você fez porque quis. Observe-os vivendo da maneira que eles escolheram e nunca diga: "bem que eu avisei", quando algo der errado nos caminhos deles. Eles precisam viver as lições cármicas deles para poderem crescer e você não pode impedir e sim acolher com amor e sabedoria. Acredite no lado bom das pessoas e saiba deixa-las escolher se querem atravessar a ponte ou não.

Quanto mais você fizer a sua parte, sem esperar reconhecimento e não levar para o lado pessoal as atitudes das autoridades e chefias, mais seus ombros entrarão em regeneração, deixando os ortopedistas pasmos. O corpo é regenerativo e não degenerativo como diz a medicina arcaica.

Pulsos

Os pulsos representam nossas experiências de vida e quando estão doentes ou feridos significa frustração por não ter conseguido provar seus conhecimentos.

Quando a pessoa acredita que domina o que aprendeu, mas, em determinadas situações, sente-se perdida, encurralada e sem o reconhecimento, seus pulsos inflamam, ferem-se ou passam a doer.

Sabemos que existe a síndrome dos digitadores (em informática), ao tipo de trabalho que exercem. Mas, na verdade, os sintomas só acontecem quando estes profissionais tentam mostrar o melhor de suas possibilidades profissionais e não sentem que estão sendo reconhecidas ou elogiadas pelo que fazem. Muitas vezes essas pessoas veem a atividade que desempenham apenas como um meio de sobrevivência que não traduz as suas verdadeiras expectativas para a realização profissional. Com isso acabam dificultando o manejo das experiências em sua mente.

Se precisarmos camuflar a nossa personalidade para causar boa impressão, seremos obrigados a arcar com atitudes que não podemos sustentar por muito tempo. Os pulsos apenas avisam que precisamos confiar em nossos conhecimentos e assumi-los, com modéstia e eficiência sem esperar aplausos ou elogios.

Mesmo que você tenha machucado os pulsos de outra forma, procure se lembrar em que momento você sentiu o não reconhecimento por pessoas de quem esperava elogios.

Se for o pulso direito está relacionado a uma frustação com mulher ou mulheres. Se pulso esquerdo está relacionado a uma frustação com homem ou homens.

Portanto, se você se encontra em quaisquer dessas situações, procure ser mais flexível para consigo mesmo. Aceite as mudanças que a vida lhe oferece, pois é através delas que encontramos as respostas para muitas dúvidas do passado.

Ignore o seu ego. Afinal, onde está escrito que você tem de acertar sempre? Nós estamos no mundo para aprender e por isso erramos. Se o caminho que você está seguindo não lhe agrada é porque, no passado, também hesitou em mudar. Veja se vale a pena continuar: analise as vantagens e desvantagens dessa situação e passe a expressar o que você sente. Encare tranquilo as mudanças, já que elas só aparecem para trazer mais conhecimentos. Viva sua vida como você gosta, mas vá com calma buscar sua liberdade de pensamento. Agradeça tudo e a todos, profundamente, seja mais dócil e flexível.

Tornozelos

Tornozelos representam o leme das nossas escolhas de vida, os caminhos que decidimos trilhar e os sonhos que queremos buscar.

Tornozelos com problemas mostram que a pessoa não está conseguindo seguir seu caminho com convicção, que se sente impedida de agir e torna-se inflexível a ponto de provocar vários entorses ou rompimento de ligamentos.

Tornozelos inchados significam que o fluxo dos seus pensamentos está bloqueado por medo ou ira contra os opositores.

Procure ser mais natural em suas atitudes e esqueça o descontentamento. Procure falar calma e abertamente sobre seus sentimentos reprimidos com aqueles que seu coração acha serem responsáveis pelos seus bloqueios. Harmonize-se e encontre o ponto de equilíbrio entre seus relacionamentos. (Ler Entorse)

Capítulo 4

Ossos

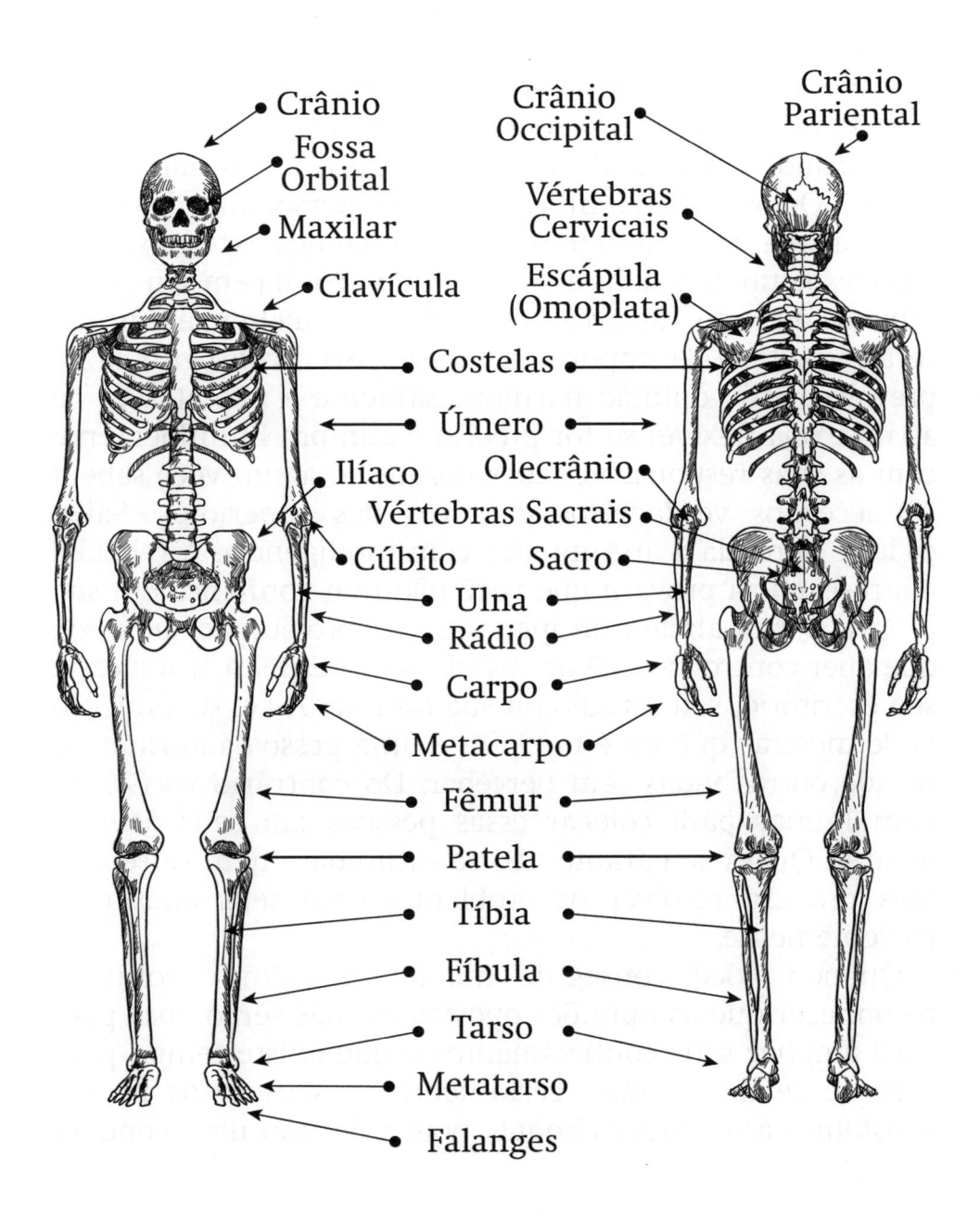

- Crânio
- Fossa Orbital
- Maxilar
- Clavícula
- Crânio Occipital
- Vértebras Cervicais
- Escápula (Omoplata)
- Crânio Pariental
- Costelas
- Úmero
- Ilíaco
- Olecrânio
- Vértebras Sacrais
- Cúbito
- Sacro
- Ulna
- Rádio
- Carpo
- Metacarpo
- Fêmur
- Patela
- Tíbia
- Fíbula
- Tarso
- Metatarso
- Falanges

Ossos

Simbolizam a estrutura e a formação da personalidade. Quando uma pessoa resiste, rebeldemente, à autoridade dos pais, chefes, marido, esposa, etc., rompe a harmonia do relacionamento e, inconscientemente, provoca fraturas ósseas significando "quebra de relacionamento ou da autoridade alheia". Ossos fortes significam que sua personalidade não se deixa abalar por muito tempo por comandos externos. Você sabe respeitar as ordens ou, pelo menos, confia em si mesmo, sabendo que não é através da rebeldia que sua livre expressão será respeitada. O importante nesse caso é conseguir fazer prevalecer sua opinião harmoniosamente e não através de atritos. Seja flexível se for preciso e cumpra humildemente com as suas responsabilidades porque só assim você saberá conhecer os verdadeiros objetivos dos superiores. Saiba ceder e aprenda a argumentar com inteligência. A rebeldia e a resistência provam que você não tem confiança em sua própria personalidade ou apenas está se projetando na pessoa que quer controlar você ou invade, sem respeito, a sua casa, seu escritório, seu estúdio ou sua família. A Lei da Projeção pode mostrar que você também é uma pessoa autoritária e invade outras vidas sem perceber. Do contrário você teria bom humor para colocar essas pessoas em seus devidos lugares. Quem se garante não se intimida e nem se rebela, mas procura resolver os problemas com seus opositores pacientemente.

Quando você conseguir manter a calma profunda, reconhecer que as opiniões opostas às suas serão boas para você ampliar seus conhecimentos e que existe tempo para tudo se realizar, então certamente os seus ossos ficarão resistentes a qualquer choque, pois refletirão uma conduta flexível e, ao mesmo tempo, forte.

Se você vive em ambiente onde recebe ordens contra sua vontade, procure verificar se seu comportamento não está demonstrando aparência de irresponsável ou infantil ou desligado fazendo com que seus superiores "peguem no seu pé" constantemente. Cuide de suas coisas com carinho. Respeite o espaço dos outros e saiba responder calmamente às perguntas que lhe são feitas, sem ofender-se nem se alterar. Esteja sempre em paz em suas decisões. Com certeza todos passarão a respeitá-lo e acreditarão mais em seus objetivos. Não dê motivos para que as pessoas pensem o que bem entenderem de você. Seja sempre sincero e cauteloso.

Ossos deformados

Eles mostram a pressão mental que a pessoa está sofrendo.

Quando a criança nasce com uma deformidade óssea, está querendo dizer que seus pais vivem sob pressão da família ou de outras autoridades.

Quando a mente se satura, mas se acomoda na posição em que está o corpo perde a personalidade original (estrutura da vida).

Pessoas assim temem perder a estabilidade ou segurança ou estão protegendo a família e a si mesmo de alguma ameaça.

Confie em que tudo pode ser mudado com o tempo. Nós vivemos exatamente como fomos acostumados a acreditar e por isso, é difícil aceitarmos tudo que esteja fora dos registros de nossa mente (é comum nos rebelarmos contra o que foge às nossas crenças) mesmo querendo acreditar.

Por exemplo: Galileu Galilei foi preso por contrariar o Clero ao afirmar que o Sol era o centro do Sistema Solar e que a Terra é que girava ao seu redor. Quando Santos Dumont (redescobriu) a aerodinâmica que seria aplicada na aviação, ninguém acreditou em suas teorias. Mais tarde, porém, recorreram às suas descobertas para (reconstruírem) os primeiros aviões (reconstruir porque a arqueologia já descobriu após o ano 2000, aeroportos e desenhos de aeronaves no Egito). O "Pai da Aviação", como era conhecido, entretanto, morreu de desgosto ao ver que suas pesquisas engenhosas foram desvirtuadas e utilizadas para a guerra.

A história da humanidade sempre seguiu o mesmo caminho: gênios criando e desenvolvendo novas esperanças para o mundo e, uma avalanche de críticas, simultaneamente, insurgindo-se contra suas descobertas.

Hoje nosso planeta vive graças ao aperfeiçoamento do que estes gênios intuíram e outros que receberam informações e ensinamentos de seres mais avançados tecnologicamente.

Acredite que seu próprio interior possui a força necessária e sábia para tornar seu mundo melhor. Intua, sinta seu mundo mudar. Preserve a harmonia e a paz do seu coração. Busque coragem, apoie-se na força do amor e opere a sua própria mudança. A mudança pessoal muda o mundo: quando transformamos nossos pensamentos e nossos hábitos, consequentemente transformamos também nosso ambiente e as pessoas que convivem conosco. Essa verdade é reconhecida pelos orientais há mais de dez mil anos.

Portanto, todos podemos ser felizes: basta descobrirmos a porta certa que, às vezes, está sob nossos olhos e não vemos. Queira ser independente e passe a construir um ambiente novo para você e sua família. Acredite que a natureza harmoniosa corrigirá toda a sua estrutura óssea, contrariando a Física, a Medicina, a Fisioterapia e a Educação Física.

Procure agir como expliquei quando falei sobre ossos fraturados e tenha mais determinação na estrada que escolher, pois quem anda em *ziguezague* está arriscando a própria vida e a de seus dependentes.

Relaxe e sinta-se livre para pensar e agir. Enfrente o desconhecido porque, na verdade, nosso inconsciente conhece muito bem o que nós criamos com os nossos pensamentos no mundo mental. E é o inconsciente que estará sempre lhe avisando se a sua conduta está correta ou não. Basta ficar atento à sua saúde e ao ambiente que você mais frequenta. Lembre-se da lei do Universo: *os semelhantes se atraem, consciente ou inconscientemente*. Analise-se e, finalmente, conquiste a sua liberdade: o pensamento é força criadora e é você quem escolhe como quer viver daqui para a frente. Solte as amarras e livre-se desse medo das mudanças.

Dentes

<u>Você encontrará mais sobre os dentes no volume 3 desta coleção.</u>

Dentes representam decisões.

Problemas nos dentes simbolizam indecisões.

As crianças que são educadas sob pressões contraditórias e repressões e que vivem ao mesmo tempo protegidas demais e ameaçadas sob chantagens de uma autoridade rígida, sentem as suas opiniões anuladas e crescem desenvolvendo uma personalidade dividida, não sabendo tomar decisões rápidas. Estão sempre em dúvida quanto ao que fazer, mas procuram não aparentar essas indecisões, devido às cobranças de seus pais ou superiores. Esse conflito interno torna-as, geralmente, perturbadas e confusas. Se, ao realizar um trabalho ou uma prova escolar, o professor ou superior se aproximar, será o bastante para que a criança se atrapalhe, erre e queira desistir.

Normalmente, esse comportamento se arrasta até a vida adulta, quando ela mesma tentará através da consciência superar essa insegurança — que muitas vezes é interpretada como timidez.

É assim que essas pessoas ficam por muito tempo apoiadas em alguém — principalmente em pessoas autoritárias e mais determinadas — o que é um mecanismo de compensação para as suas incertezas.

Os dentes, que simbolizam as decisões, sofrem abalos,

nascem encavalados, fracos, e, com o tempo, serão afetados por cáries, representando invasão de opiniões em sua vida privada.

Siga sua intuição, desenvolva sua sensibilidade para alcançar as respostas que a Natureza, constantemente, lhe dá... mas acalme-se!

Tome decisões por você mesmo e acredite que elas serão corretas, pois a vida nos ensina através dos nossos erros. Portanto, perca o medo e a vergonha de errar. Quem não erra? Saiba que aqueles que, aparentemente, são nossos superiores, também erraram... e continuam errando! A única diferença é que eles decidiram não se incomodar com o que os outros pensam a seu respeito.

Procure dar mais atenção às suas qualidades, valorize seus conhecimentos e habitue-se a tomar decisões sozinho. Comece dentro de sua própria casa, com suas roupas, comida, mudança de posição dos móveis, etc.. Quanto mais você se acostumar a tomar decisões rápidas e seguras sem se arrepender depois, menos problemas terão os seus dentes. A periodontite (dentes moles) revela uma pessoa que foi controlada a vida toda e não aprendeu a decidir sozinha, por isso está sempre na dependência de alguém mais forte e autoritário ou alguém que faz tudo por ela.

Além da higiene bucal que todos devemos ter, também precisamos manter a higiene mental, "limpando" as confusões da cabeça e organizando os nossos pensamentos. Isso facilitará na hora das decisões.

Saiba que você não precisa perguntar aos outros tudo que deve fazer, pois quem organiza sua vida é você mesmo e ninguém sabe melhor do que você o que é preciso para o seu aprimoramento pessoal. Contudo, não confunda decisões próprias com imposição das suas ideias. Procure ser humilde e aceite as ideias e opiniões de pessoas que podem ajuda-lo. Apenas decida sempre.

Problemas de canal

Cuidado ao tomar certas decisões, porque quando nos deixamos saturar com acontecimentos desagradáveis e temos que, repentinamente, mudar nosso rumo, podemos causar um trauma profundo mesmo que, aparentemente, não sintamos a mágoa causada pela mudança. A desestruturação de nossas crenças antigas, de nossos planos secretos e nossos desejos mais íntimos (devido a perda de algo ou alguém que nos apoiávamos) "desestrutura" também o nosso canal dentário que simboliza as nossas decisões mais profundas e secretas. A inflamação significa os atritos internos aos quais nos submetemos exatamente porque não acreditamos que tudo pode ser mudado sem que tenhamos que abandonar nossos primeiros ideais.

Seja mais paciente para com você mesmo; seja flexível em seus pensamentos relativos à posição que deve tomar em algumas situações, seja no trabalho, no amor, na família, sem se apoiar em nada nem ninguém. Aceite, docilmente, as mudanças da vida e aprenda que nunca devemos tornar único o que aprendemos no decorrer de nossa vida, principalmente, acreditar que certas pessoas nunca sairão da nossa vida. Aquilo que acreditamos ser a única verdade pode não passar de mera informação ou crença. Se a pessoa em quem você se apoiava partiu ou morreu, se o emprego onde você se sentia estável o despediu ou quebrou, se suas crenças que lhe davam segurança foram abaladas, então dirija seus pensamentos imediatamente para o seu anjo da guarda e peça ajuda pois ficar sem "chão" ou sem raízes resulta em problemas nos canais dos dentes e também problemas no cóccix.

Cuidado com sua mente apegada!

Osteoporose

Osteoporose tem o mesmo significado psicossomático de ossos deformados e também falta de alegria e divertimentos.

Além disso, a mente dessa pessoa está mostrando que perdeu seu estímulo de vida e sua agilidade para resolver seus próprios problemas. A tensão constante em sua consciência faz de você uma pessoa difícil de compreender que a vida flui naturalmente e que tudo está se transformando a cada instante. Abra sua mente e amplie sua consciência: a vida no Universo é extensa demais para você se "trancar" nos limites de suas crenças e seus medos. Alivie essa tensão mental e relaxe, confiando no melhor.

Aprenda algum método de meditação e relaxamento para que você consiga soltar esses pensamentos fixos.

Existem muitas escolas, livros, seitas e cursos que podem ajudá-lo. Se você não souber onde procurar, olhe a última página deste livro e faça seus contatos com quem pode ajudá-lo.

A osteoporose mostra que você está vivendo no automático e não está vivendo seus prazeres pessoais. Não é culpa de ninguém de você não estar alegre ou brincando. Nunca devemos parar de brincar, pois os ossos, que representam a estrutura da nossa personalidade, sofre quando deixamos de brincar e compartilhar alegrias. Para fazer os ossos se regenerarem, sua mente precisa assistir sua conduta rindo e feliz. Rir socialmente ou por educação não vai curar seus ossos. Descubra algo que você goste de fazer e vá fazer! Os monges tibetanos, chineses, japoneses e até Franciscanos, brincam, dançam, cantam e dão muitas gargalhadas quando não estão orando. Muitos vivem mais de cem anos sem doenças, sem problemas nos ossos e com sanidade total.

Reaprenda a rir como criança, perdoando tudo! Osteoporose revela sua inflexibilidade na personalidade, resistência exagerada em "ceder" às opiniões ou coisas materiais e também você está se anulando diante de situações ou pessoas devido ao tipo de vida que você está levando.

Quem é você verdadeiramente? O que você quer? Faça cursos de autoconhecimento, psicoterapia para organizar seus pensamentos e resgatar sua autoestima escondida na sua alma. Quando você souber o que quer não se deixará mais anular e nem entrará em atritos com pessoas chantagistas ou doentes ou autoritárias. Apenas saberá administrar seu tempo para cuidar das pessoas, da empresa, do lar e dos seus sonhos particulares também! Acorde e boa sorte!

Capítulo 5
Braços, mãos, dedos e unhas

Braços

Simbolizam a ambição, o trabalho, o desejo de realização profissional e a vontade de conseguir seus ideais à sua maneira.

Quando alguém, que possui certa autoridade sobre nós — mãe, esposa, sogra, avó, patroa, nora, cunhada, irmã, tia, filha ou mulher que tenha algum tipo de controle na sua vida nos proíbe na realização desses desejos ou provoca a anulação de nossa personalidade através de chantagens, imposições, ou críticas, é gerado um conflito interno que irá projetar um acidente no braço direito, ou dores estranhas, ou uma doença como reflexo dessa desarmonia. Da mesma forma, se o conflito for relacionado ao pai, patrão, sogro, filho, genro, tio, avô ou qualquer homem que tenha algum tipo de controle sobre a sua vida surgirá, então, como projeção, um problema no braço esquerdo.

Quando, porventura, a base desse conflito não estiver relacionada a alguém, então podemos analisar nosso próprio pensamento com relação ao trabalho. Talvez estejamos limitando o nosso sucesso devido às nossas próprias dúvidas e crenças errôneas. Lembre-se que os braços representam o trabalho, a carreira ou serviços e por isso, quando se acidentam ou ficam doentes, o inconsciente está apenas mostrando que você está com situações mal resolvidas com pessoas do trabalho ou da família que atrapalham seus planos ou seu jeito de trabalhar.

Quero alertar os leitores que a maneira correta de nos analisarmos é sempre pela projeção sobre alguém, como ensinam os antigos egípcios. Ou seja, doença ou acidente no lado direito do corpo, independentemente se for num homem ou numa mulher, sempre será simbolizado, pela mente, conflito com uma mulher e se for do lado esquerdo, conflito com um homem.

Lembre-se que tentar encontrar em nossa conduta ou o conflito conosco mesmo a resposta demorará bem mais devido a resistência do inconsciente.

Mas se você perceber que seus próprios defeitos de conduta foram projetados sobre outra pessoa, ficará mais fácil identifica-los, pois é só reconhecer o que pensa dessa pessoa e você encontrará o que carrega dentro de si mesmo, mas ignora.

Pela lei da projeção somos capazes de corrigir nós mesmos apenas identificando nossos sentimentos e pensamentos em relação às pessoas ao nosso redor. O que vemos nos outros, de bom ou ruim, é apenas nosso próprio espelho, doa a quem doer.

Faça uma análise cuidadosa, pois nem sempre queremos admitir que estamos sendo pressionados em nossos ideais. Nem sempre conseguimos perceber que determinada pessoa nos incomoda profundamente porque, às vezes, por estarmos tão acostumados com a situação, achamos tudo normal.

Por isso devemos ser honestos conosco e procurar entrar em contato com nossa mente inconsciente e provocar o perdão. Os sentimentos de raiva, de mágoa e insatisfação, mais cedo ou mais tarde, serão somatizados em forma de doenças ou acidentes.

Liberte-se dessa sensação de impotência e acredite em você. Mova-se, tranquilamente, em direção aos seus sonhos e não pense que os aparentes obstáculos serão definitivos, pois eles podem servir de degraus para você subir ainda mais com seus planos. Saiba que é impossível que algo o derrube de seus bons pensamentos e procure ser flexível com as ideias alheias.

Seja você mesmo o seu próprio terapeuta e condicione-se ao fato de que, com força de vontade, o passado gravado negativamente em seu subconsciente pode ser transformado.

Pense convicto que você é capaz de realizar seu trabalho, cada vez melhor e com a proteção divina. Afinal, somos responsáveis por tudo que estamos vivendo hoje. Portanto, tire do seu coração as críticas ou as acusações, pois tudo o que nos acontece de bom ou de ruim tem, de alguma forma, nós permitimos que acontecesse.

Não culpe a idade avançada, pois você está usando essa crença para outros o servirem ou para não ter que fazer o que não quer mais. Centenas de homens e mulheres com mais de noventa anos trabalham na roça, nos escritórios, no lar com saúde nos braços. Ame seus braços e ame trabalhar! Procure fazer coisas que você goste para que seu inconsciente recupere o movimento dos seus braços e ombros!

Mãos

Simbolizam como cuidamos do nosso trabalho e nossas coisas da vida. Representa como manipulamos a carreira, as experiências, a limpeza da casa, os consertos etc. Mãos feridas significam dores e dificuldades relacionadas com o que estamos trabalhando ou a que estamos nos dedicando. É uma forma de mostrar os atritos com aqueles que nos irritam, anulam ou criticam e não agradecem nem reconhecem os nossos trabalhos ou afazeres. Devemos tocar, pegar ou transportar tudo com carinho e harmonia.

Devemos abrir as mãos para ajudar, mas também devemos saber fechá-las para evitar o desperdício. Saiba que pelas mãos o amor e o ódio se encontram. Pelas atitudes e movimentos das mãos conhecemos nosso estado emocional. Procure verificar em si mesmo a qualidade dos movimentos de suas mãos e dedos e saberá se está na hora de pensar melhor em tudo que você tem feito ultimamente. Acalme-se e não tenha pressa em obter resultados, pois tudo tem seu tempo certo para acontecer, mesmo que demore um pouquinho mais.

Nunca mais espere elogios ou reconhecimento. Faça seu trabalho ou sua arte com prazer e alegria ou não faça mais o que não gosta. Poupe suas mãos das intrigas do seu coração!

Ombros, braços e mãos mostram os problemas relacionados à ambição no trabalho ou ideais. Se você quer ter saúde nesses membros pare de querer ser aplaudido pelo seu trabalho e trabalhe apenas todos os dias em todas as variadas formas de serviços com amor, paciência e prazer.

Dedos

Dedo indicador

Esse dedo ferido significa que você está acusando, consciente ou inconscientemente, alguém que lhe causou algum dano ou mágoa. Se o dedo for o da mão direita, você estará acusando uma mulher e se for o da mão esquerda você estará acusando um homem.

Dedo médio

Ferimentos nesse dedo significam raiva e sexualidade. Repúdio, raiva, mágoa, etc. A insatisfação pode ser tanto com relação ao seu parceiro ou parceira quanto com pessoas que direta ou indiretamente atrapalham sua sexualidade. Se for direito é contra uma mulher se for esquerdo, contra um homem.

Dedo anular (ou anelar)

Ferido ou doente mostra que seu desejo de união perfeita com o cônjuge está abalado, isto é, que as suas expectativas com alguém estão se tornando negativas ou perturbadas, seja pelos seus desentendimentos ou se seu coração estiver culpando alguém que atrapalha seu relacionamento amoroso.

Dedo mínimo

Representa a família e tudo o que gira em torno dela. Se

seu coração está amargurado, pressionado por problemas familiares, se estão lhe causando aborrecimentos, se suas pretensões relacionadas à família estão sendo frustradas, se você tem medo de constituir família ou dificultam quando você quer formar uma família saiba que seu dedinho sofrerá.

Dedo polegar

O polegar ou dedão representa a cabeça, o intelecto, o raciocínio lógico, o trabalho e as preocupações em controlar pessoas e situações de forma dura.

Suas preocupações intelectuais estão necessitando de organização, pois estão causando confusões com os outros e com você mesmo. Deixe de teimosia em algumas tentativas. Relaxe! Seu ideal profissional pode ser conciliado com sua vida pessoal. Procure apenas observar seu próprio comportamento para descobrir onde está o erro. Essa ansiedade de querer realizar-se, desorganizando sua vida familiar, também pode causar problemas no dedo polegar de seus filhos, como reflexo das suas atitudes rebeldes. Vá com calma, reflita atentamente sobre os novos caminhos e aceite com humildade e compreensão as mudanças provisórias. Fique tranquilo o suficiente para colaborar consigo mesmo. A revolta e a teimosia impede a avaliação quanto à nossa própria conduta. Portanto, cuidado! Pare, pense e comece tudo de novo! OK?

Dedos dos pés

Seus significados equivalem à mesma leitura corporal dos dedos das mãos, mas mostram nossas preocupações com os detalhes do futuro.

A preocupação sutil e desconfortável, gerada em nosso interior pelo medo de aborrecimentos futuros, nos causa dores e acidentes nos dedos dos pés. Portanto, na primeira topada, pare imediatamente com essas reclamações e conflitos para não aumentar a carga negativa que recairá sobre seus dedos.

Acalme-se e habitue-se a dizer palavras bondosas e compreensivas, positivas e alegres e você sentirá, gradativamente, uma sensação confortável em seu espírito, mudando-o para melhor.

Unhas

As unhas são cascos de proteção de nossos dedos e simbolizam aqueles que nos protegem (nossos pais e cônjuge). Pessoas que roem unhas estão, inconscientemente, querendo dizer que têm raiva de um dos pais. A rebeldia e a mágoa que guardam no coração é tão profunda que, mesmo após a morte dos protetores, esse sentimento continua registrado em seu subconsciente e sendo transferido para outros protetores e até para o cônjuge.

Normalmente se diz que pessoas que roem unhas são nervosas e estão sempre inquietas, mas na verdade é porque estão guardando ressentimentos profundos pela educação recebida e os transferem para seu consciente na forma de insatisfação, ansiedade, depressão e raiva de coisas insignificantes do seu dia a dia.

Pare de agir como criança em algumas situações. Cresça e comande seu próprio espaço de maneira alegre e confiante.

O simbolismo de "comer unha" representa o desejo de arrancar da sua vida pessoas que o sufocam ou que o protegem exageradamente. O ciúme é um dos fatores pelo qual alguém cuida demais de você ou o sufoca invadindo a sua privacidade. Muitas vezes você mostra uma conduta de irresponsabilidade ou imaturidade e isso desperta nos pais ou cônjuge a necessidade de cuidar de você.

Muita gente diz que roer unhas produz doenças no estômago devido as unhas engolidas, mas isso não procede. Problemas no estômago de quem come unhas acontece, por ela ser nervosa e tensa e não por causa das unhas. Analisar de forma simplista os problemas do estômago é mostrar que não conhece os comandos químicos do cérebro sobre o organismo.

Escolha seu próprio caminho e decida segui-lo sem mágoas e sem ódio daqueles que o contrariaram, pois o mundo pertence a todos e cada um tem seu espaço reservado e protegido pela natureza. Descubra seu próprio espaço e veja que não existem motivos para tanta tensão, amargura ou infantilidade. Ame-se e trate de ser feliz.

Unha encravada

Simboliza tensão e excesso de preocupações com a própria individualidade e uma grande necessidade de segurança dentro do ambiente familiar ou do trabalho. Indica alguém que não quer demonstrar fraqueza e sente raiva por não ser compreendido e que, apesar de fugir das emoções, perde-se nelas, deixando que cheguem aos extremos. É o desequilíbrio. Uma pessoa assim precisa sentir-se apoiada e fica nervosa quando os outros desconfiam de sua índole ou de suas verdadeiras intenções. Desconhecendo sua própria capacidade, torna-se indecisa, tem medo de errar e não confia nas pessoas. Normalmente, quem tem unha encravada tem um dos pais, ou alguém igualmente influente, como superprotetor ou invasor.

O "medo" pode ser identificado sob várias formas: existem os *medos* que, por uma questão de orgulho, escondemos de nós mesmos; podemos ter *medo* que invadam nosso espaço pessoal; *medo* de expor opinião sobre determinado assunto e, por isso, não sermos benquistos; *medo* de que alguém possa interferir em nossos planos ou modificá-los e até existe o medo no nosso dia a dia que nem sempre conseguimos identificá-los. O medo secreto é uma constante nas pessoas com unhas encravadas que mostram assim que precisam se "encolher" ou "fugir" para dentro de si mesmas com o intuito de evitar "invasões".

Se as suas unhas estão encravando, aprenda a livrar-se dos transtornos. Use a imaginação para criar o mundo que você deseja e tente relaxar profundamente, "soltando" os sentimentos de desconfiança. Se você não acredita que o pensamento é uma força que concretiza os seus desejos, pelo menos tente sonhar um pouco sem que ninguém fique sabendo. É maravilhoso poder estar consigo mesmo, sentindo a paz no silêncio de nosso corpo e, ao mesmo tempo, viver o mundo lá fora carregando no coração a mesma paz encontrada nesse recolhimento. Quando fechamos os olhos e tapamos os ouvidos, ouvimos apenas a nossa respiração e sentimos uma agradável solidão.

Antes de continuar a leitura, faça esse exercício pelo tempo que achar confortável. Sinta a sensação de estar consigo mesmo, e sem pressa!

Se você fez o exercício deve ter notado que naquele instante o mundo "parou" e que só você respirava. Perceba que seu mundo é comandado apenas por você e pela sua energia vital.

Cuide de sua vida com a sensação de que nada poderá entrar em seu espaço sem sua permissão. Proteja-se com a paz e a tranquilidade necessárias, eliminando sutilmente as coisas que lhe fazem mal e consequentemente, seu espaço estará repleto de alegria e segurança. Relaxe e busque se conhecer melhor!

Se você se sentiu desconfortável enquanto fez esse exercício é porque se preocupa demais com o que os outros pensam. Pare com isso!

Capítulo 6
Pernas, pés e seus problemas

Pernas

As pernas simbolizam o nosso caminho: são elas que nos levam para onde decidimos ir.

Problemas nas pernas significam que seu caminho pode não estar correto ou que está sendo bloqueado por alguém ou uma situação complicada. Normalmente, quando estamos em conflito, com dúvidas, rebeldia, raiva por ter que ficar onde não quer ou não poder ser livre para escolher seus próprios caminhos e até por não querermos mudar de caminho, nossas pernas somatizam, de alguma forma, esse desequilíbrio emocional.

A parte superior (coxas) rege o passado. Simboliza, portanto, sofrimentos e traumas da infância que seguramos no coração; mágoas do passado que, por alguma comparação inconsciente, estamos revivendo no presente; sentimentos antigos que não nos permitem tomar decisões. Todo pensamento ou emoção que estão nos impedindo de prosseguir, abrem brechas para acidentes, problemas vasculares, dores ou qualquer outra doença nesta parte do corpo, como forma de comunicação entre o inconsciente e o consciente.

A parte inferior (pernas) rege o futuro, pois são elas que se movem, primeiramente, para articular as outras partes. Se você está com medo do que possa lhe acontecer no futuro e evita tomar decisões importantes ou sente-se ameaçado por ter de ir em frente e até se sente bloqueado por alguém que impede seus sonhos futuros, suas pernas, certamente, terão problemas. Ferimentos externos também são respostas do inconsciente, que é uma extensão das forças energéticas do Universo.

Se seus pensamentos estiverem fortemente confusos, gerando indecisões e conflitos a ponto de você não conseguir controlar-se, poderá ocorrer o desequilíbrio das pernas ou entorses nas articulações.

Analise seus sentimentos profundamente. Muitas vezes não enxergamos o que está acontecendo conosco. Para facilitar analise o que foi explicado anteriormente: problemas do lado direito representam o resultado do conflito com uma mulher e problemas do lado esquerdo significam conflitos com um homem. Pode, também, tratar-se de conflitos com nossas próprias confusões projetadas nas pessoas de poder emocional ou financeiro sobre nós.

O segredo para nos soltarmos sem medo é estarmos conscientes do que realmente queremos e achar, calmamente, o caminho para nossas realizações. O que nos incomoda hoje nada mais é do que o reflexo daquilo que pensamos e sentimos no passado. Assuma tranquilamente todas as dificuldades e comece a pensar corretamente. Em breve tudo se transformará a olhos vistos, pois os fatos acontecem da maneira como acreditamos, seja por medo de perder a liberdade, seja por felicidade. Você tem à sua volta aquilo que foi condicionado a acreditar.

Se sua panturrilha (barriga da perna) é fina, é porque precisa ser mais corajoso e enfrentar seus medos. Vá em frente, impulsione-se para frente, no futuro, sem precisar do apoio alheio ou da opinião das pessoas.

Voce encontrará mais informações sobre o formato do seu corpo no volume 2 desta coleção da Linguagem do Corpo.

Varizes

Simbolizam que o fluxo dos pensamentos está prejudicado pela revolta de estar sobrecarregado. A pessoa que não suporta o lugar onde está, fazendo coisas contra sua vontade, frustrada e irritada por não conseguir se realizar, bloqueia o fluxo da vida, como símbolo da rejeição contra o que está vivendo. Surgem, visivelmente, então, micro vasos sanguíneos (vasinhos por onde circulam o sangue), varizes e até flebite. Isso mostra pensamentos de frustração e tristeza por ter que fazer o que gosta do jeito que não quer ou até viver num lugar que não queria mais estar lá. Quando alguém não tem coragem ou iniciativa de mudar a situação indesejada em que vive, normalmente culpa os outros por estar infeliz. Portanto, problemas nas veias também significam acreditar que é obrigado a ficar onde está, sem poder reagir.

Mulheres que não desejam mais ser donas de casa e estão saturadas, pessoas que vivem na dependência de outras e necessitam ser independentes, alguém que trabalha em algum lugar que já não suporta mais, ou mesmo alguém que não consegue se estabilizar por mais que tente e até ter que ceder à alguma chantagem ou autoridade sem poder fazer sua vida do jeito que gosta. Muitas pessoas que desenvolvem varizes são também aquelas que trabalham para a humanidade e se colocaram numa posição muito elevada onde não podem mais serem elas mesmas, para não serem criticadas pelos seus seguidores ou por "Deus". Esses são apenas alguns exemplos do que representam as varizes.

Não sofra com pensamentos de revolta e ressentimentos contra alguém ou contra sua vida. Não acredite que o ser humano nasceu para determinadas tarefas que não podem ser mudadas. Principalmente mulheres que se tornam donas de casa, contrariadas, ou mulheres que trabalham fora por necessidade, mas que gostariam de estar em casa. Existem muitas maneiras de se frustrar que a própria mente, acomodada, não percebe. Analise-se sinceramente. Será que você está totalmente satisfeito no lugar onde está, ou com as pessoas com quem convive? Por amor ou por medo você está fazendo o que não quer e seus verdadeiros caminhos para seus sonhos estão ficando cada vez mais distantes.

Deixe de sobrecarregar-se. A carga mental é gerada pela insatisfação e ingratidão para com as dádivas da vida. Antes de lamentar sua situação atual, pergunte-se: Como vim parar aqui? Será que não foi por falta de vontade, ou de coragem, da minha parte em mudar as coisas logo no começo?

Mantenha em mente desejos puros de mudanças, convicção em futuras alegrias e imagine (Lei da atração) que você já está vivendo do jeito que gosta no futuro. Saiba que o *agora* é apenas um degrau para o amanhã e é através do presente que conseguiremos visualizar um futuro cada vez melhor e sem frustrações. Queira mudar e aceite ideias novas e caminhos diferentes. Não tenha medo do futuro, ele é apenas a projeção dos nossos pensamentos atuais. Portanto, pense, saudavelmente, no seu dia a dia.

As varizes são como um mapa nos indicando as várias estradas por onde podemos seguir. Não fique preso num labirinto. Ouça seu coração e tome a iniciativa de arrumar o que você permitiu que estragassem dos seus sonhos. Criatividade, ação e determinação serão suas palavras mágicas para acabar com as varizes. E acredite que de alguma maneira, seja por médico ou naturalmente esse problema desaparecerá para sempre. Circule, flua!

Pés

Os pés representam nossa infância e também como lidamos com nossas emoções diante dos problemas da vida.

Eles mostram o quanto compreendemos de nós mesmos, das situações da vida e sobre todas as pessoas envolvidas. Quaisquer problemas nos pés simbolizam que a pessoa não está esclarecida quanto aos rumos a seguir e culpa outras pessoas por não conseguir ser feliz. Não aceita as limitações impostas pela vida e se comporta infantilmente quando está sofrendo com as frustrações. Reclama e se sente a vítima. Olhe para você! Nunca lhe ocorreu que foi você mesmo que escolheu esse caminho? Precisa compreender que, para ser feliz precisa ser perseverante e ter mais conhecimento técnico da vida. Lidar com seres humanos requer muita habilidade e amor. Os bons são aqueles que começam caminhando cautelosamente para conhecer melhor seu território e, depois, passam a dar passos mais largos porque então conhecem seus limites e suas potencialidades. Agindo assim não dão margem a frustrações. O limite está dentro de cada um, portanto, quanto maior for o seu sonho maior terá de ser o seu interesse e esforço para realizá-lo. Saiba, portanto, onde pisa! Não culpe ninguém! Assuma que você é que precisa de maturidade para começar ou recomeçar qualquer situação com mais sabedoria, paciência e bom humor.

De qualquer forma, todo ferimento ou dores que ocorrem nos pés, simbolizam pessoa que reage de maneira infantil, frente a certos problemas e não consegue perceber que está sendo imatura. Quanto mais você "soltar" as pessoas e os acontecimentos e não se deixar influenciar pela pressão de pessoas autoritárias e ansiosas, mais seus pés se tornarão resistentes e firmes. Caminhe no seu "tempo", mas persista com seus planos. Cresça!

Capítulo 7
Pele

Análise da pele

Nossa pele representa a proteção da nossa individualidade.

Manchas na pele

Significam que, de alguma maneira, estamos nos sentindo ameaçados. Quando temos dificuldade em transmitir nossos pensamentos e não conseguimos nos fazer entender, elas aparecem no rosto e indicam as "manchas" na nossa comunicação. Dermatologistas afirmam que as manchas marrons na pele de uma pessoa de mais de quarenta anos, significa manchas senis. Porém, pela psicologia da correlação (linguagem do corpo) sabemos que essas manchas acontecem em pessoas que se sentem sem vida própria por ter permitido pessoas invadirem sua privacidade por muito tempo: filhos, funcionários, alunos, amigos, pais, sogros etc.

A raiva secreta de ter seu espaço vital invadido provoca ansiedade na pessoa e, consequentemente, a liberdade se torna limitada. O organismo reage com manchas por todo o corpo e, dependendo de onde elas surgirem, será possível saber contra quem essa pessoa está com esse problema emocional.

Manchas brancas nos braços

Significam conflitos internos com a sogra, irmãos, cunhados, nora ou genro. São também sinal de que a pessoa não se sente amada ou se sente ameaçada por eles que poderão impor limites em seu mundo pessoal ou em sua individualidade. As manchas brancas refletem uma necessidade de se afastar de certos envolvimentos emocionais com pessoas da intimidade. No fundo já se distanciaram por sentirem-se invadidas e criticadas. É uma forma não verbal de comunicar aos que fazem parte da sua vida, que você está se sentindo deslocado do grupo familiar ou do trabalho. Se for nos braços você estará comunicando que se sente sem apoio no trabalho, seja em casa ou num emprego.

Viva em paz consigo mesmo e saiba que ninguém tem o direito de destruir nosso "habitat", a não ser que o permitamos. Reconheça que está faltando mais carinho sincero de sua parte, e dê mais amor àqueles que o incomodam. Saiba que eles apenas estão mostrando que precisam de você.

Ajude-os sem agredi-los e sem criticá-los pelas costas. Aprenda a lidar com as diferenças, sem fazer-se de vítima ou coloque limites com firmeza e simpatia. Não tenha medo de se colocar e se guardar um pouco! Volte para você!

Alergia na pele

Alergia significa que a pessoa está vivendo momentos de irritação com pessoas próximas e que atrasam seu desenvolvimento pessoal e profissional. Quando ela se vê obrigada a fazer o que não gosta, persuadida por pessoas de quem depende de alguma forma, surgirá, com certeza, coceira incessante significando o desejo inconsciente de "arrancar" aquilo que o incomoda profundamente. Pessoas inconvenientes, que se aproximam de você e começam a falar sem perguntar se podem, pessoas que sempre invadem sua privacidade e até encostam demais no seu corpo para conversar, visitas que você já conhece os assuntos desagradáveis que vão querer conversar com você e muitos outros tipos de pessoas que você nunca soube mostrar que estavam incomodando, incluindo pessoas da sua intimidade.

Pare de se sentir ameaçado e contrariado. Se você está passando por isso é porque, de alguma forma, procurou. Saia dessa sem ressentimentos, pois ninguém sabe quando está causando "alergia" em alguém. Passe a se expressar melhor. Seja objetivo e tire a culpa do seu coração. Eduque-se a não deixar que seu espaço seja ameaçado. Diga, abertamente, o que o incomoda, pois tudo pode ser falado, desde que seja com carinho e determinação. Analise-se e perceba se você consegue, humildemente, mudar um pouco mais seu jeito de falar com as pessoas e o trato consigo mesmo.

Você mudando primeiro, as pessoas ao seu redor mudarão aos poucos. Pare com esse orgulho de querer que o outro mude primeiro ou com a expectativa de as pessoas deveriam perceber sozinhas o que estão fazendo. Nem todo mundo tem essa sensibilidade para perceber quando estão sendo inconvenientes. Como uma criança pode se corrigir se nunca ensinam calmamente o certo. Você está lendo este livro, porque quer crescer espiritualmente e ser feliz, não é? Então, tome a iniciativa e não se arrependa de começar a se expressar com a força da sua liderança pessoal.

Rosto inflamado

São características de uma pessoa insatisfeita e revoltada. Qualquer tipo de inflamação no rosto simboliza a mágoa e a raiva de ter sido bloqueada por superiores, ou seja, por pessoas que tenham autoridade sobre elas. (ver Olhos)

O rosto simboliza o que pensamos sobre o nosso ambiente. Quando pensamos e sentimos somente coisas feias sobre o comportamento das pessoas que estão à nossa volta, aparecem manchas, espinhas e inflamações na pele do rosto. Ao contrário, se pensarmos e sentirmos somente coisas boas sobre o comportamento alheio, procurando compreender as razões das outras pessoas, o rosto espelhará uma fisionomia suave, jovem, bonita e sem manchas e doenças.

Isso vale para acidentes no rosto também.

Espinhas e furúnculos

Significam acreditar nas coisas feias da vida e mostram que a pessoa guarda no coração acúmulos da "podridão do mundo". Sente raiva de si mesma e está sempre desconfiada. Famílias que educam as crianças mostrando as coisas feias da vida e da própria família, provocam espinhas e furúnculos, como manifestação da "sujeira" registrada em seu subconsciente e também pelo envenenamento do sangue devido a raiva que sentem da família e do mundo.

Por outro lado, também uma educação com o intento de afastar todas as tristezas do mundo, para poupar a criança de sofrer antes da hora faz com que ela, já adulta, não saiba suportar os problemas que advirão. Isso faz seu mundo infantil desmoronar de uma só vez e ela passa, então, a acreditar no que é "feio". Busque a essência da vida em seu interior: lá está o verdadeiro equilíbrio que você procura. Em tudo que fazemos deve haver um meio-termo para que os dois polos energéticos do Universo estejam em harmonia.

O que você vê de feio é apenas reflexo daquilo que você acredita. Portanto, saiba que se você deixar a vida apenas fluir e entender que tudo nos ensina o caminho para um futuro bom, suas espinhas ou furúnculos desaparecerão. Ache-se uma pessoa bonita e ame as pessoas pelo que elas são, pois elas, como você, estão apenas procurando ser felizes. Devemos auxiliar as pessoas para que elas tenham pensamentos bons e acreditem que a beleza vem do coração e se projeta no corpo e na alma. Seja você quem fale de amor e que confie no poder renovador da natureza. Não se prenda aos acontecimentos, pois tudo é passageiro e muda com o tempo. Quem repudia os problemas e tem medo de perder a pureza do coração acaba mesmo acreditando no "sujo" e no "feio".

A vida é maravilhosa, é só querer ver. Ponha em prática sua nova conduta de paz, amor e compreensão, tenha calma para com outras pessoas, principalmente com sua família e sua pele será tão macia como seu espírito.

Queimadura (ver Febre)

Papada

Mostra que a pessoa sente-se um 'empecilho' e que tem horror de ser criticada pelos seus atos. Não sabe como agir quando recebe uma crítica, sente-se infeliz e alimenta uma postura de vítima e de defesa.

Aprenda a ser você mesmo, diga o que você está sentindo e saia dessa posição de se achar sempre atacado. Levante a sua cabeça e comece a agir sem medo de ser criticado, pois se isso acontece é porque você permite.

Vou sempre insistir no mesmo ponto: somos responsáveis pelo que estamos vivendo e jamais outras pessoas terão alguma culpa. Elas são apenas instrumentos para o nosso aperfeiçoamento espiritual e comportamental. Veja a crítica como uma oportunidade para você se aperfeiçoar, mesmo de forma dolorida. Saiba que a pessoa que mais gosta de você estará sempre o cobrando mudanças e apontando seus erros. Sei que essa pessoa não tem tato com você, mas talvez seja devido a sua conduta de orgulho e desprezo para com o que ela fala. Assuma de uma vez o fato de que só você é quem pode corrigir sua imagem e passe a ter um novo aspecto físico. Cabeça erguida, ombros para trás, passos firmes e calmos, olhe dentro dos olhos das pessoas quando se aproximar delas ou quando estiver conversando. Ouça, atentamente, o que dizem e depois fale firme e educadamente sobre suas ideias e opiniões. Acredite em sua personalidade e você se sentirá envergonhado quando lembrar que precisava fazer "cena" para conseguir o que queria ou que se sentia afetado quando mostravam o que não gostavam em você. Devemos ter sempre em mente que expressar sentimentos claramente e não colocar as emoções dramáticas quando somos criticados é estar em comunhão com a Natureza, que nos auxilia e nos torna seres magníficos. Aceitar ou se defender com firmeza e docilidade aos ataques verbais de alguém contra você, sem sentir-se afetado nos sentimentos, fará de você uma pessoa que não engole "sapos" e nem guarda "críticas". Com isso, seu corpo manifestará o reflexo das suas novas atitudes e vai acabar com essa papada, mesmo que "profissionais" da estética afirmem que não tem jeito sem cirurgia plástica.

Engolir "sapos", recuar e se esquivar, se sentir afetado e magoado, criticar e mostrar defeitos das pessoas para os outros e se sentir criticado quando alguém aponta uma falha sua desenvolverá papada. Saiba, então, que o antídoto para a papada desintegrar é elogiar, agradecer quando alguém mostra onde você errou, falar sobre as qualidades das pessoas para os outros (fofoca positiva) e ter firmeza e calma interna para de defender e se colocar positivamente diante de uma ofensa ou ironia de alguém.

Saiba que a papada revela que você foi uma criança muito criticada e castigada quando errava em alguma situação, por isso levante a cabeça, amadureça e não transfira mais para seus opressores, os sentimentos que você trouxe da infância. Mude! Se expresse com firmeza e segurança! E veja sempre o lado bom de tudo que aparentemente parece ruim e desagradável!.

Verrugas

Verruga simboliza o acúmulo de momentos de ódio, por viver com o coração desconfiado e sempre atento para com as coisas feias do seu ambiente. Dependendo de onde estiverem as verrugas, será possível identificar de onde vem a raiva e o que você acha feio ou maldoso.

Sabendo analisar corretamente, elas servirão como guia para as mudanças dos seus pensamentos. Exemplo: verruga sobre o dedo médio significa conflitos sexuais com parceiros que nunca o compreenderam, mágoas no relacionamento sexual por não poder expressar seus verdadeiros medos ou anseios; achar que os relacionamentos são sempre duvidosos para o seu futuro e, ainda, ter pensamentos ou sentimentos contra a sua própria sexualidade ou seu relacionamento. Muitas vezes pode ser relacionado com o passado que você não perdoou e que lhe trouxe desilusões profundas.

O mais importante não é arrancar a verruga com algum instrumento ou remédio, mas sim entender seu significado para a sua autoajuda e corrigir seus passos. Com o seu coração livre dessas ideias velhas e feias, as verrugas desaparecerão automaticamente. Use seu bom senso e veja se vale a pena guardar tanta banalidade que só serve para atrapalhar a sua felicidade. Mesmo que você não se recorde imediatamente, saiba que em algum lugar da sua mente ficaram guardados os pequenos ódios do passado e do presente. Elimine-os substituindo-os por pequenos pensamentos de amor a cada lembrança triste. Pense positivamente, porque a vida é bonita demais para que o ser humano a estrague com seu ego ferido.

Ver tópico das mãos para identificar os significados dos dedos na sua análise das verrugas (caso as verrugas sejam nos dedos).

Rugas

Simbolizam as marcas da vida. Cada linha tem sua história na mente de quem as cria. Por exemplo: quanto mais achamos a vida cansativa, mais linhas aparecerão no rosto e quanto mais vemos o mundo envelhecer, mais envelhecemos.

Para não termos rugas é necessário primeiro acreditar que a paz de espírito é responsável pela beleza da alma e do corpo. Não permita que emoções pesadas o invadam, pois elas o farão tensionar os músculos do rosto sem que perceba. Isso deixará marcas que só desaparecerão com cirurgia plástica. Suavize as emoções profundamente e faça projetar no rosto a beleza da paz, assim o corpo produzirá sempre o colágeno e a elastina necessários para a juventude do seu rosto.

Acredite na eterna juventude de sua pele e saiba que cada pensamento de tristeza e ódio refletirá em sua face, somatizando linhas. Em compensação, amar profundamente as pessoas, os animais e tudo que há no céu e na terra, deixará você cada vez mais com "cara de bebê".

Não basta amar a tudo, é preciso também não enxergar os problemas da vida como uma tragédia. Não supervalorize os acontecimentos, porque é a nossa maneira de acreditar neles que dá vida aos problemas. O que para alguns é terrível, para outros é apenas normal. Nós vemos as situações conforme as imagens que criamos em nosso mundo interno: um mesmo problema é visto sob várias formas por pessoas diferentes, pois também as suas experiências são diferentes. Portanto, sorria alegremente sem medo de criar rugas, pois o que as cria é a sensibilidade exagerada para as coisas desagradáveis.

Passe a ver beleza em tudo. Faça como Jesus Cristo, que ao ver um cachorro morto, admirou a arcada dentária do animal, enquanto alguns de seus discípulos reclamavam do cheiro da carne em decomposição. Quando sentimos prazer e alegria ao trabalhar não nos cansamos. Mas quando nossos caminhos estão fora do alcance do nosso coração, devido ao excesso de responsabilidades começamos a nos sentir cansados e a pele também.

Delegue algumas responsabilidades sem querer perfeição. Confie a alguém serviços ou tarefas que você acredita que só você pode fazer. Arrume tempo para praticar meditação e até passear entre árvores e rios. Sorria alegremente sempre! Rejuvenesça!

Ser criança, olhar para tudo com novos olhos, ser inocente (não ingênuo) é o dom que Deus deu a todos e não está escrito em lugar algum que o homem deveria endurecer seu coração ao se tornar adulto. Ao contrário, na Bíblia está escrito: "Em verdade vos digo que, se não vos converterdes e não vos tornardes como criança, de modo algum entrareis no reino dos céus". *(Mateus, v.3, cap. 18).*

Capítulo 8
Evolução

Evolução

Não é necessário que você acredite em reencarnação, pois seja qual for a sua crença, ela depende mesmo é de sua postura positiva diante de todos os acontecimentos da vida. Saiba que os orientais estudam fenômenos espirituais e materiais do mundo de uma forma que corresponde às explicações psicológicas, físicas, astronômicas e matemáticas, que levam a importantes descobertas científicas. O que eu realmente quero dizer com isto é que ser feliz independe de qual seja a nossa religião ou crença: o mais importante é saber que existe a lei de "causa e efeito", pesquisada e comprovada universalmente. Para sermos felizes, teremos de buscar a tranquilidade da alma, perante qualquer situação em que possamos nos encontrar.

A filosofia oriental afirma que a necessidade reencarnatória faz com que escolhamos a família que nos auxiliará em nossa evolução. A escolha é feita pela vibração de nossa alma, pois a energia dos semelhantes encontra-se por todo o Universo. Portanto, se você nasceu com deformidades causadas pelo tipo de conduta de seus pais e antepassados é porque decidiu vir por eles e jamais alguém terá culpa pelos seus problemas. Agradeça a seus pais, onde quer que eles estejam, porque lhe deram a oportunidade que você pediu para sua desintegração cármica.

A felicidade existe sempre e em qualquer lugar. É como as árvores frutíferas que estão em toda parte: é só colher a fruta desejada. Temos infinitos motivos para nos alegrar e gozar a vida, mas estamos sempre procurando ansiosamente obter o que ainda não aprendemos a conquistar. Só quando compreendermos que "tempo" não existe é que saberemos esperar com alegria o que desejamos, pois a ansiedade acontece quando achamos que o tempo passará tão rapidamente que não conseguiremos realizar nossos sonhos, ou que a velhice chegará sem que tenhamos conquistado a felicidade almejada.

A cada minuto da vida adquirimos mais sabedoria para utilizarmos em nossa jornada eterna. Não desperdice suas energias com pensamentos negativos e mal informados, pois a nossa evolução deve preservar nossa juventude. Saiba que o que destrói o corpo físico é a crença na derrota, são os pensamentos de tristeza, de ódio, de ciúme, inveja e mágoa, não o tempo.

Muitas pessoas acreditam que seres com poderes paranormais, dom de cura nas mãos, vidência, premunição e conhecedoras dos mistérios e magias, são evoluídas. Evolução não tem nada a ver com esses poderes, pois até seres do mal possuem esses dons. Evolução é a capacidade de perdoar todas as pessoas e acontecimentos negativos da sua vida. Evoluir é abandonar tudo que o desvie da integridade e da bondade e também alcançar o desapego saudável. Evoluir é expandir a consciência para os valores morais sem ter que seguir dogmas e leis que imponham regras. Sua evolução acontece naturalmente, no decorrer da sua vida. As perdas, os sofrimentos e traições que ocorreram com você só terão dois caminhos para o conduzir: destruí-lo devido aos a raiva e mágoa ou eleva-lo a entender que foram experiências de vida para amadurecer sua alma infantil.

Quando você entra em estado de resignação alegre e aceita o que você ainda não pode mudar, está revelando os primeiros passos da sua evolução. Ser otimista, visualizar um futuro protegido por Deus e auxiliar as pessoas a retornarem à fé, sem impor, mostra sua alma grandiosa e evoluindo.

Parar de brigar ou passar nervoso no trânsito porque percebeu que ninguém tem culpa e sim que são as Leis do Universo movimentando a vida do povo, significa que você está em estado de evolução. Também parar de se alimentar de animais, por amor a essas vidas indefesas e acreditar que não precisamos da proteína animal para vivermos saudáveis, mostra, definitivamente, que você deixou de ter um coração automático e passou a sentir-se em comunhão com a Natureza de Deus. Se você já iniciou a conduta dos exemplos acima, significa que sua evolução espiritual está crescendo e se expandindo para ter uma visão elevada sobre a criação do Universo e por isso, você começará a receber respostas sobre tudo que você quis saber sobre os mistérios da Vida. A evolução do ser humano não está no seu crescimento intelectual ou tecnológico e sim no amadurecimento amoroso e sábio em todos os momentos e acontecimentos. Evoluir é sentir Amor incondicional, alegria, desapego, amizade pelos irmãos estelares, respeitar as crenças das outras pessoas, fazer caridade com vontade própria, cumprimentar as pessoas com sentimento sincero, ajudar as pessoas estranhas quando necessitam de um auxílio, ver o lado bom dos familiares e do cônjuge e saber que ainda tem muito para aprender e evoluir. Elimine o ego e a vaidade diante de tudo que explanei. Seja humilde diante da imensidão dos mistérios do Universo e saiba que a perfeição não existe, pois quando você estiver bem elevado neste plano, você será um aprendiz nos planos mais elevados que você chegará para continuar a evoluir.

Acredite que ser uma pessoa melhor fará você sentir uma felicidade tão grande que o libertará dos problemas emocionais, das doenças, acidentes e catástrofes, pois você estará vibrando numa frequência energética mais elevada. Seu mundo novo o espera! Se esforce para evoluir e conhecerá aqui na terra, todas as coisas e pessoas maravilhosas que não existem na frequência vibracional sem evolução espiritual. Semelhante atrai semelhante!

Rejuvenescimento

Quando você deixar de se preocupar com o tempo, as suas células continuarão reproduzindo-se normalmente. Mas, se você viver contando cada mês e cada ano de sua vida, notará que tudo acabará gerando cansaço e que tudo em seus pensamentos desmoronará, projetando no mundo físico aquilo em que você acredita.

Saiba que a velhice, assim como o tempo, é uma ilusão.

Para que os seres humanos pudessem controlar seu sistema de vida e compreender o movimento das estrelas, da noite, do dia e milhares de outros fatores cíclicos, o homem pré-histórico necessitou criar referências que foram sendo desenvolvidas lentamente, através do resultado mental gerado pela observação e pela vivência.

Tempo e Espaço não são realidades materiais e sim um produto da consciência humana devido a distorção mental na dimensão em que vivemos. A organização de toda uma sociedade é feita de "tempo e espaço", que são conceitos ilusórios. Desde a mais remota antiguidade os seres humanos tentaram analisar o tempo e o espaço e assim criaram normas que todos foram seguindo igualmente, visando a uma estruturação de referências.

Os sistemas de medição de tempo foram criados pela necessidade de se organizar uma estrutura de referências e não com a finalidade de iludir a mente humana.

Os homens continuaram, inteligentemente, inventando relógios mecânicos, digitais e eletrônicos, mas a ideia básica era medir o "tempo" como referência.

Os astrônomos babilônicos dividiram o ano em 365 dias e um quarto, o dia em 24 horas e cada hora em 60 minutos. Foi assim que eles estabeleceram o calendário "lunar-solar", o que nos possibilita controlar nossa idade e não nossa velhice.

A mente exerce o controle de nossas células e é por isso que elas perdem ilusoriamente a energia quando estamos, psicologicamente, cansados de "lutar" pela vida ou com medo do "tempo passando".

Pelas ilustrações a seguir, você verá como o pensamento exerce forte influência sobre a energia do corpo.

No nosso DNA carregamos a memória original do nosso corpo jovem e trabalhos alquímicos e de hipnose, da yoga, meditação e autossugestionamento traz a regeneração celular.

A clonagem é uma das provas que podemos ter o corpo jovem outra vez, mas para que possamos rejuvenescer o corpo já envelhecido, sem clonagem, será necessário saber que ser jovem requer grande responsabilidade e maturidade para lidar com a beleza física e a saúde.

Muitas pessoas ricas investem no rejuvenescimento fazendo cirurgias e tratamentos que realmente o tornam muito jovem, mas na grande maioria dessas pessoas, esse rejuvenescimento é para seus interesses sexuais ou medo da velhice e até para não perder o marido ou para competir com outras pessoas na sua forma física. Quem se submete a todo tratamento para rejuvenescer mostra a futilidade desse desejo. Mestres da yoga, com mais de cem anos de idade, aparentam ter trinta ou quarenta anos e não precisam de cirurgias e de nenhum investimento financeiro para isso. Eles apenas trabalham a paz interior, exercícios de concentração e leveza, respiração correta, se utilizam dos conhecimentos milenares para ter postura física e moral de grande dignidade e eliminam o apego, a competição, as futilidades, desejos insanos, a alimentação é vegetariana ou vegana, seus pensamentos são de amor, bondade e perdão e não passam conhecimento algum por vaidade e nem para quem não está pronto para aprender. Vivem uma vida simples e não controlam a vida de ninguém.

Essa conduta dos verdadeiros yogues é a verdadeira alquimia orgânica e é essa alquimia que aciona a memória genética (DNA), regenerando as células e produzindo novas e saudáveis.

Muita gente pensa que yoga é chegar numa academia, fazer os exercícios físicos e respiratórios que o professor de yoga ensina, fazer uma meditação no final da aula e seguir a vida.

Yoga é muito mais que isso. Yoga é um estilo de vida, desde alimentos, forma de falar, lugares que frequenta, roupas e acima de tudo, desenvolve o amor incondicional pois, ela o leva à expansão da consciência e à evolução espiritual.

Para voltar a ser jovem ou manter-se jovem é necessário compreender e aceitar que você precisa ter uma razão nobre para isso. Não para exibir um corpo e rosto bonitos. A juventude e a longevidade fazem parte da missão dos mestres ascencionados e de outros seres que são incumbidos de viver muito para auxiliar na cura do nosso planeta. Existem regiões secretas por todo nosso planeta e por toda nossa galáxia que guarda seres imortais, pois encontraram o conhecimento e a verdade de que o tempo é uma ilusão. Eles têm valores morais elevados que nenhuma pessoa de cidade grande entenderia. Não necessitam de nada que pessoas comuns necessitam porque já estão além dessas necessidades. Juventude é possível para todos, mas não para quem não tem propósitos espirituais elevados com a coragem de cumprir com tarefas muito diferentes do que você conhece.

Se você não deseja ou não consegue ainda aceitar essa juventude dos mestres e só gostaria de não aparentar idade avançada, faça yoga e aprenda a filosofia dela. Viva de forma mais simples e fuja das reuniões de pessoas que bebem bebidas alcoólicas, fumam, comem carne e falam da vida de todos. O que quero dizer, é : viva longe de tudo que envenene seu coração e seu organismo e saiba amar todos da maneira que eles são. Ria mais e mesmo que, você frequente vários lugares de amigos variados na conduta, leve sua alegria e seu amor até eles, mas não participe das ingestões que abaixam a sua vibração. Jesus visitava os bordéis para levar alegria e nunca precisou fazer o que todos faziam naquele local. Tenha mais bom humor principalmente nos momentos difíceis e logo, você escutará de muitas pessoas, que sua aparência está cada vez mais jovem.

Fotos Kirlian e análises

São três fotografias do dedo indicador de minha mão direita, tiradas pelo processo Kirlian, em momentos diferentes.

Observe, atentamente, as diferentes tonalidades das luzes irradiadas:

Foto nº 1 (Obtida 15 dias antes das demais)

Mostra equilíbrio yin yang, mas indica uma fase conturbada e um certo retraimento.

Foto nº 2 (Obtida 10 minutos antes da foto nº 3)

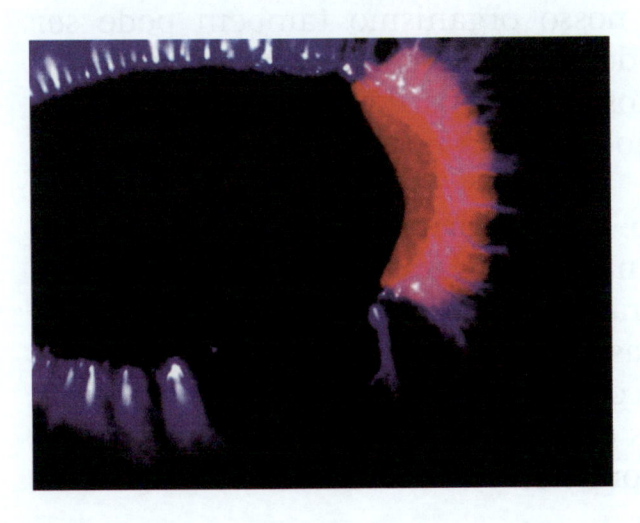

Nesta foto vemos o início de comportamento yin: passiva e retraída, devido a certas situações.

Foto nº 3 (Obtida 10 minutos após a foto nº 2)

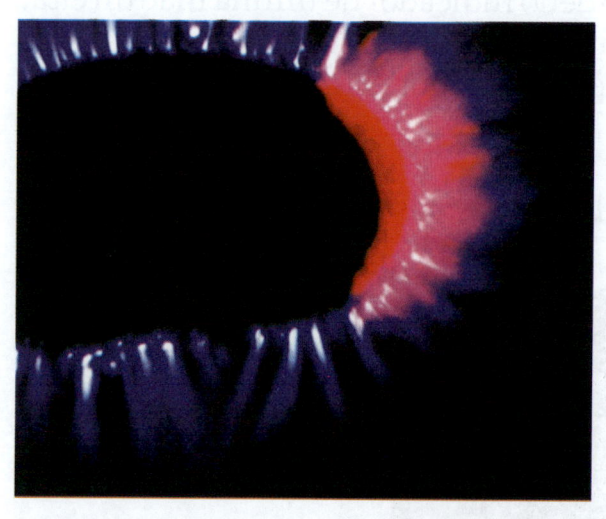

A foto número 3 foi tirada dez minutos após a segunda. Desta vez concentrei-me e imaginei uma grande luz envolvendo-me, purificando-me e me protegendo. Daí a ocorrência de outro resultado: observe que as tonalidades da luz ao redor do dedo (aura) se tornaram mais claras e completas indicando comportamento yin. O eu tornou-se forte e foram desenvolvidos o desapego e o amor universal.

Esta sequência de fotos mostra que podemos conduzir nossas emoções da forma que desejarmos, e, consequentemente, o funcionamento do nosso organismo também pode ser conduzido através do desejo. Basta conhecermos a força do efeito dos pensamentos usando-os de maneira decidida e correta, acreditando no amor, na beleza, na juventude e na saúde.

Na Bíblia está escrito: "Seja-te feito conforme crestes" e este conceito permaneceu na teoria, para a maioria das pessoas, porque as religiões transformaram cada ensinamento da Bíblia em frases apenas religiosas para despertar o amor a Deus e aos santos. A conduta religiosa esqueceu de incluir em seus ensinamentos o fato de que Cristo não era teórico, mas completamente prático, como todos sabem. Quando

Ele disse "tua fé te curou", conhecia a verdade contida na afirmação "seja-te feito conforme crestes" e, com isto, Ele quis dizer que você é aquilo que acredita ser, pois conhecia os princípios da mente e da vida, que hoje foram deturpados.

A "chave" foi jogada fora e agora os que não conheceram essa Verdade não conseguem entender como é possível fazer "aparecer" o que se deseja, apenas pensando. Existem milhares de livros no mundo divulgando a força que a mente possui, mas essa leitura já se tornou tão mecânica para alguns leitores que a prática desse conhecimento foi subestimada. Por exemplo: se algum autor pedir para que o leitor faça um determinado exercício de autoconhecimento, desenvolvimento pessoal ou meditação especial para que descubra a raiz dos seus problemas, muitos preferirão apenas ler o conteúdo do exercício proposto e deixar para outra hora a questão prática. Com isso perdem a oportunidade de aprender a usar o seu próprio potencial.

Pessoas que debocham ou criam polêmicas sobre esse assunto são exatamente as que desconhecem seu próprio potencial e, por não estarem atualizadas quanto a essa prática, pensam que nós, estudantes das leis naturais, ainda vivemos no mundo da fantasia ou da ficção, por acreditarmos que a vida se constrói com nossos pensamentos e crenças.

Para que possamos argumentar sobre esse assunto é preciso senti-lo na pele, pois entraremos numa polêmica sem fim se o conhecimento adquirido for apenas intelectual. Portanto, insisto para que o leitor aproveite a oportunidade de conhecer o que está escondido dentro de sua própria mente em forma de descrença. Lute para eliminar preconceito, superstição, medo, preguiça mental, indiferença, enfim tudo aquilo que o impede de experimentar o sabor de uma vida diferente. Faça crescer o desejo de melhorar em todos os aspectos do seu dia a dia. Rompa com essa depressão e ansiedade que o impedem de agir. Saia de si mesmo, olhe-se com franqueza e pergunte-se se é realmente esse o tipo de vida que você gostaria de estar levando. Saiba que muitos dos seus sofrimentos acontecem exatamente por você estar resistindo e evitando saber mais sobre si mesmo.

Estou transmitindo um conhecimento prático que pode ajudar muitas pessoas a ser felizes. Por isso, pratique com afinco o tipo de atitude mental que estou propondo neste livro pois, em caso contrário, este será apenas mais um livro, como todos os outros que você já leu, ignorou os exercícios práticos e o encostou em sua estante. Somente a vontade de praticar dia após dia um novo modelo de pensamento é que fará com que você saia, definitivamente, desse labirinto vicioso. Existem sensações dentro de nós, que somente através de exercícios vêm à tona. Experimente, nem que seja para sua própria cultura.

Quem vivenciou no corpo e no espírito a "força da transformação", através do pensamento, sabe o que estou oferecendo aos que buscam soluções e respostas para suas dúvidas e angústias.

Quando a mente desiste de renovar os conhecimentos e para de criar novos objetivos na vida, seu corpo passa a fazer parte da mesma ilusão do relógio e suas células também desistirão de se renovarem, como reflexo do seu comportamento inativo.

Os monges do Tibete, ao chegarem aos cem anos de idade, começam a aprender algo novo, como tocar violino, por exemplo, porque sabem que a mente que quer sempre aprender permanecerá jovem e ativa e, consequentemente, seu corpo também.

Aprenda mais alguns passos para rejuvenescer:

1) Pare de resmungar das pessoas e da vida. Veja sempre o lado bom e alegre das coisas. Mesmo que isso lhe pareça impossível, persista, pois você só está vendo o que lhe convém. Deixe de se sentir a "vítima" do mundo e reaja para conseguir seus objetivos. Se você ficar esperando as pessoas mudarem para que você possa ser feliz, é bom sentar e arrumar uma

bengala para quando você quiser ir ao banheiro.

2) Seu coração deverá estar amando, seja o que for ou quem for. O amor, dentro de nós é o bálsamo que renova as células e faz brilhar a pele e o olhar.

3) Observe os jovens de cabeça boa e aja como eles e com eles.

4) As pessoas que acreditam no ridículo da idade passam a envelhecer. A cada ano que passa elas acham que têm de mudar até a vestimenta para que ela se adapte à idade. Isso sim é ridículo! Seja natural, faça o que seu coração mandar e esqueça os padrões da sociedade. Somos aceitos pelo amor e respeito às pessoas e não pelo nosso modo de vestir e de viver. Sem dúvida nenhuma, é muito importante uma boa aparência e discrição em determinadas situações, mas aparentar ser jovem e elegante é mais admirável ainda.

5) Saiba que os jovens adoram pessoas amadurecidas e participantes. Muitos deles trocariam — e trocam — dez amigos da idade deles, por um "jovem" maduro.

6) Programe-se. Interesse-se por assuntos novos e alegres. Faça cursos de piano, ou culinária, ou ainda de dança de salão, jazz, ginástica e tudo que seja diferente daquilo que você está vivendo hoje. Deixe de lado o medo de perder a individualidade, faça novos amigos e saia para divertimentos.

7), Sinta-se confortável com você mesmo e agradavelmente posicionado em qualquer situação ou ambiente. Procure gostar mais de você e da vida. Com certeza há muitas coisas que você pode fazer para despertar alegria em seu coração. É só fazer uma reflexão sincera e sem medo de admitir a realidade. Às vezes pensamos que o que queremos é impossível ou absurdo, mas na verdade esse pensamento de medo ou vergonha foi criado e enraizado em nós ao longo do nosso processo de educação. Nada é impossível ou imoral. Tudo é belo quando desejado com pureza e sinceridade. Analise esta questão e perceba também se essa desculpa de achar que os outros são culpados pelas nossas frustrações é a saída típica de quem não conhece as leis de "causa e efeito".

Nós somos totalmente responsáveis pelas nossas decisões e, se acaso não reagimos contra nossos opositores, é porque, de alguma forma, isso nos é conveniente.

8) Os jovens acham tudo engraçado. Ache você também! Preserve dentro de você aquilo que o ser humano tem de mais precioso, que é a alegria no coração. No começo pode ser um tanto difícil, mas, aos poucos, a atmosfera jovial fará parte de sua vida e de seus hábitos. Com isso, você passará realmente a achar engraçadas as coisas mais simples... que os adultos esqueceram.

Acredite que seu corpo e seu rosto fazem parte de uma unidade cósmica que desconhece o "tempo e o espaço". Portanto, só dependerá de você continuar a propagar a luz da Verdade que reside no espírito jovem que ama a vida.

Reconcilie-se com as pessoas e fique de bem com a vida. Se você não consegue perdoar é porque pensa que, com sua teimosia, pode mudar a vida das pessoas. Deixe de ser teimoso e de se sentir injustiçado. Esse sentimento de vítima não vai resolver absolutamente nada, apenas tornará tudo complicado e manterá a sua vida amarrada. Liberte quem você está acusando e amoleça seu coração, desapegando-se dessa pessoa, seja ela quem for. Acredite que a vida deve fluir como água corrente. Todo sentimento de posse ou de controle deriva de sua própria insegurança. Solte-se para ver e experimentar a leveza e a descontração do pós-perdão.

Possessivos, sinto muito afirmar: ninguém é possuído. As pessoas se deixam dominar por conveniência e, quando menos esperamos, tudo pode se inverter.

Velhice é endurecimento das atitudes e dos pensamentos.

Seja mais alegre, seja feliz e rejuvenesça!

Sei que o que acabei de escrever é um pouco difícil de acreditar para as pessoas que vivem no Brasil, EUA, Europa e em outros países ocidentais, porque desconhecem pessoas que rejuvenesceram nessas regiões, sem o auxílio de cirurgia plástica, ginástica ou métodos de estética.

Assim como expliquei acima, nos países orientais existem técnicas de yoga (yuga) que mantêm a pessoa jovem fisicamente, até mais de cem anos de idade.

É claro que somente quem pratica essa arte e conhece o poder da energia vital é que consegue acreditar no que os homens comuns acham absurdo.

Se você deseja ser sempre jovem, aprenda que o excesso de vaidade destrói as emoções e, com o "tempo", você envelhecerá.

É importante despertar para o sentimento de busca da evolução espiritual e, mais importante ainda, é ter consciência de que, para alcançarmos o rejuvenescimento, é necessária muita dedicação para o crescimento interno.

Quanto mais o ser humano evolui, mais se torna conhecedor de métodos espirituais, que pode usá-los ou não em sua vida, e compreende que a vaidade humana é que envelhece a carne.

Para você deixar este planeta, basta cumprir sua missão ou cometer suicídio inconsciente, provocando doenças e acidentes, encurtando sua vida. Os carmas de cada um também definem sua partida, mas velhice é apenas uma etapa opcional para quem conhece que ela é ilusão.

Com certeza, daqui a algumas gerações, depois de este planeta ter passado por muitos conflitos e progressos tecnológicos, é que as pessoas conhecerão que a velhice foi apenas uma "doença incurável", que ficou no passado.

Primeiro irão curá-la com remédios, depois, com prevenções e, finalmente, o corpo e a alma do futuro estarão imunes a essa doença estranha de degeneração celular, chamada velhice. Compreenderão que determinados sentimentos provocavam lentamente essa "doença" e saberão, através dos métodos de autoconhecimento, eliminar os vírus da mente humana, o que tornará a velhice uma espécie em extinção.

Capítulo 9
Músculos: dor e estética

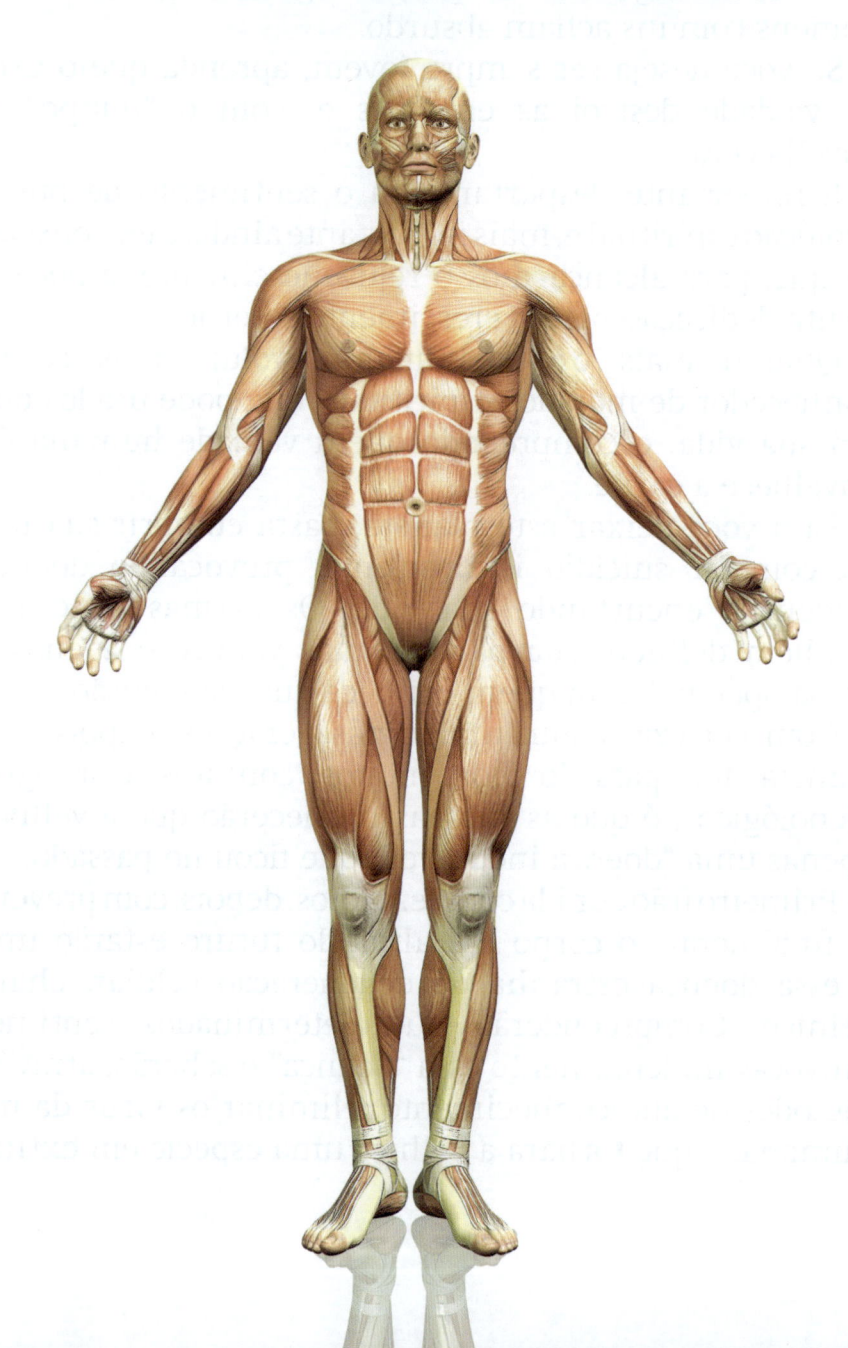

Músculos

Se estiverem flácidos, é devido a pensamentos também fracos e sem expressão. Os músculos flácidos são somatizados por pessoas que pensam ser batalhadoras, mas na verdade, estão acomodadas e lentas para mudar de vida. Com esse comportamento o inconsciente fará refletir no corpo a mesma conduta mental. Ou seja, o inconsciente, por associação a conduta fraca ou "flácida", fará com que os músculos também fiquem flácidos.

O que pensamos e a maneira como pensamos são instrumentos para produzirmos a saúde e a beleza.

Se os seus músculos estiverem extremamente rígidos, simbolizam tensão e medo de soltar-se. Significam, também, inflexibilidade consigo ou com outras pessoas. Se os músculos doem sem que você tenha feito exercícios físicos, eles estão apenas lhe "mostrando", em alguma parte do seu corpo, que suas atitudes e pensamentos não correspondem aos seus verdadeiros anseios, ou seja, que você deve estar sentindo-se coagido de alguma forma; que deve estar se contrariando devido a alguma pressão psicológica de alguém ou de alguma situação; que deve estar fazendo ou o que não gosta, ou o que gosta, mas da maneira que não deseja.

A dor vem para nos mostrar que estamos nos culpando de coisas que só fazem parte da nossa imaginação, ou que estamos nos desrespeitando perante os nossos verdadeiros sonhos e projetos.

Também a estética corporal e facial dependem da atitude mental da pessoa. Seja dedicada a tudo, mas respeite a sua própria vida e sua personalidade. Deixe de fazer "corpo mole" para as mudanças do dia a dia. Devemos estar sempre ativos e preparados para servir, pois a beleza da vida está naqueles que sabem atender aos outros com prontidão e carinho e inclusive a si mesmo com suas vontades pessoais.

Jesus lavou os pés dos seus discípulos em sinal de humildade. Faça refletir em seu corpo músculos que coincidam com seus pensamentos: fortes, ativos, flexíveis, resistentes e belos.

Também fisicamente nós somos aquilo que acreditamos ser e o que a nossa personalidade faz.

Seja uma pessoa esperta de verdade e se estimule a criar coisas novas em seu caminho.

Cada parte de nosso corpo nos ensina a conhecer ou conscientizar os aspectos negativos da nossa conduta. Portanto, preste mais atenção em seu corpo. Respeite o que ele está querendo lhe dizer através de dores, gorduras localizadas, celulites, flacidez e tudo que o aborrece nos aspectos estéticos e da saúde. Tudo em nosso corpo se modifica conforme as mudanças de nossas atitudes mentais e emocionais.

Nosso cérebro é apenas o mediador entre três mentes de diferentes funções: o consciente, o inconsciente e o subconsciente.

O consciente controla o pequeno e ilusório "livre-arbítrio", o inconsciente trabalha para o subconsciente, fazendo com que as ordens mandadas por ele sejam cumpridas, tanto em nosso corpo como em nosso ambiente. É ele que nos faz continuar respirando enquanto dormimos; que faz com que o nosso coração e todos os órgãos involuntários continuem a funcionar durante a nossa vida. É ele que faz com que o sangue corra em nossas veias, transportando oxigênio e fazendo a troca gasosa em nosso organismo. Ele faz tudo sobre o que "aparentemente" não temos controle.

O inconsciente sintetiza nossos aprendizados, tornando-os automáticos em nossas atitudes. Por exemplo: dirigir um automóvel. Quando estamos aprendendo temos de pensar em tudo e em todos os movimentos que fazemos pisar na embreagem, acelerar, frear, mudar de marcha, olhar no retrovisor, etc. Mas, ao praticarmos com mais frequência, os movimentos são condicionados no subconsciente que informará o inconsciente. A partir daí, o trabalho ficará a cargo do inconsciente, que fará nosso consciente se despreocupar com a sequência dos movimentos. Quem dirige sabe que, às vezes, nem percebe que fez esses movimentos com os pés e com as mãos. Isto é apenas um exemplo, pois fazemos diariamente inúmeras coisas das quais não nos damos conta, porque elas já estão sob o controle do inconsciente, que é a parte mais profunda do nosso ser e é um canal de comunicação entre o consciente, o subconsciente e as forças energéticas do Universo em todas as dimensões.

O subconsciente é como um computador: colhe toda e qualquer informação de maneira fiel, registra todas as nossas emoções, nossos desejos tanto bons, quanto maus, apreende todas as influências do ambiente e não conhece o que chamamos de "tempo e espaço". Enfim, tudo que fazemos, pensamos e acreditamos é guardado por ele e transportado para o inconsciente. Este por sua vez entrará em contato com o nosso consciente através de uma comunicação que saberemos decifrar apenas com uma boa observação.

O inconsciente trabalha em nós através de associações de ideias: para mostrar ao consciente a mensagem interna ele fará agir no corpo tudo aquilo que lembrar ou for semelhante às ordens do subconsciente. Mas o consciente, por estar atribulado e com a atenção voltada para o mundo externo, não percebe que existe um guia em nosso interior. E este guia tentará sempre nos mostrar se estamos no caminho certo ou o quanto estamos desequilibrados emocionalmente. Portanto, quando sentimos dores, mal-estares, doenças, etc., devemos refletir cautelosamente sobre a vida que estamos levando, ou seja, devemos aproveitar a oportunidade para fazer mudanças em nosso rumo, caso estejamos sofrendo emocionalmente com alguma situação.

Na verdade, sempre que nos frustrarmos com alguma coisa,

o inconsciente não deixará por menos até que percebamos nossos direitos e a nossa capacidade para conseguir o que queremos.

Colocarei agora mais alguns exemplos dessas mensagens do inconsciente, mostrando o que ele quer dizer quando se comunica conosco.

Problemas no músculo do pescoço

Dor no pescoço simboliza a inflexibilidade dos seus pensamentos e a dificuldade de relaxar em relação às cobranças alheias e mesmo à auto cobrança.

A pessoa que não quer deixar de ter opiniões rígidas contra alguém e recusa-se duramente a mudar seus hábitos, vai ganhar um pescoço duro, igual à sua cabeça. Pessoas perfeccionistas normalmente têm muitos torcicolos, principalmente quando não conseguem resolver-se com uma pessoa da intimidade que o chantageia ou o contraria muito.

Muitas vezes, as pessoas que acordam com o pescoço doendo e não conseguem girar a cabeça para o lado, reclamam: "Dormi de mau jeito, por isso estou assim". "Tomei um golpe de vento ontem, e hoje acordei mal". E assim por diante. Acontece que isto são apenas justificativas e não explicações reais para as dores. A verdade é que você chegou no seu limite de se "encolher" por causa de alguém que tem poder emocional ou financeiro sobre você e seu pescoço não quer mais girar em direção a ela. (lado esquerdo = homem e lado direito = mulher). Quem que o seu pescoço não pode mais olhar? Solte essa pessoa do seu controle! Ela não sabe ser diferente ainda e você não precisa ser ou fazer só o que ela quer. Não tenha medo de ser você mesmo. Mude e tenha coragem de ver as consequências. Fale com firmeza e docilidade o que você não quer mais e sustente seu desejo sem medo de perder OU aceite tudo com alegria e gratidão até tudo mudar naturalmente. Com isso, logo seu pescoço estará curado.

Com estes exemplos, você pode ver como o consciente reage por não saber ou não ter se preocupado em aprender a linguagem do corpo. Enquanto não tomarmos consciência daquilo que acontece em nosso corpo, estaremos tentando eternamente achar a resposta para os nossos problemas, percorrendo o caminho oposto à verdade.

Se você estiver com dor no pescoço ou com torcicolo, pare e pense um pouco. Analise seus últimos atos ou pensamentos contra algo ou contra alguém. Lembre-se de algum episódio durante o seu dia de ontem ou de anteontem. Será que você não está sendo teimoso com alguém ou com alguma ideia fixa? Será que você não está sendo insistente demais em querer que determinada pessoa pare de agir daquele jeito que tanto desagrada você?

Sempre haverá uma resposta, mas, se você não souber saudavelmente voltar atrás e desistir de alguns aspectos negativos da sua conduta, seu pescoço continuará doendo e mostrando que você ainda não consegue olhar para o outro lado da questão. E, literalmente, você não conseguirá olhar para o lado, a não ser que gire o corpo todo. (Que trabalhão, hem?)

Costas
(ver coluna vertebral)

Relaxe e permita que seus pensamentos sejam livres e otimistas, pois só depende de você que o mundo permita a sua felicidade. Ponha em prática o que está escrito neste livro e deixe as pessoas cuidarem de suas próprias responsabilidades. Desapegue-se de tudo que não é seu. A vida das pessoas não lhe pertence. E no amor, deixe-o acontecer sem culpa ou medo do futuro. Aprenda que atraímos o que precisamos para crescer e comandar o nosso próprio espaço. Amadureça e tome decisões sem se preocupar se o mundo vai desabar, pois isso jamais vai acontecer. Nós é que nos oprimimos com a nossa própria mente. É muita pretensão achar que o mundo e a família só estarão corretos se for da forma como você acredita. Nossa mente ainda está limitada às questões dedutivas e isso nos impede de acertarmos sempre. A fantasia que criamos em relação ao que é certo ou errado também nos impede de avançar para novos padrões de comportamento e pensamento.

Você só conhecerá a paz e a tranquilidade dos seus anseios quando conseguir ultrapassar o limite de suas próprias crenças. Experimente. Solte-se confiante e sereno para novas opiniões. E pare de acusar os outros pelas tristezas. Assuma-se. A dor nas costas só desaparecerá quando você parar de resistir e aceitar a vontade das pessoas de seu convívio e não carregar mais o que não é seu.

Cãibras

Significam tensões e medo de soltar-se e traduzem uma necessidade de querer manter os próprios direitos, nem que seja através de atritos. Se você tem cãibras fique atento pois provavelmente alguém que tem certa autoridade ou domínio sobre você está tentando controlar ou "amarrar" a sua vida ou seus negócios pela autoridade, por chantagens ou porque você cuida dessa pessoa ao ponto de não sobrar tempo para sua vida pessoal. Daí é que acontece essa contração muscular, o que mostra o quanto você está tenso e na defensiva. Mesmo que você não perceba conscientemente esta situação, procure resolver o que emocionalmente está pendente, seja com quem for, e pare de sentir-se indefeso ou controlado pelas outras pessoas.

As cãibras são uma insegurança em progredir mais, por pensar que não conseguirá usar sua experiência para isso. A tensão e o medo de prosseguir é que travam você realmente. Para que tanta desconfiança com relação às pessoas? Solte-se para conhecer outros caminhos, pois para tudo existe uma solução que pode agradar a todos. Você não está enxergando porque não quer. Abandone esse seu medo de mudanças ou de renúncias. Relaxe sua mente e seu corpo também estará solto. Se você convive com alguém que "amarra" a sua vida, seja por doença, com chantagens, pelas finanças ou pelo que for, lembre-se das palavras de Jesus: "Se te obrigares a caminhar mil milhas, caminha duas mil"*(Mateus v. 5, cap. 41)*, ou seja, aceite com resignação e alegria pois você não ficaria com essa tarefa se não fosse forte e capaz Deus sabe o que faz.

No filme "Thor", seu pai "Odin", lançou seu filho a terra sem armas sem dons, sem poderes, apenas como um homem comum para que "Thor" aprendesse a humildade, a aceitação e com isso, fosse digno de receber de volta todos os seus poderes.

Espelhe-se nessa história e aceite com alegria aquilo que foi colocado em seu caminho. A aceitação, a gratidão e a dedicação farão com que seu destino seja transformado para melhor, e, claro, as câimbras desaparecerão diante da sua coragem e alegria

Obs.: As cãibras acontecem quando não estamos pensando no problema. É quando a mente consciente já mandou recado para o subconsciente e passou a pensar em outras coisas. O corpo é só reflexo da mente e quando falta potássio no nosso organismo é porque o inconsciente está inibindo substâncias para ocorrer a câimbra e com isso nos sinalizar pela comunicação não verbal, que estamos caminhando na contra mão do amor. Logo que o inconsciente percebe que você o entendeu e já está pegando o retorno para a estrada correta das atitudes, ele libera o potássio no seu corpo, que é a substância que acaba com as câimbras e outros problemas orgânicos. Reaja ou aceite alegremente seu convívio com a família ou com as condições do seu trabalho.

Capítulo 10
Obesidade: causas

Gordura

A gordura é o casulo que a pessoa desenvolve, inconscientemente, para se proteger e se esconder dos problemas emocionais.

Pessoas muito sensíveis, que se deixam magoar com facilidade, buscam se proteger atrás da gordura, que representa a maciez de um abraço.

Muitas vezes a gordura traz ganhos secundários à pessoa, inconscientemente, para conseguir certos benefícios, como atrair a compaixão de outras pessoas, deixar de trabalhar naquilo que não gosta, escapar de certas obrigações que limitam sua liberdade e até mesmo testar o amor e a fidelidade do cônjuge. Mais uma vez vemos que o perigo está em nossa mente, não no mundo em que vivemos, nem nos alimentos que comemos. A psicanálise trata diversos casos de mulheres que engordaram, ao comando do inconsciente, para conseguir ser fiel ao marido. Isso acontece com homens também porque a obesidade revela um alto grau de libido escondida na falsa passividade do obeso. É comum encontrarmos pessoas que ao emagrecerem passaram a ser sedutoras e infiéis ao relacionamento amoroso. Como também, pessoas que eram magras e muito libidinosas, encontraram na obesidade uma fuga dos seus próprios desejos sexuais que desvirtuavam sua vida.

A psicologia explica claramente que a fase oral (primeira fase do desenvolvimento da criança de zero a dois anos), é muito importante para a formação da estrutura da personalidade que vai até três anos de idade. Todas as informações positivas e negativas que os pais transmitem às crianças nesse período serão registradas no inconsciente delas para delinear a sua vida adulta. Quando os pais vivem em desarmonia e se criticam demais, os filhos passam a ter problemas de bronquite e asma, se a mãe não olha nos olhos da sua criança para alimentá-la nesse período, a criança apresentará mais cedo ou mais tarde o problema da obesidade.

Olhar nos olhos sem se distrair com televisão, celular, pessoas e mesmo com a família gera segurança e proteção na inquietante mente do bebê. Mães que olham nos olhos do bebê enquanto alimentam, mas conversam com as pessoas do ambiente, assistem televisão ao mesmo tempo que amamentam, colocam frauda sobre o rosto da criança, falam ao telefone ou permitem que o bebezinho se distraia com os movimentos e sons ao redor, com certeza não foram orientadas e estão causando insegurança nas emoções dessa criança. Nessa fase do desenvolvimento a criança precisa se apoiar no olhar de quem a amamenta, pois é o momento mais importante da vida dela e se não houver a terapia do olhar materno ou paterno ela se sentirá rejeitada e abandonada gerando obesidade no futuro quando se sentir rejeitada por alguém.

Todas as pessoas que tem "tendência" a engordar mostra que sua mãe não pode por alguma razão fazer a maternagem correta.

No meu livro: "Acabe com a Obesidade" você encontrará formas de emagrecer, sem regime ou cirurgias. O inconsciente precisa ser trabalhado para você eliminar as informações negativas da sua infância e emagrecer com saúde.

Comece fazendo um "regime" nos seus pensamentos e limpe toda essa amargura. Viva tranquilamente e sem se sentir ameaçado. Ame profundamente a todos e você perceberá que, como resposta, receberá mais amor dos outros. Saia já desse casulo e participe ativamente do mundo, de peito aberto acreditando que você está sendo protegido pelas mãos do Grande Pai.

Pare de guardar mágoas e ressentimentos. Chega de discutir gratuitamente com as pessoas, pois cada uma delas luta pelas suas razões e você pode sair machucado. Apenas aja com docilidade e poder, mas não permita que as diferenças de vida e opiniões o aflijam.

Atenção: quanto mais você "engolir" e guardar mágoas, mais seu corpo engordará e quanto mais drama e exageros emocionais você tiver mais se envergonhará depois e a ansiedade jogará você para a geladeira.

Para você superar definitivamente essa dificuldade de emagrecer terá de compreender que toda expectativa gera frustração. Por isso não fique esperando acontecer o que você deseja, nem queira que as pessoas sejam como você ou lhe deem aquilo que tanto almeja. Saia já dessa postura de vítima e perceba o tamanho do seu próprio poder. Ninguém é responsável pelas suas fraquezas ou fracassos. Tudo depende exclusivamente do seu comportamento diante da vida e dos acontecimentos. Passe a agir como adulto e mostre seus verdadeiros interesses a quem é importante para você. Tenha coragem de mudar de atitude e ser você mesmo. Se não está encontrando em sua memória nenhum registro de como é ser você mesmo, faça seu mapa astrológico e veja quem é você de verdade. Como expliquei anteriormente sobre a sexualidade, será que essa obesidade é a forma inconsciente de você controlar sua sexualidade? Tenha calma porque com o inconsciente nós devemos agir despreocupadamente e mandar mensagens positivas e constantes até que ele perceba que as defesas contra o passado são inúteis.

As mensagens que você pode enviar ao seu subconsciente para que sejam transmitidas ao seu inconsciente são pensamentos e condutas contrários ao que está vivendo hoje. O importante é sair logo desse círculo vicioso que ainda está impresso em sua mente inconsciente. Diga a si mesmo: "Eu não sou vítima de ninguém! Eu não preciso agradar a todos! Eu posso ser livre das emoções infantis! Eu não preciso que me amem! Eu não tenho medo da rejeição, pois quem me rejeita não faz mais parte das minhas escolhas! Sei perdoar e deixar ir! Tenho vida própria e me alimento da força do meu Anjo! Você pode criar frases positivas e impactantes de liberdade, de autoestima, de independência e tudo que o torne forte, magro e sexualmente equilibrado.

Pratique um esporte, faça exercícios ou simples caminhadas de uma hora por dia. Torne seus pensamentos mais ativos e coloque em prática as suas decisões. O mundo o espera para agir com ele. Transforme essa gordura em energia, sacudindo a poeira do passado e olhando para frente. Rápido!

Quanto a compulsão alimentar você deverá conhecer o poder da respiração e saberá que o desejo de comer e mastigar é o desejo da sua criança interna que quer sempre mamar para se sentir acolhida. Dez respirações o mais lento que puder, antes das refeições, fará você descobrir que a compulsão é eliminada pela respiração especial. Se ninguém tivesse preguiça de fazer essa respiração já estariam com a alimentação controlada e sem frustrações dos seus prazeres da mesa. Experimente respirar dez vezes, bem lentamente, antes dos lanches, para perceber como é gostoso não sentir vontade de comer.

No começo tudo pode parecer difícil, mas depois você amará os novos hábitos e a sua nova personalidade.

Vamos, acorde! Organize-se! Tudo depende só de você!

Chega de arrumar pretextos, pois isso só vem comprovar que você está realmente tendo alguma conveniência em ser gordo. Busque o que deseja, sem prejudicar sua saúde e sua beleza. E, definitivamente, tente compreender que quando nos magoamos com algo é porque estamos sendo egoístas em querer que tudo seja do nosso jeito. Liberte-se dessa tendência e aceite as pessoas como elas são. Seja você mesmo e não se permita pensamentos negativos. Eleve-se a cada dia com bons sentimentos em relação à vida e cresça cada vez mais dentro da evolução espiritual, sem mágoas, sem medos, nem desconfianças. Quanto mais você se aproximar de Deus, mais se sentirá confiante e feliz. De outra forma, você estará cada vez mais longe d'Ele.

Faça a oração do perdão que está no final deste livro, para seus pais biológicos durante três meses. Três meses é o ciclo regenerativo psíquico, portanto faça essa oração para seu pai e para sua mãe em dias alternados, mesmo que você não os tenha conhecido. Saiba que a sua memória natal, da época da sua gestação, conhece os dois. Caso você não conheça sua mãe, inicie a oração da seguinte maneira: "Mãe que me trouxe à vida......"e comece a ler a oração. Depois faça o mesmo com seu pai. Essa oração deve ser feita mesmo se seus pais não estiverem mais neste plano. Nesse período dos três meses, seja disciplinado e perseverante pois o inconsciente tentará sabotá-lo. O perdão profundo libertará sua criança interna e você viverá plenamente como um adulto feliz e sem medos. Isso emagrecerá você!

Tireoide

Glândula endócrina que produz o hormônio do crescimento. O inconsciente associa a função física das glândulas, dos órgãos, dos membros e de todos os sentidos do corpo e compara com a conduta psíquica. Quando ocorre uma incoerência na psique em relação à função física a energia vital é inibida naquele local do corpo para que a pessoa perceba que não está fluindo no seu desejo sincero.

A doença é uma comunicação "não verbal" do inconsciente revelando a incongruência (incoerência) nos atos da pessoa. O que ela deveria fazer ou falar está recalcando para dentro do seu inconsciente por medo de perder algo, alguém ou não consegue lidar com críticas sobre si.

Os problemas na tireoide ou na paratireoide acontecem em pessoas reprimidas e recalcadas que alavancam a vida de todos, mas não conseguem realizar seus próprios sonhos e, geralmente não sabem se têm sonhos pessoais. Sonhos pessoais não incluem família, amigos e nem relacionamento amoroso.

Sonhos pessoais são aqueles que buscamos para nós mesmos e que se constituem em cursos, terapias, trabalhos artísticos, praticas de esportes, cantar, dançar, pintar, conhecer lugares novos (acompanhado ou não), abrir um negócio próprio, trabalhar com o que gosta ou do jeito que gosta, passear, comprar algo para si mesmo, etc.

Problemas na tireoide significam que a pessoa chegou a um estado psicológico de acreditar, que não pode mudar o rumo da sua vida e parar de se frustrar. Sente-se humilhada por tudo e perdeu a capacidade de manter o otimismo. Acredita que nunca terá a felicidade que almeja e que não poderá, jamais, fazer o que gosta e o que precisa por conviver com pessoas dominantes ou chantagistas. Você faz, contrariadamente, o que eles querem para manter a harmonia ou o laço entre você e eles, ele ou ela e se esquece.

Crie, em sua mente, a possibilidade de você estar fazendo aquilo que mais gosta. Tenha em seu peito a sensação de estar se realizando plenamente. Seja imaginativo e faça brotar em seu coração as sensações que mais deseja.

Isso é fato: não tenha medo de imaginar, pois ninguém pode "tirar-lhe" os pensamentos e pessoas normais não podem "ler" os seus segredos. Mesmo que os "leiam", não podem interferir nos seus desejos.

Saiba que somos livres desde que nascemos, mas com o passar do tempo, nós mesmos tolhemos nossos potenciais por falta de habilidade de viver.

Não importa quem reprimiu ou anulou sua personalidade na sua infância. O que importa é que você está lendo este livro porque quer mudar e ser feliz.

Comece já a ter fisionomia alegre e positiva. Dificilmente a sua cura cairá do céu, sem que você tenha que se empenhar com esforço mental positivo. Ajude a natureza para que ela o ajude a equilibrar suas emoções e, consequentemente, a "sua" tireoide. Aprenda a organizar sua vida pessoal, familiar e do trabalho sabendo o que quer verdadeiramente e depois anuncie as pessoas que você deu poder, que não deseja mais isso ou aquilo (sem discussões e sem brigas ou drama). Tenha certeza do que você quer e comece a caminhar em direção a forma de viver que você escolheu. Talvez as pessoas ao seu redor nem saibam o que você sente quando faz do jeito deles. Talvez você nunca tenha sido firme e calmo para negar definitivamente o que não quer fazer mais e eles não acreditem em você. Por quê você se perdeu dos seus verdadeiros sonhos? Como você chegou a dizer "sim" para tudo ou quase tudo mesmo não querendo? Procure uma terapia com psicólogo, psicanalista, PNL, Coaching ou outras terapias que o ajude a encontrar o seu "EU" verdadeiro. Enquanto isso faça os exercícios respiratórios importantes para o fortalecimento e equilíbrio das glândulas. Na última página deste livro, você encontrará exercícios para respirar corretamente.

Leia o tópico Gordura, com atenção e compreenda que as emoções são as verdadeiras responsáveis pelos distúrbios hormonais. É muito pouco ficar apenas com a explicação médica: vá fundo ao seu interior e você verá que todas as doenças são causadas pelo impulso nervoso do cérebro que, como já disse antes, manda constantemente agentes químicos para a realização de tarefas no organismo. Se o nosso cérebro estiver recebendo interferências negativas do inconsciente, ele ordenará ao seu "exército" que contra-ataque para nos defender. Saiba que o inconsciente não é o inimigo ele apenas transmite ao corpo uma forma de comunicar-se para avisá-lo que sua felicidade está se perdendo.

Experimente a nova sensação de viver livre de suas próprias cobranças. Experimente a satisfação de poder dizer o que gosta e sente e tente eliminar completamente a raiz do *"tem de ser assim"*. Acredite: nada *"tem de ser assim"*! Deixe apenas que as coisas fluam naturalmente e faça sempre o que seu coração mandar. Respeite-se acima de tudo, pois ninguém, deve menosprezar-se. Assuma-se como filho de Deus e seus pensamentos se tornarão nobres e saudáveis.

Leia o livro: "Se Ligue em Você" do autor Luiz Antonio Gasparetto.

Moléstia de Basedow (tireoide inchada)

Doença "autoimune" que afeta o funcionamento da Tireoide. Doenças autoimunes, pela linguagem do corpo, revela ressentimentos secretos contra o pai. Muitas vezes a pessoa pensa que seu problema é com sua mãe, mas esquece, que o inconsciente guarda aquilo que você não elaborou (tratou). Seu pai pode ter sido austero ou ausente; pode ter sido um bom pai, mas um marido agressivo contra sua mãe; pode ter falecido e você nem o conheceu mas causou na sua vida um desequilíbrio devido a sua mãe ter sido pai e mãe na sua educação. Portanto, essa doença ocorre tanto em homens quanto em mulheres e a estatística mostra que na maioria são em mulheres.

A conduta que causa essa doença: possui coração insatisfeito, atitude mental rebelde, recusa os conselhos do pai, marido ou de alguém que exerce grande poder sobre essa pessoa. É o reflexo da desarmonia no coração. Sei que você tem direitos! Mas busque seus direitos em paz e com determinação e se alguém "furar a fila" e passar à sua frente, reponha-se em seu lugar, com simpatia, e diga que você "já estava na frente"!

Independentemente da atitude que a outra pessoa tiver fique em paz. Pelo menos você se "posicionou" como quem tem direitos. Sua tireoide agradecerá pela sua coragem de falar e fazer o que é o certo, sem medo e sem acomodação. A resposta será a sua cura completa.

A exaltação dos sentimentos exerce grande influência sobre a secreção hormonal da tireoide.

Há mulheres, por ficarem remoendo-se com ciúme do marido, ou depois de terem brigado com ele, passam, repentina ou gradativamente, a ter uma "inchação" no pescoço e a sofrer da moléstia de Basedow (além de o pescoço inchar os olhos ficam salientes e a frequência cardíaca aumenta demasiadamente, mesmo estando em repouso).

Se você estiver sofrendo desse mal, saiba que a sua dependência está sendo extrapolada e o seu autoconhecimento ignorado. Você tenta mostrar autoridade de uma maneira dramática e infantil e sempre acaba perdendo a luta. Ciúme, apego, controle sobre o marido ou esposa só mostra sua falta de sabedoria e de auto liderança. "Quem sabe quem é e o que quer nada o abala". Desde criança você viveu sob o comando de alguém e frustrou todos os seus lindos sonhos. Perdeu a autoestima e não sabe como ser feliz sem o "outro". Deixe de esperar que os outros sempre a (o) sirvam. As pessoas não têm obrigação de compreendê-la (o) ou de satisfazer os seus desejos. Solte-se para as mudanças da vida e saia dessa postura de vítima. Reconheça que é desnecessário você viver implorando amor aos outros. Admita que é você mesma (o) quem está se desamando e que, por isso, você faz refletir nas pessoas mais íntimas a impressão de que a (o) estão rejeitando. Fique bonita (o), fique jovem e... sorria!

Procure um psicólogo ou psicanalista integrativo para que você aprenda a organizar sua cabeça, resgatar sua autoestima e sentir gratidão aos homens da sua família e da família do seu cônjuge. Cure-se!

Celulite

Celulite é uma inflamação do tecido conjuntivo e pela linguagem do corpo significa "Febre" da alma, ou seja "raiva".

Todas as frustrações da vida que você guarda em seu corpo: mágoas, ressentimentos, raiva dos outros e de si mesma, nervosismo com determinadas pessoas e a tensão de estar sendo bloqueada em sua liberdade de escolha causa celulite.

Mulheres bem resolvidas que sentem paz de espírito e são tranquilas diante de uma situação difícil ou mulheres que não guardam a raiva e a manifesta de alguma forma não tem celulite. O problema não é a raiva mas o que você faz com ela. Lembre-se que raiva é uma energia e pode ser sublimada constantemente no dia a dia. Saiba que sublimar não significa se anular, significa transformar em algo produtivo para você e para as outras pessoas. Exemplo: Sua raiva pode ser utilizada em forma de energia no trabalho, carreira, trabalhos artísticos, dedicação de corpo e alma em algum projeto nobre que lhe produza prazer e alegria, na dança, nos palcos como artista, comunicadora, palestras, esportes, em encontros sociais alegres e saudáveis, no direito de ficar numa praia relaxada sem pensar em problemas ou em querer controlar a família.

Quando digo esportes, dança, movimento, não estou falando de exercícios físicos, porque sei, como professora de educação física, que somente exercícios físicos não corrigem o corpo e sim um conjunto de atitudes. Os exemplos que citei são movimentos internos da sua alma em direção a executar ações sublimadas da raiva para a alegria e prazer.

A celulite não é hereditária, pois o que passa de mãe para filha, é a conduta que gera essa inflamação nas células. Lembre-se que as células são as produtoras do corpo físico e quando elas não funcionam adequadamente significa que você é que não está funcionando adequadamente em sua própria vida.

Quem é você de verdade? O que você quer para sua vida? Quem você culpa por não estar fluindo em direção aos seus sonhos? Que decisão você deveria ter tomado há muito tempo? Quem você quer ser?

Esqueça as tristezas do passado, pois ninguém é culpado pelas suas limitações e desgostos.

Saiba que, inconscientemente, você está se punindo por não estar conseguindo ser a mulher que deseja ser.

Pare de olhar a vida sob esse ângulo. Você está vendo tudo deformado.

Você pode ser e ter tudo aquilo que quer, é só uma questão

de saber organizar seus pensamentos e respeitar, de coração, os pensamentos dos superiores: pai, mãe, o cônjuge, sogros, patrão e todos que, de alguma forma, exercem autoridade sobre você. Use o seu feminino para conquistar amorosamente as pessoas difíceis e aprenda que feminino não é sedução e sim paciência, bondade, carinho, alegria de criança, simplicidade e generosidade. Sedução é o oposto disso. Na sedução existe o egoísmo, a maldade, o egocentrismo, a raiva, a vaidade, a competição, a necessidade de conseguir seus desejos mesmo "passando por cima de alguém direta ou indiretamente". Portanto, saiba ser feminina, inteligente, calma, tranquila, firme sem sentir raiva, dar tempo ao tempo às situações complicadas e ser alegre na alma. Para conseguir ser feminina será necessário praticar meditação simples todos os dias, passear sob o sol, brincar mais, sentir gratidão pelos seus pais onde quer que eles estejam e transformar sua energia da raiva em ação digna e produtiva. Para acabar com a celulite é necessário ter " inteligência emocional".

Reter pensamentos e sentimentos antigos e desagradáveis intoxicam as células do corpo, que simbolizam o início da vida. Esta deve fluir livre para que possa se renovar.

Tratamentos estéticos não resolverão os seus problemas de relacionamento. A ciência médica explica que celulite não é gordura, mas deformação do tecido conjuntivo. Celulite significa células inflamadas, mas a verdade é que essa nomenclatura não condiz com o que realmente acontece. A tensão nervosa, a raiva e suas toxinas, e a retenção de água, sais, etc., dão origem a essa deformidade devido a uma espécie de gelatina que se instala no tecido conjuntivo. Mas isso é apenas a somatização de uma mente ansiosa e tensa.

Os esteticistas e médicos afirmam que a celulite é hereditária. Contudo, eles também sabem que a celulite pode desaparecer e voltar repentinamente, conforme o estado emocional da mulher.

Quando a mulher está prestes a menstruar, ou mesmo

durante a menstruação, a celulite torna-se mais visível, devido aos hormônios que são ativados naquele período. Com isso, muitas mulheres tornam-se mais sensíveis: o nervosismo, a impaciência e as tristezas ficam evidentes em sua personalidade e muitas choram à toa.

Toda emoção exagerada conturba o organismo e causa desequilíbrio nas funções seletivas, provocando acúmulo de substâncias nocivas em várias partes do corpo.

Frequentemente os pesquisadores desenvolvem métodos de tratamento para acabar com a celulite, gerando, por conseguinte, muita polêmica quando o assunto vem à tona.

Psicólogos também estudam com afinco o significado emocional no dia a dia das pessoas e eles sabem que é importante trabalhar o autoconhecimento para combater as falsas defesas que criamos com o nervosismo.

A celulite é a manifestação das emoções de raiva e autopunição. Logo, para eliminá-la, devemos corrigir nosso modo de agir frente aos obstáculos que encontramos pelo caminho.

Se você está fazendo algum tratamento para combater a celulite, então colabore com o tratamento, deixando "desmanchar", no seu coração, todo sentimento negativo acumulado. Não brigue com a celulite, pois ela é apenas o reflexo de sua conduta diária. Aprenda a ser calma para aceitar com mais paciência todas as ofensas e proibições. Deixe de se sentir ameaçada só porque tentaram ou tentam mudar seu jeito de ser. Procure, aos poucos e em harmonia, buscar sua identidade e seus direitos, pois foi você quem se deixou levar pelas opiniões dos outros, com medo de ser você mesma.

Muitas mulheres conseguiram livrar-se da celulite ocupando-se com coisas que gostam de fazer. Outras obtiveram sucesso através da terapia, da yoga e da ginástica que, além de ajudarem a corrigir a circulação sanguínea, também ajudam a descarregar as tensões.

Sinta e reconheça como é importante a mente estar leve para perdoar as pessoas e recomeçar.

Perdoe todo seu passado e todas as pessoas, pois assim você será uma pessoa feliz e, naturalmente, sem "probleminhas" desagradáveis pelo corpo.

A alimentação correta e sem excessos é muito importante, mas, certamente, ela depende do seu estado emocional: ser rígida nas dietas às vezes se torna inútil, pois gera mais tensão e ansiedade.

A ginástica e todos os tratamentos estéticos trazem alegria e satisfação, porque a pessoa está fazendo algo por ela mesma. Por isso, aproveite o seu tempo e comece a se amar de verdade. Perdoe-se e viva com sentimentos suaves, assim você não precisará gastar tanto dinheiro com remédios.

A vida está constantemente gritando por mudanças e, se você perder seu respeito pessoal, vai cair cada vez mais no poço da amargura.

Dê satisfação a você mesma e viva de maneira leve, evitando ser comandada, mas sendo auxiliada.

Solte-se, ande descalça na terra, beba água e tome aquele "banhozinho" de sol, pela manhã, bem cedo, ou no finalzinho da tarde, pois os raios solares contêm a vitamina necessária para restabelecer o sistema nervoso e fortalecer seu ânimo e sua pele. Alegre-se!

Destrua, definitivamente, esse sentimento de vítima que se alojou em você por motivos de acomodação. Não espere que as pessoas mudem. Mude você. Faça por você tudo que gostaria de receber e, passo a passo, você perceberá que seu corpo passará a ter linhas mais harmoniosas e sua pele começará a ter outro brilho.

Repito que em nossos dias a idade já é um fator ultrapassado. Quem ainda justifica a perda da beleza ou da saúde como culpa do tempo, é porque está mal informado e ignora as descobertas relativas ao poder dos exercícios e da alegria, que desencadeiam um processo de rejuvenescimento.

A saúde é a sua estrela e a beleza é o seu reflexo. Não perca este brilho, tenha sempre em mente que seus pensamentos saudáveis, amáveis e sinceros, lhe retribuirão com uma beleza e juventude sem fim.

Culote

O tamanho do culote está diretamente relacionado ao grau de mágoas, ressentimentos, carência, raiva ou incompatibilidade com o pai ou o marido, que é a continuação do pai, segundo o inconsciente. A ausência prematura da imagem paterna pode causar, inconscientemente, gordura localizada na região do culote (lado externo superior das coxas) como forma de autoproteção. As definições de *pai ausente* são: bonzinho, autoritário, alcoólatra, viajante, trabalhava (ou trabalha) demais, presente fisicamente, mas ausente no envolvimento com os filhos e até com a esposa, pai doente, pai que faleceu cedo e toda forma de ausência quando se trata da ação dentro do lar.

A mulher, inconscientemente, buscará num homem para ser seu marido o que o pai deixou como modelo: a *ausência*.

Caso o marido não seja ausente, a mulher que possui culote, dará um jeito de ele "ser ausente". Ou seja, ela será "ausente" trabalhando muito. pois seu inconsciente não sabe lidar com "homens colados", devido à criação que teve.

Para solucionar esse problema é importante fazer a oração do perdão (veja no final deste livro) para seu pai, independentemente se ele está vivo ou não. Faça-a durante três meses incluindo a mãe para equilibrar as polaridades Yin e Yang.

Faça corretamente a oração para seus pais biológicos: um dia para o pai e o outro para a mãe, durante três meses (ciclo da regeneração psíquica).

O perdão é algo muito mais profundo do que o sentimento superficial de achar que não tem nada a perdoar. Reflita, solte a vida e desapegue-se de ideias velhas e ultrapassadas. Ame sem querer o reconhecimento e o "seu" culote desaparecerá mostrando-lhe que até os padrões de homens pelos quais você sentia atração não a atrairão mais. Sua visão, inconsciente, em relação ao seu pai se transformará fazendo você se sentir completa e feliz com homens presentes e participantes dos seus sonhos.

Se você tem culotes salientes e diz que não tem problema nenhum contra seu pai, insisto para você fazer a oração do perdão, pois nosso inconsciente nem sempre nos revela a verdade por nos proteger das emoções que não conseguimos lidar. Muitas vezes encontro mulheres que garantem que não têm nada para perdoar do seu pai, mas quando pergunto se ela gostava da maneira que o seu pai tratava sua mãe, logo elas mudavam o olhar e diziam com convicção: Não. Então saiba que os filhos olham para os pais como modelo para, no futuro, buscar alguém para casar e dar continuação à história da família.

Se você não gostaria de ter um marido como seu pai foi para sua mãe, já justifica o seu culote e já justifica o seu desejo secreto de não casar.

Se você "adora" seu pai e ainda cuida dele e não consegue se dedicar ao seu casamento, significa, pela psicanálise, que você "casou" com seu pai no inconsciente e seu culote revela seu conflito por causa dele e devido a essa "adoração", não consegue encontrar nenhum homem melhor que o seu pai para namorar e casar.

Amiga, o corpo fala aquilo que está escondido no inconsciente e caso você não tenha se identificado com nenhum desses exemplos, saiba que seu culote está revelando algo mal resolvido com seu pai, mesmo que você o ame muito e mesmo que ele tenha sido um pai "exemplar". Será que sua mãe revelaria para você os sentimentos verdadeiros dela do começo do casamento com seu pai? Será que você guardou no inconsciente, quando estava no ventre da sua mãe, questões da ausência do seu pai para sua mãe nesse período?

Os Homens que se atraem por você, leram seu corpo instintivamente, e sentem que você só se relaciona com homens ausentes por isso, como eles serão ausentes para você, devido ao tipo de vida deles, inconscientemente desejarão estar com você. Não saberão conscientemente, pois os seres humanos possuem um "filtro" do inconsciente, que seleciona na vida, só o que é "familiar". Com certeza, se ele gosta de você é porque a mãe dele foi ou é guerreira como você e que não tem paciência com os homens. Vocês estarão apenas dando continuação à história de suas famílias.

Faça terapia, oração do perdão e se puder, constelação familiar sistêmica para organizar seu inconsciente e de toda sua família, sem que eles saibam. Isso fará o culote desaparecer mostrando que seu interior se equilibrou com suas raízes (pai e mãe) e sua felicidade no amor também.

Glúteos

Os glúteos simbolizam o nosso poder de decisão e de autossustentação sem o apoio alheio. Pelo tamanho dos glúteos sabemos quanto a pessoa possui de auto liderança ou de dependência emocional ou financeira. Pessoas que permitem invasões de suas privacidades e individualidades por amigos, familiares, relacionamento amoroso ou pessoas estranhas e ainda abrem mão dos seus prazeres pessoais em prol do trabalho, estudos, dedicação à família e até dedicação à caridade destonificam a musculatura dos glúteos simbolizando que se esqueceram e perderam seus poderes pessoais. Quando uma pessoa se anula em seus desejos verdadeiros por medo de perder, de magoar alguém ou até de se magoar os glúteos diminuem ou se tornam flácidos ou se contraem para dentro. Mas quando uma pessoa é "mandona", vive seus prazeres sem se preocupar com o que os outros vão pensar ou dizer e até não se intimidam frente a autoridade de alguém, então seus glúteos serão volumosos e firmes simbolizando que seu poder pessoal está intacto.

Anular-se "segurando" os problemas de todos, faz seus glúteos murcharem ou caírem. Como um cachorrinho ferido, se fecham diante de uma pessoa autoritária ou dominante e quando se sentem acuadas se rebelam aos gritos ou com palavras que ferem o suposto crítico ou opositor. Essa atitude é mais um mecanismo de defesa para afastar os dominantes, pois não consegue ser firme e calmo como eles.

Demonstram uma aparente personalidade forte e rígida, mas sem equilíbrio. Aprenda a dizer não, sem culpa e sem remorso.

Use sua sabedoria e seja coerente, pois todo exagero é a extrapolação de algum problema emocional e excesso de zelo pelos demais. Também revela desequilíbrio e falta de autoconhecimento.

Vá à luta pelos seus próprios objetivos e delegue poderes para aqueles que se acomodaram sob seus cuidados. Não tenha medo de não impor, ou de soltar um pouco as responsabilidades.

Você viverá mais feliz quando descobrir que só imitava alguém de sua família e que você pode ser diferente, mudando as regras desse destino. Deixe que cada um assuma seus próprios deveres e lamúrias. Assim, todos crescerão e você também, acredite.

Tenha carinho e respeito, mas seja firme ao não permitir invasão pessoal.

Glúteos grandes revelam pessoa autoritária dominante e que não abre mão dos seus prazeres pessoais. Ela é dona de si. Ninguém consegue "segurar" alguém de bumbum grande, pois se comportam firmes demais ou dramáticos ao extremo para conseguir o que querem.

Se você quiser que seus glúteos se tonifiquem, mesmo se já estiver praticando ginastica, mude seu jeito anulado de ser diante da família, do trabalho e do relacionamento amoroso. Quem briga e ameaça é como o cachorro que late, mas não morde. Faça terapia para aumentar sua autoestima, assim você aprenderá a se valorizar, a respirar e a não sentir necessidade de ceder demais ou brigar quando se sentir ameaçado.

Saiba quem você é, o que quer da sua vida e se "coloque" nos seus direitos com firmeza e sem dar muitas explicações. Coragem e respeito a si mesmo e ao próximo fará seus músculos se tonificarem através do eletromagnetismo do "chacra" Sacral localizado abaixo do umbigo. Esse chacra (vórtice ou portal) promove a cura dos órgãos sexuais e reprodutores como também da eliminação das gorduras localizadas no abdome e corrige nossos glúteos. Ele funciona impulsionado pela nossa conduta positiva ou negativa diante das opressões. A Autoestima é um gerador positivo no eletromagnetismo desse chacra e com isso, a correção dos glúteos, abdome e órgãos internos dessa região.

Busque seu autoconhecimento pelos caminhos milenares e matemáticos como: mapa astrológico (não horóscopo), numerologia e pela Linguagem do seu corpo. Isso dará a você instrumentos para iniciar um novo comportamento sem necessidade de confrontos com seus entes queridos ou pessoas estranhas. Sempre existem novos caminhos pelo autoconhecimento. Boa sorte!

Capítulo 11
Problemas no sangue

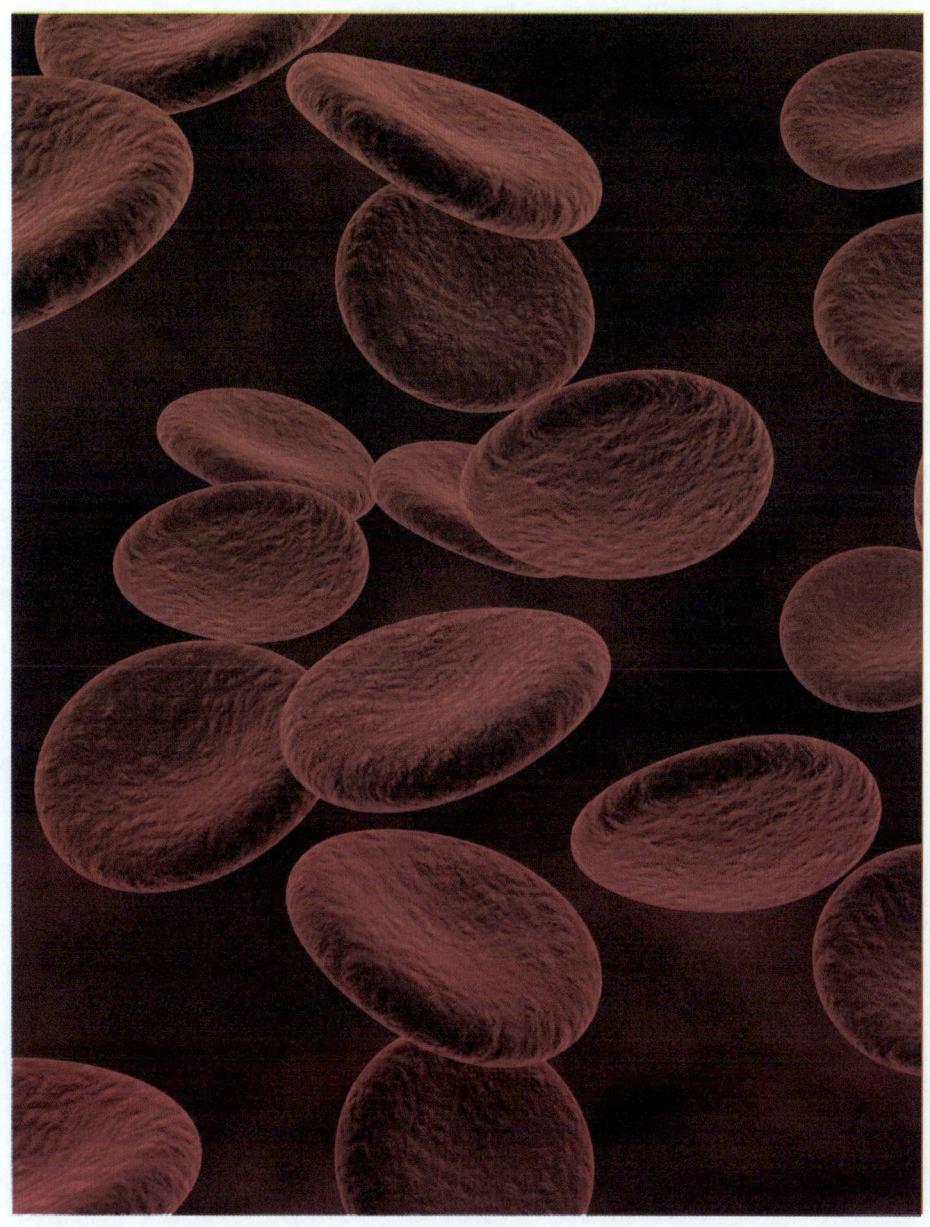

Sangue

Hemorragia

Simboliza a saída ou perda da alegria.

Sangue é o fluxo da vida e representa a alegria, que gera felicidade.

Se você vive contrariado e não sente alegria e sente raiva por ter lutado tanto e perdido a batalha em algum setor da sua vida, poderá ter problemas de sangramento nas gengivas.

Tome cuidado ao analisar sua vida. Às vezes pensamos que estamos vivendo bem e, por acomodação, não percebemos que estamos carentes de alegrias.

Pessoas que se anulam para contornar determinadas situações e deixam de fazer o que gostam, porque de alguma forma lhes foram impostos outros valores, estão deixando a alegria da vida se desvanecer. O símbolo disso tudo será então uma hemorragia localizada ou generalizada. Hemorragia pelo útero revela mulher infeliz na sexualidade. Mulheres que tiveram pais ausentes de alguma maneira procurarão, inconscientemente, compensar essa falta da energia masculina, sendo ela mesma o homem da casa. Seu útero, que representa a feminilidade e a criatividade, ficará doente devido ao desequilíbrio das polaridades Yin e Yang. Seu marido será apenas a representação do seu pai de forma inconsciente.

Hemorragia pelo nariz mostra tristeza por não se sentir reconhecido pelo que faz e precisa chamar a atenção para receber amor. O nariz representa o "ego" e quando ele quer reconhecimento, sangra mostrando tristeza e solidão.

Enquanto você achar que todos os dias são iguais, a alegria não voltará.

Seja uma pessoa radiante e tente exprimir suas emoções, para aquelas pessoas que, literalmente, sufocam seu jeito verdadeiro de ser.

Com pequenos atos que lhe agradem procure mudar seu dia a dia. Fale às pessoas sobre o que você quer que seja diferente. Mantendo a calma e a coragem. Você conseguirá romper a barreira do medo de "perder" quando buscar seu autoconhecimento através dos astrólogos matemáticos e não pela adivinhação. Faça seu mapa astrológico e também seu mapa numerológico para que você saiba quem é e o que quer verdadeiramente da sua vida. Quais são seus desejos verdadeiros? Como você pensa alcançar seus sonhos? Quem limita você? Por quê você deu poder a certas pessoas que conseguiram anular seu ser verdadeiro? Faça psicoterapia para resgatar sua autoestima e sua esperança. Sem esperança seu sangue ficará doente ou sairá do seu corpo simbolizando que a alegria está indo embora. Não permita que ela vá embora! Resgate sua criança interna!

Faça tudo aquilo que gosta, sem conflitos, e harmonize seu gosto pela vida com a vida das outras pessoas. Mas lembre-se de que, dentro de seu processo de mudanças, você pode conservar os hábitos e as atitudes que lhe fazem bem.

Sorria! Mas sorria mesmo, para tudo e para todos. Procure amigos e pessoas que irão gostar do seu jeito de ser. Sempre existirá alguém no mundo parecido conosco. Esta é a verdade. Mas se você quiser persistir no erro ou tentar mudar o comportamento de alguém, tenha consciência de que estará perdendo a oportunidade de ser feliz, devido à sua teimosia ou falta de fé.

Se você pretende ficar ao lado de alguém que o anula, então aprenda a aceitar, com docilidade e amor, o que esta pessoa quer lhe mostrar. Procure, através do seu novo comportamento, fazer com que o outro entenda que não o possui e sim que você quer apenas o seu bem.

Se você está se sentindo triste é porque espera demais que outras pessoas reconheçam suas boas intenções e sua capacidade.

Toda expectativa gera frustração, portanto, não espere nada de alguém ou, pelo menos, controle seus sentimentos quando suas expectativas forem frustradas. Esse será o melhor caminho a tomar e para isso você precisará trabalhar o seu autoconhecimento e descobrir o quanto você possui de coragem e criatividade para criar um novo mundo ao seu redor, cheio de alegria e satisfação

Pare de dramatizar sua vida e dê aos problemas a dimensão exata que eles têm, sem supervalorizá-los. Saiba entender, de forma positiva, o que eles representam em seu caminho e faça deles um instrumento para aprender a corrigir suas falhas de comportamento. Tudo que nos acontece, nós mesmos atraímos de alguma forma. Admita e amadureça sua maneira de pensar.

Reumatismo no sangue

É um sintoma de tristeza profunda causada por frustrações, por amarguras por falta de amor, por sentir-se a pessoa mais sofrida sobre a face da terra e pela impossibilidade de não conseguir reagir alegremente, devido ao acúmulo de ressentimentos contínuos.

Se você está dentro dessa situação, saiba que você se sente dessa maneira porque desconhece outra forma de buscar o amor.

Quem deseja ser querido, precisa querer bem a todas as pessoas e quem deseja amor precisa impregnar de amor o seu ambiente, para que todos sejam contagiados.

Se um dos filhos sofre de reumatismo no sangue, é quando um dos pais não se sente profundamente amado, mantendo essa tristeza em segredo, para não abalar o relacionamento com o cônjuge. É do tipo que se faz de vítima, denota insegurança e complexo de inferioridade.

A pessoa que tem reumatismo infeccioso acha que não tem o direito de pedir o que deseja, porque acredita que não merece, ou simplesmente porque acha que os outros é que têm a obrigação de perceber suas próprias necessidades afetivas. A raiva e tristeza juntos leva ao reumatismo infeccioso.

Crianças que assistiram grandes tragédias e desarmonia na família e ainda não receberam amor e acolhimento devido a essa desordem no lar, tenderão a ter reumatismo na vida adulta quando tormentas emocionais causadas por fatos semelhantes à sua infância acontecerem novamente. É como se essa pessoa se sentisse num túnel escuro e sem saída tendo que fazer tudo para os outros sem poder ter sonhos pessoais.

Fale o que quer ou o que está sentindo em relação a tudo. *Você* tem o direito e o dever de anunciar o que é necessário para preservar ou construir um bom relacionamento, tanto amoroso e familiar quanto profissional.

Busque compreender porque certos acontecimentos ocorrem com você e veja se não foram causados pelo seu silêncio ou pelas más interpretações. Se não foram, procure na "caixinha" do passado e encontre guardada lá dentro uma parcela dos medos provocados pela repressão de um dos seus pais.

Assuma neste mundo o papel de uma pessoa que tem clareza e determinação de expressão. Habitue-se a dialogar e a colocar em sua mente a frase: eu existo. Impeça que as acusações contra você transformem seu coração em um poço de culpas.

Deseje ser feliz e alegre em todos os lugares onde for e com certeza a vida lhe responderá com saúde e muitas pessoas sinceras solicitarão a sua presença, porque amam você de verdade.

Leucemia e hemofilia
Leucócitos e hemácias

Mostrarei agora os significados energéticos dessas células e de onde derivam certas doenças.

O ser humano possui glóbulos vermelhos e glóbulos brancos (**hemácias** e **leucócitos**, respectivamente). Segundo a medicina oriental, os glóbulos vermelhos são *yang* (princípio positivo) que representa o lado masculino da natureza. Os glóbulos brancos são *yin* (princípio negativo) que representa o lado feminino da natureza.

Se algum membro da família adquire leucemia — doença que aumenta excessivamente a quantidade de glóbulos brancos no organismo, causando o desequilíbrio na quantidade de glóbulos vermelhos e, em alguns casos, causando ainda sangramento cutâneo em várias partes do corpo — significa manifestação da desarmonia conjugal que tem como causa o fato de a mulher (yin) ser dominante e subjugar o marido. Em muitos casos, o marido é autoritário e a mulher revolta-se com essa situação, às vezes secretamente, pois ela também é o tipo de mulher autoritária, que não admite ser comandada.

Se a mulher, para não prejudicar o lar, guardar para si mesma essa revolta ou ainda se ela demonstrar, abertamente, a tendência de "passar por cima do marido" ou sente que deve ou pode fazer tudo sozinha sem o marido, um dos filhos, que possua maior sensibilidade, irá absorver, inconscientemente, o problema e suas células adoecerão, revelando as dificuldades do casal. Os filhos são o reflexo dos pais. E quando esse problema acontece com os filhos já adultos, está apontando a revolta inconsciente ou insegurança associadas a seus próprios relacionamentos amorosos. Pela lei do inconsciente, os filhos procurarão parceiros muito parecidos com os seus pais, para que haja "continuação" coerente. Mas, tendo consciência desse fenômeno, a pessoa pode mudar seu destino alterando sua conduta, seus hábitos familiares e suas crenças desenvolvendo uma nova linha de pensamento, independentemente daquela de sua família.

Os casos de hemofilia também são causados pelos mesmos motivos: desarmonia e conflitos internos. Nesse caso é o marido, ou homem predominante na educação do filho, que se tornou dominante desequilibrando o poder da esposa. Os filhos captam (no inconsciente) esse desajuste das polaridades no inconsciente e poderão ter hemofilia (excesso de glóbulos vermelhos – Yang = Pai) ocorrendo hemorragias internas e externas no corpo.

O melhor nesses casos é tentar reconhecer a natureza humana e admitir que, independentemente de ser homem ou mulher, todos devem cultivar o respeito mútuo e conversarem sobre os direitos e deveres no casamento e na criação dos filhos. Quando não existe esse reconhecimento torna-se necessária uma intervenção espiritual ou profissional, já que nenhum dos dois admitirá facilmente possuir personalidade extremamente autoritária. Normalmente o dominador acredita que a única verdade é a sua e briga por ela a qualquer custo.

As crianças que crescem revoltadas com seus pais, devido às brigas e discórdias, tendem a se limitar e perder a inspiração pela vida. E crianças que nascem com problemas no sangue, além de terem buscado inconscientemente esta via para a eliminação do seu carma, são vítimas da autoridade excessiva de um dos pais.

Somente através da reconciliação com todas as coisas do Universo e de uma convivência harmoniosa com suas emoções é que as respostas para essas perturbações serão encontradas. Tanto os pais quanto os filhos precisam compreender que a resistência gera conflitos e que os conflitos geram desorganização no dia a dia da profissão, da saúde, destroem a felicidade verdadeira e, a partir deles, todos os envolvidos passam a viver artificialmente, buscando sempre uma maneira de fugir. Você leitor reflita, veja e sinta onde pode mudar para melhorar sua flexibilidade de opiniões e de conduta. A solução está em suas mãos: impeça que o orgulho e a descrença falem mais alto do que a verdade. Comece neste minuto a admitir, reconhecer, soltar, agradecer e a desejar, do fundo do coração, que todas as pessoas sejam felizes, principalmente aquela que mais o magoou. *Quem mais nos magoa é exatamente aquele que queremos mudar e dominar, pois, caso contrário, as suas atitudes não nos incomodariam.*

Leucemia revela que a mãe se sente sozinha para educar seus filhos e então passa a fazer o papel do pai também devido á desarmonia ou separação do casal. Diversas vezes encontro mães desesperadas me consultando para salvar seu filho da leucemia, mas quando a oriento para se afastar dele e deixar algum homem cuidar dele ela entra em crise e nega, pois acha que ninguém cuida melhor que ela. Então explico sobre as polaridades desequilibradas onde a mãe representa os glóbulos brancos e o pai os glóbulos vermelhos, sendo que quanto mais a mãe ficar dominante, nos cuidados do filho, mais os glóbulos brancos aumentarão. Quando o pai ou um homem que represente o pai se aproximar e passar a fazer companhia no tratamento, afastando a mãe provisoriamente, o organismo da criança começará a produzir mais glóbulos vermelhos oxigenando toda corrente sanguínea levando à cura. Em essência, o problema está no estado emocional da mãe e não só na presença exagerada dela na vida dos filhos. A mulher verdadeira de âmago "yin" é feminina de conduta refinada nas palavras, emoções e atitudes, que emana alegria de criança e liderança amorosa e paciente. Porém, se ela é guerreira dominante, de personalidade forte no sentido de levantar a voz ao combater um opositor e até brigar para lutar por suas ideias, então essa mãe está com a energia das polaridades desequilibradas gerando transtornos orgânicos em si e em seus filhos. Ser feminina não significa ser fraca e sim paciente e firme sem gritar, nem impor com bravura situações para seu marido ou outras pessoas. Seja dócil para salvar seus filhos. Faça a oração do perdão que está no meu site e nos meus livros para seus pais biológicos mesmo que eles não estejam mais neste plano e mesmo que você ache que não há nada para perdoar. Essa oração, para ter eficiência, deverá ser feita durante três meses, pois "3" é o ciclo regenerativo psíquico e portanto, reequilibrará as polaridades (yang= pai e yin= mãe) trazendo saúde e prosperidade para você e toda sua família. Afaste os medos do seu caminho e saiba que tudo na vida tem sua compensação. Acredite!

Anemia

O sangue é alimentado de vitaminas através da última digestão do organismo após a reabsorção de substâncias pelo intestino delgado que são lançadas na corrente sanguínea. O intestino delgado, segundo a psicologia da correlação (linguagem do corpo) e pelas medicinas chinesa e egípcia, representa a energia yang (pai). Quando o pai foi infeliz, autoritário ao extremo, ausente de alguma forma, morreu cedo, alcoólatra ou até rejeitou um dos filhos no nascimento essa criança terá anemia por não ter sido alimentada de acolhimento amoroso pelo pai. Como isso acontece?

O inconsciente conhece todas as funções orgânicas e as comanda conforme os estados da consciência. Por isso, quando uma pessoa se sente sem amor, rejeitada e triste constantemente, o inconsciente atuará nos órgãos correspondentes a essas emoções. O sangue transporta o oxigênio e todas as enzimas que nos faz viver e uma pessoa infeliz está "dizendo" ao inconsciente, que não vale a pena viver. Com isso, o inconsciente entende que ela não quer mais viver e faz o organismo não produzir e não reter mais o que o corpo precisaria para viver plenamente, daí a anemia surge.

Se você acredita que não tem o direito de ser feliz e se sente inferior diante de certas pessoas e da própria sociedade, é devido à infância difícil que você teve ou pelo relacionamento precário com seu pai que o fez acreditar nessa inferioridade. Você não tinha que ter sido o que seu pai queria que você fosse. Você só precisa saber que ele idealizou um sonho recalcado dele sobre você e por ter tido também uma infância difícil, acreditou que você seria a solução dos problemas dele ou seria o problema. Ele não teve culpa do que aconteceu. Com certeza ele foi um homem desequilibrado e sem fé e cabe a você perdoá-lo para que consiga, agora, ser você mesmo. A ausência dele como pai amoroso pode ser substituída no seu coração por serviços nobres e autoconhecimento para você saber quem é e o que quer verdadeiramente para si como: carreira, relacionamento amoroso, família, amigos e até lazer.

Para tudo na vida há um porém: há pessoas que não conseguem aproveitar os bons momentos de sua existência porque vivem temerosas; há as que acabam ficando sem alegria no coração porque não sentem prazer em mais nada; há, ainda, aquelas que se sentem subestimadas pelos outro e ainda, que acreditam que há certos limites na vida e perdem a vontade de se amar.

Se, em sua educação, nunca o valorizaram nem o incentivaram ou elogiaram, então dê chance àqueles que notam suas qualidades, já que você mesmo acha que não as tem e precisa do reconhecimento alheio. Intimamente, você sabe que tem, mas precisa ouvir isso de alguém.

A energia vital flui livremente em nosso corpo, quando nossos sentimentos e emoções estão desbloqueados. Deixe a vida fluir dentro de você e busque pessoas e acontecimentos agradáveis que possam aumentar seu ânimo porque sua saúde depende, única e exclusivamente, de sua maneira de pensar. Os agentes químicos comandados pelo cérebro farão exatamente aquilo que mais pensamos como foi explicado acima.

Se formos pessoas dotadas de sentimentalismo e conservarmos sempre a postura de vítima, o cérebro ordenará que nossa corrente sanguínea dependa de agentes externos para que possa continuar o trajeto pelo corpo. Perceba que essa situação pode ser exatamente semelhante ao comportamento que você está tendo em relação a certas pessoas e à vida. Você não quer admitir, mas está sempre precisando ser reconhecido, admirado, incentivado e pretende até ser o centro das atenções (mesmo dentro dessa sua modéstia). Reconhecer e assumir os próprios valores, é realmente muito difícil porque nosso ego se "alimenta" de influências externas. Porém saiba que não precisamos de nada que venha de fora. Isso é uma ilusão! No momento em que você sentir segurança pelo que é tudo começará a se transformar em seu caminho.

Em primeiro lugar cuide dessa aparência, pois é impossível ser otimista com essa cara de velório!

Ame-se e desvincule-se da dependência do amor dos outros como substituto inconsciente, do seu pai. Siga seu caminho com coragem e bom humor. Assim as pessoas passarão a amá-lo e você, certamente, terá muito a oferecer. Ninguém gosta de gente que vive reclamando da vida e cheia de doenças. Na verdade, todos procuram estar ao lado de quem acredita no melhor e tem vontade e energia para gostar de si mesmo, e dos outros. Essa sua atitude de pessoa "fraca por natureza" só fará com que os outros tenham dó de você e dó não é amor, é raiva disfarçada!

Quer tomar vitaminas? Tome-as! Mas acredite isso de nada lhe adiantará se você for incapaz de mudar seu senso de humor e essa dó de si mesmo que, na verdade, não passa de autopunição pela dificuldade de assumir a força que existe em sua mente. Sinta-se alegre com as travessuras ingênuas de uma criança e até de singelos fatos que lhe ocorrem diariamente, porque daí brotará a verdadeira felicidade que você precisa. Saiba que o sorriso alegre tem um poder de cura impressionante e a terapia do riso é aplicada em muitos hospitais do Brasil e de vários países curando doenças de toda espécie, principalmente o câncer, que é um problema psicossomático da falta de alegria devido a alguma traição ou perda profunda. Nos Estados Unidos, poucas pessoas, não ouviram falar sobre Dr. Hunter Doherty "Patch Adams" médico norte americano, famoso por ter criado um método com brincadeiras de palhaço nos tratamentos dos pacientes levando alegria e motivação para os corações dos enfermos. No Brasil, existe, há muitas décadas, um grupo de palhaços (Os doutores da alegria) que visita hospitais infantis a fim de fazer rir crianças com doenças terminais e até adultos com doenças graves. Hoje já existem muitos outros grupos voluntários para alegrar pacientes, pois os resultados sempre foram e sempre serão positivos e gratificantes.

Vamos, saia dessa! Deixe de esperar que as coisas aconteçam. Quem manda em sua vida é você mesmo e ninguém poderá resolver indefinidamente os seus problemas. Acorde! Condicione-se ao fato de que com força e coragem nada poderá prejudicá-lo, nem fazê-lo sofrer, a menos que você permita, entendeu? Você sabe como sair dessa, pois só você, melhor do que ninguém, conhece sua vida pessoal e profissional. Portanto, apenas pense forte e saia para a vida à procura de amigos e de bons relacionamentos. Deixe definitivamente de se achar responsável por tudo e passe a fazer o que gosta, sem medo de críticas. Aliás, encare as críticas como uma fórmula mágica para você melhorar cada dia mais, sem se anular por qualquer coisa ou por qualquer um, pois quando alguém tenta nos comandar é porque percebeu que a "presa" é fácil.

Entenda: estou apenas dizendo a você que, quando mostramos insegurança, as pessoas que possuem autoridade sobre nós tentam nos conduzir à maneira delas, por entenderem que somos incapazes de resolver saudavelmente nossos problemas. Responda sinceramente: é isso que você deseja para a sua vida?

Observação: caso o médico tenha diagnosticado algum problema no seu intestino delgado, dizendo que ele tem dificuldade para reabsorver as vitaminas para seu organismo, entenda que os intestinos representam, pela linguagem do corpo, a polaridade Yang (= pai) como expliquei antes, portanto para acabar com esse problema é necessário fazer oração do perdão - que você encontra no final deste livro - para seu pai biológico, independentemente se você acha que não tem nada para perdoar em relação a ele.

Faça a oração num dia para o seu pai e noutro para sua mãe (biológicos), onde quer que eles estejam. Precisa fazer a oração para os dois, pois o inconsciente necessita equilibrar as energias **Yang** (pai) e **Yin** (mãe). Faça-as intercalando-as durante três meses, como já expliquei, sem questionar e sem contar para alguém. Guarde segredo, faça com disciplina e perseverança e não permita que seu inconsciente o sabote, pois ele tentará fazer com que você esqueça-se de fazê-la.

Reaja! Deus está de olho no seu comportamento. Sorria!

Vírus – Bactérias – Vermes

Quando estamos em perfeita harmonia com a energia do *ki* (energia da vida), a vitalidade flui inesgotavelmente por todo o nosso organismo e por todo o nosso ambiente. Ao rompermos o equilíbrio das energias cósmicas de nosso ser, tudo que vivia em seu respectivo lugar passa a invadir espaços alheios como forma de desarmonia.

Tudo é harmonioso no ecossistema. Todo ser vivo interage física, química ou energeticamente com outros seres para se alimentar, se reproduzir e até para alimentar a energia de suas células. É o ciclo vital.

Na biosfera habitam seres vivos que constituem uma rede de organismos que aumentam em número e que, nessa tendência, produzem variadas formas de substâncias de que todos os organismos necessitam. Visto pelos olhos dos pesquisadores, eles se encontram numa luta sem fim pela sobrevivência, que é expressa através de combates e competições biológicas. Mas, na verdade, esses seres vivem em coerência e em harmonia, cada qual em seu nível de evolução.

O homem considera esses micro-organismos como seus inimigos mortais. Durante milênios esses seres invisíveis devastaram lavouras, dizimaram rebanhos, exterminaram grupos humanos, sem que sua ação pudesse ser detectada.

Somente após a invenção dos microscópios óticos e eletrônicos é que eles foram sendo descobertos e analisados. Pôde-se então conhecer seus hábitos e, consequentemente, desenvolver armas químicas e táticas para tentar erradicá-los.

Até hoje, entretanto, nem mesmo com todo o desenvolvimento altamente tecnológico, o homem conseguiu derrotá-los, simplesmente porque acredita que são seus "inimigos" mortais.

Como prova disso, o pesquisador Dr. Alexander Gurvich, afirmou que "todas as células vivas produzem uma radiação invisível" e descobriu a existência de raios a que chamou de radiações mitogenéticas, os quais são produzidos durante a divisão celular.

Esse mesmo pesquisador fez um experimento que denominou "o canhão de cebola": colocou a ponta de uma raiz de cebola ao lado de outra para que, supostamente, a radiação da primeira influísse sobre a da segunda. O que aconteceu? A segunda cebola aumentou o seu crescimento em 25%! Mas o pesquisador observou também que essa radiação acelerava o desenvolvimento de fungos e bactérias. Gurvich estendeu suas observações ao ser humano e concluiu que eles, igualmente, emitem radiações mitogenéticas e que as enfermidades alteram sua produção. Se uma pessoa doente segura em suas mãos um cultivo de leveduras por cinco ou dez minutos, as células do cultivo começam a morrer. Os mesmos experimentos também foram realizados pelo dr. Otto Rahn, da Universidade de Cornell.

Enquanto as pessoas estiverem sugestionadas pela ideia do "inimigo presente", sua mente interferirá constantemente no ciclo natural desses seres.

Foram feitas outras comprovações a respeito da influência mental do ser humano sobre organismos vivos: descobriu-se que podemos neutralizar ou acelerar seu desenvolvimento conforme a nossa convicção.

O psicólogo soviético V. M. Pushkin e sua equipe de

cientistas trabalharam com um eletroencefalógrafo (EEG) conectado a um indivíduo e a uma planta. Eles observaram que quando a pessoa, sob efeito hipnótico, sentia tristeza, o aparelho indicava que a planta reagia e apresentava uma mudança no seu equilíbrio elétrico, que foi interpretada como "emoção" semelhante à do indivíduo.

No manual de experimentos parapsíquicos, de Sheila Ostrander Y Lynn Scheder, cap. 3, páginas 42 a 46, são descritos vários desses experimentos.

Sabemos então que os supostos "inimigos invisíveis" não são, verdadeiramente, nossos inimigos e sim seres que permanecerão em seu ambiente se mantivermos a necessária harmonia e tranquilidade em nossos corações.

Somos parte do ecossistema e nos comunicamos com todos os seres pelo inconsciente coletivo, por isso, podemos alterar nossa saúde e nosso ambiente.

Seja pela radiação mitogenética, seja pela corrente elétrica da energia vital ou simplesmente porque sabemos, internamente, o caminho para essa comunicação.

Se somos atacados por esses "inimigos" é devido à nossa ignorância das leis que regem o convívio harmônico do conjunto de vidas do planeta e do Universo.

Existem muitos fenômenos naturais que permanecem ignorados porque o homem os rejeita como realidade.

Em última análise a nossa mente, ou a energia do nosso pensamento, age de forma semelhante ao ímã: ao pensarmos em determinada coisa, os átomos, emitidos pelo pensamento em uma frequência sutil, transformam-se em vibrações contínuas, onduladas ou fragmentadas, que alcançarão, mais cedo ou mais tarde, o "alvo" pensado. Lembre-se de que as vibrações semelhantes se atraem, portanto, desfaça-se, rapidamente, de todos os pensamentos negativos que criou, devido a crenças errôneas, influências externas e todo tipo de sentimento autodestrutivo. Assim, a Natureza agirá a seu favor e seu corpo estará protegido dos "ataques" de seres que, apenas, estavam sendo atraídos pelo tipo de vibrações emitidas por você mesmo. Entretanto, só poderemos manter a harmonia com todos os seres se conhecermos o poder do chacra cardíaco.

O chacra cardíaco rege por eletromagnetismo a glândula endócrina, o *timo (significa Alma em grego)* também responsável pelo sistema imunológico. O chacra cardíaco, por sua vez, só funciona perfeitamente quando estamos em estado de paz, amando e perdoando a tudo e a todos. Somente assim o timo fortalece a proteção do nosso organismo contra a invasão de vírus, de bactérias ou vermes. Portanto, sabemos que toda pessoa que é invadida por esses pequenos seres desenvolvendo doenças infecciosas, inflamações, gripes, soro positivo, doenças autoimunes, câncer, herpes, fraqueza e outros tipos de doenças, devido a queda do sistema imunológico é aquela que não consegue perdoar alguém ou alguma situação. A falta de perdão enfraquece o timo e o baço, responsáveis pelo escudo de proteção contra os micros invasores.

Perdoar, soltar, alegrar-se, dar continuidade a um plano ou objetivo de vida, fortalece o organismo e nos faz ter longevidade, saúde e alegria de viver.

Perdoe! Estude as leis do Universo - encontradas em meus livros - e saiba compreender que nada acontece por acaso!

O tempo se encarregará de despertar no cérebro do homem a verdade, conforme a necessidade. Evite assistir noticiários em épocas de pandemia. Proteja sua mente das forças negativas subliminares e viva uma vida simples e serena diante dos problemas. Alegre-se e sinta os maiores poderes de cura dentro de você que são: o amor, o perdão e a gratidão.

Capítulo 12
Mal-estares em geral

Mal-estar

Todo tipo de sofrimento mental traz alguma consequência para o corpo. Não há nada que ocorra em nosso corpo que não seja explicado pela psicologia oriental, pois o que sentimos é somatizado de alguma forma para que haja a comunicação entre o consciente e o inconsciente.

Dores, gripes e resfriados representam pessoa sobrecarregada e sem prazeres pessoais e são apenas manifestações de resistência e rebeldia da pessoa contra alguma situação que a contraria profundamente. Darei alguns exemplos para que você possa se orientar e aprender a evitar qualquer mal-estar e até certos constrangimentos.

Dor

Simboliza falta de amparo. A pessoa se sente só, não consegue resolver problemas emocionais e culpa-se, inconscientemente.

Qualquer pessoa pode ter sentimento de culpa e ele pode ser causado até pelas coisas mais simples. Normalmente esse sentimento está oculto em nosso interior de formas muito bem disfarçadas. Ela pode ter sido inserida em sua mente na sua infância, por acontecimentos banais ou não, mas que gerou "culpa" inconsciente, deixando uma sensação de abandono e carência. A culpa só poderá ser eliminada do coração se for compreendida, se aceitarmos o fato de que ela existe erroneamente e se conhecermos a verdade de que ninguém precisa arcar com as responsabilidades que são dos outros. Devemos saber delegar responsabilidades no lar, no trabalho, nos estudos de grupo e não assumir tudo para não nos sobrecarregarmos.

A dor vem mostrar que algo está errado em sua conduta

e que você está se sentindo limitado sem poder viver sua própria vida. A tristeza, a carência afetiva e a sensação de solidão vão gerar dores e grandes desconfortos em seu corpo.

Quando uma pessoa está sobrecarregada de serviços e responsabilidades, contrariando seu bem estar e prejudicando seu amor próprio, seu inconsciente atuará, "avisando-a" que está na hora de refletir e fazer mudanças.

Saiba que várias são as razões para sentirmos dores de cabeça, dores nos ossos, nos dentes, etc. Pare de justificar tudo. É desnecessário que você explique aos outros os porquês das suas atitudes ou que justifique a demora em tomar decisões. Respeite-se e todos também o respeitarão. Se aceite da maneira que você é hoje e saiba que, a cada dia, poderá melhorar em todos os sentidos. Não tente colher frutos que ainda não amadureceram. Tenha mais paciência e respeite o tempo. Cada parte do nosso corpo tem uma conexão com a nossa psique que estará sempre nos guiando para melhorarmos nossa forma de sentir e agir diante dos acontecimentos. Procure neste livro ou nos volumes 2 e 3 os significados exatos de cada doença e até do formato do corpo que revela quem é você e como se curar.

Gripes e resfriados

As pessoas que ficam resfriadas ou gripadas com facilidade mostram sua revolta contra pensamentos contrários aos delas. Também mostram que muita coisa está acontecendo ao mesmo tempo em seu ambiente, fazendo com que "não tenham tempo" para si mesmo. Quando você se atola de compromissos que inibem seu jeito real de viver e deixa de lado o seu lazer para "trabalhar por necessidade", você acaba desorganizando inconscientemente seu metabolismo e a gripe vem como forma de "congestionamento" na sua cabeça (significando, simbolicamente, congestionamento de ocupações) que vai fazer você ficar doente para obrigá-lo a parar um pouco e voltar a se ocupar consigo mesmo. Esse, na verdade, é um desejo consciente, mas que, devido à situação, não pode ser revelado. Então, sua mente "providencia" um mal-estar para que você tenha uma desculpa e possa fugir daquelas "obrigações", "sem carregar culpa". A queda do sistema imunológico mostra que a pessoa tem falta de amor, paciência e perdão no coração. Digo isso, porque o coração é alimentado pelo chacra cardíaco "vórtice de energia eletromagnética" localizado entre os mamilos, é responsável pela glândula endócrina Timo que fortalece o sistema imunológico e esse chacra depende da energia do amor e do perdão para funcionar. Portanto, pessoas com queda da imunidade revelam ter dificuldade para perdoar.

Gripe é uma congestão de influências externas que você rejeita na mente.

Aproveite a gripe para refletir e fazer mudanças em seu comportamento. Ninguém é obrigado a fazer o que não quer e nem assumir sozinho uma situação. Reaja, com amor, sobre momentos desencadeadores desse caos interno e a doença desaparecerá! Duvide das crenças antigas em que diziam que a gripe e o resfriado "são provocados pelo clima, pelo chão frio", pelo "golpe de ar gelado", "pelo excesso de sorvete", etc.

Os psicanalistas, a medicina chinesa e egípcia admitem que tudo não passa de somatizações. Portanto, quem ainda não acredita nisso é porque mantém enraizado em seu superego as instruções negativistas da própria educação.

O inconsciente se encarrega de criar o tipo de doença que coincida com o tipo de trabalho da pessoa, ou aproveita uma situação apropriada para que a crença do indivíduo faça sentido.

Estamos nos familiarizando, cada vez mais, com a mente interior e logo nosso cérebro se adaptará com o modo correto de pensar. Realmente é difícil transmitir esse tipo de informação para as mentes que preferem se "amarrar" no passado. Existem poucos livros que afirmam, com absoluta convicção, que a doença não existe, mas, com certeza ainda serão divulgadas, cada vez mais, a cura das doenças pela terapia psicossomática. Está muito próximo o momento em que este conhecimento será aceito amplamente.

Por enquanto, vamos tentando transmitir essas informações aos leitores que, de um modo geral, se interessam em saber "sobre o futuro no presente".

A saúde está em suas mãos.

Fadiga

Mostra a falta de carinho e amor pelo que estamos fazendo. Quando trabalhamos com amor e satisfação, não nos sentimos cansados. A energia de nosso corpo não deriva somente de fontes alimentares, mas deriva também da vontade do coração. Se você está fatigado é porque não quer mais fazer o que está fazendo ou do jeito que está sendo obrigado a fazer e preferiria estar cuidando de outra coisa. Pense no que você mais gosta de fazer. Com certeza faria o dobro e não se cansaria a ponto de se fatigar, não é mesmo? Enquanto você estiver resistindo, suas forças serão propositadamente limitadas até que você tenha de parar, preferivelmente por ordem médica, pois assim você mesmo não precisará "sentir culpa" por abandonar o que estava fazendo, certo? Assuma o que sente em relação ao trabalho que está executando e tente sentir por ele gratidão e respeito porque, de alguma forma, esse trabalho ajuda você ou alguém. Se você desempenhá-lo com amor, sem pensar na recompensa financeira ou afetiva, tudo se tornará mais fácil e você passará a sentir mais prazer em trabalhar. Mas, se sua insatisfação é motivada pela falta de valorização do seu trabalho, tente mostrar o melhor de si ou confie em Deus e comece a procurar outro lugar mais adequado para o seu desenvolvimento profissional. Anime-se e trabalhe alegremente mesmo que você seja dona de casa, pois trabalhar em casa, muitas vezes, é bem mais cansativo do que um trabalho fora de casa. A humildade conduz as pessoas à realização pessoal.

Na Bíblia está escrito: "Se te fizerem caminhar mil milhas, caminha com eles duas mil".

Estafa

Significa que a pessoa não se liberta dos seus problemas porque acredita que é responsável pela vida de todos e, principalmente, pela de seus familiares. Significa, ainda, que ela está sobrecarregada a ponto de não haver mais renovação de energia dos meridianos de seu corpo.

Se você está neste estado, provavelmente alimenta sentimentos de culpa cuja origem você nem lembra mais. Entretanto, é esse sentimento de culpa que está fazendo você trabalhar como louco para resgatar alguma dívida inconsciente.

Liberte-se desse hábito de "carregar" tudo nas costas. Seu mundo verdadeiro o aguarda para você ser feliz. Abra o canal da compreensão, abra sua mente e amplie seus pensamentos em busca de seus desejos particulares. Relaxe, mude de ambiente, respire outros ares e passe a fazer algo que lhe dê prazer. Nada, nem ninguém o obrigam a seguir um caminho desgastante e se você o faz é porque as suas emoções estão em desequilíbrio.

Organize-se e divida seu tempo em várias partes. Reserve um espaço só para você e cuide para que nada interfira em sua individualidade. Você tem o direito de se recuperar dos desgastes da vida da maneira que achar melhor. Seja coerente e assuma a sua verdadeira personalidade. Mas vá com calma! Busque em seu íntimo aquela alegria esquecida e saiba que, quando você sorri, é liberado em seu cérebro o hormônio *beta-endorfina* que elimina o hormônio do estresse (catecolaminas). Portanto,... sorria! E descanse!

Insônia

A insônia acontece em pessoas que possuem personalidade forte e que estão sempre ou em alguma época da vida, controlando a família, os negócios, as finanças e situações de emergência. O TEMPO é o algoz da insônia para aqueles que tentam controla-lo. As vítimas da insônia são pessoas com um alto grau de ansiedade e que normalmente não demonstram, mas sentem preocupações profundas com o tempo das coisas. Tempo para pagar as contas, tempo de vida de seus animais ou pessoas queridas, tempo para terminar seu trabalho, para conseguir um novo emprego, decidir pedir as contas no emprego atual, mudar de casa, de cidade, casar ou separar, ter filhos ou adotá-los e até preocupação com o tempo para tomar uma grande decisão.

Pessoas com insônia ou noite mal dormida, precisam aprender a ter habilidade para se concentrar no "AGORA". Vivem no futuro e no passado e não conseguem relaxar no "aqui" e no "agora". Se você tem insônia perceba como seus pensamentos e instintos vivem em alerta e no controle do comportamento de certas pessoas e de certos acontecimentos. Você percebe o quanto é centralizador e não consegue delegar obrigações para outras pessoas por não confiar nelas? E acumula responsabilidades desde familiares, trabalho e situações dos amigos? Com certeza você teve uma infância de muitas cobranças e punições fazendo com que hoje, inconscientemente, você se cobre tanto. Terapias e resgate da sua autoestima levarão você ao desapego com sabedoria e aprenderá a colocar sua cabeça em ordem.

Preocupação exagerada com o amanhã é o medo de estar errado em algo e a incerteza do futuro. Muitas vezes a insônia acontece mesmo quando a pessoa não está pensando em nada, pois os nervos e os músculos estão tensos do dia a dia e a pessoa não percebeu. Com a musculatura tensionada e "encurtada", há uma "vasoconstrição", ou seja o sangue passa com dificuldade nos vasos sanguíneos devido a contração ou encolhimento dos vasos sanguíneos impedindo que o excesso de sangue que foi para o cérebro consiga circular. Muitos pensamentos desordenados ou obsessivos irriga demais o cérebro e o sobrecarrega.

Cuidado com o congestionamento de novas ideias, que ativam demais sua ansiedade, aumentando o fluxo sanguíneo no cérebro e provocando a insônia.

O professor W. C. Anderson, no livro de Marden, fez uma experiência para provar que o pensamento produz alterações fisiológicas. Pediu a uma pessoa para se deitar sobre uma balança em formato de prancha e sugeriu-lhe que tentasse resolver, mentalmente, um cálculo matemático. A balança pendeu para o lado onde estava a cabeça. Em seguida o professor Anderson pediu para a pessoa imaginar que estava fazendo ginastica com as pernas. Agora a balança pendeu para o lado onde estavam as pernas. Isso aconteceu devido ao fluxo sanguíneo para o local do corpo onde a mente estava focada. Explicações mais detalhadas sobre outros experimentos da ação da mente sobre o corpo você encontrará na coleção "A Verdade da Vida" do mestre Masaharu Tanigushi da Seicho-No-Ie.

Com esta verdade, saiba que é muito importante relaxar à noite, antes de dormir.

No Japão, em tempos remotos, existia um tipo de treinamento que consistia em concentrar as forças no abdome para aliviar o cérebro. O grande mestre budista Hakuin fazia antes de dormir o treinamento de respiração "através dos calcanhares". Ele imaginava que em seus pés havia orifícios de entrada e saída de ar e, com isso, o sangue fluía abundantemente para as pernas, deixando a cabeça leve e a mente serena. Assim ele conseguia dormir profundamente.

Deixe para trás o dia que passou, sinta que o amanhã será tranquilo e que tudo acontecerá da melhor maneira, em todos os sentidos. Se você insistir em tentar resolver seus problemas durante a noite, além de conseguir uma insônia angustiante, vai bloquear também a sua intuição — que só funciona com tranquilidade. Se for preciso tome um banho quente que fará seus vasos sanguíneos entrarem num processo de vasodilatação que, consequentemente, o levarão uma agradável sensação de relaxamento.

Pratique o relaxamento mental que citei acima, porque será de grande eficiência para você conseguir dormir e também receber boas inspirações, resolvendo assim os problemas que o afligem.

O banho frio servirá apenas para você acordar de uma vez, caso não queira dormir. Pratique meditação, yoga ou Tai chi chuan para reeducar seus pensamentos e suas emoções. O importante é seguir o que o coração manda e não o que "decretaram" como certo. Pare de sofrer! Caso você não consiga se concentrar durante o relaxamento, aceite a insônia com bom humor. Às vezes dormimos pouco, mas dormimos bem. Esqueça as horas que passam, pois se você conseguir relaxar realmente por "apenas" trinta minutos, ou até menos, isso equivalerá a muitas horas de sono. Mas, lembre-se de começar a estudar um pouco mais sobre você mesmo e aprender que tudo na vida acontece conforme pensamos. Trabalhe sua cabeça em direção à tranquilidade. Bom sono!

Hipertensão
(ver Eczema na cabeça)

Pressão alta

A natureza humana chega ao planeta serena e calma, músculos relaxados e em paz, pois se sente protegida ao nascer. Porém, o tempo passa e perdas e mágoas acontecem no decorrer da vida. Para cada perda ou tragédia a família teria o dever de acolher, explicar e dar amor e carinho para que a dor desapareça do coração e o passado vá se tornando apenas em experiências para fortalecer a pessoa. Mas o hipertenso teve uma infância difícil e quase não teve pessoas para acolhê-lo quando perdia pessoas, brinquedos, amigos e animais domésticos. Essa criança teve que crescer antes da hora e ser adulta sem estar preparada devido às exigências dos pais ou da própria vida.

Todo sofrimento traz tensões musculares e adrenalina para o sangue como mecanismo de defesa do organismo e instinto de sobrevivência. Essas tensões desaparecem com o passar dos dias como uma recuperação natural da mente e do corpo, mas quando essa criança passa para a adolescência e para a maturidade levando consigo as tensões e o medo devido a tantas perdas e dificuldades, seus músculos e seus vasos sanguíneos não retornaram ao relaxamento original, pois o medo de perder outra vez ou de morrer se tornam um "vício".

A pressão alta é um mecanismo automático de defesa e preparação para o ataque, defesa ou fuga diante de uma ameaça real ou imaginária. A hipertensão é considerada hereditária por muitas crenças, mas a verdade é que quem desenvolve essa forte pressão arterial teve uma vida "pesada" e nunca aprendeu a relaxar, soltar e deixar ir embora toda dor e medo. Essa pessoa teve que ser o apoio de muitas pessoas da família na hora da dor ou das mortes e até dificuldades financeiras, mas nunca teve alguém para acalmar a sua própria dor e seus medos secretos. Quando desabafava recebia críticas ou conselhos desnecessários e sem função para o momento e por acharem que ela era a mais forte da família, aproveitavam para desabafar também, sem perceber que era hora de ajudar e não de desabafar egoisticamente como sempre.

A pessoa com pressão alta está entendendo perfeitamente a colocação que fiz, pois é como ela se sente diante da própria dor: "não posso revelar minha dor para não parecer fraca ou porque a dor do outro é maior ou se eu contar, aproveitarão para falarem dos seus sofrimentos outra vez". Então, ela guarda para si seus medos e preocupações e o inconsciente prepara seu cérebro para a defesa daquilo que pode acontecer de desgraça outra vez. Os pensamentos de quem tem pressão alta são confusos e obsessivos. Quando começam a ter pensamentos destrutivos e pessimistas não conseguem controlar mais e a pressão arterial sobe como preparação do organismo para a "guerra". Mesmo que aparentemente não esteja acontecendo nada de ruim na vida dessa pessoa, seus sentimentos são sempre "ariscos" e estão sempre na defesa, pois seus músculos e vasos sanguíneos nunca mais voltaram a relaxar. Basta um pensamento negativo e a pressão sobe.

Controlar os pensamentos é como controlar um cavalo selvagem, requer sabedoria, técnica e paciência. Experimente se concentrar num filme, caso você perceba sua pressão subindo. Observe que quanto mais você desvia o pensamento ruim e passa a interagir com outro acontecimento saudável, a pressão começa a baixar. O segredo está na forma de pensar e quando a medicina ensinar treinamentos para os pensamentos não precisarão mais viciar seus pacientes com remédios.

Apenas você precisa saber que seu inconsciente está o tempo todo preparando seu organismo para o ataque, defesa ou fuga por causa dos seus medos "crônicos". Esses medos não estão todos na sua consciência, eles estão sendo controlados pelo inconsciente devido suas crenças nas perdas. Basta seu inconsciente fazer uma associação de algum acontecimento atual com uma perda do passado e ele logo prepara seu coração e suas artérias para o que ele "acha" que acontecerá na sua vida.

A hipnose tem transformado a vida de milhares de pessoas que se permitiram se deixar hipnotizar para acabar com os "medos" do passado. Mudar seus paradigmas e suas crenças fará sua pressão arterial se estabilizar, pois você passará a ser dono si e líder dos seus pensamentos.

Muitos soldados combatentes das guerras que retornaram e passaram a ter pesadelos, pressão alta, medos, perda do humor e sentimentos agressivos, foram tratados pela hipnose e eliminaram os traumas "ancorados" no inconsciente. Voltaram a ter uma vida normal e em paz.

Resolva de uma vez por todas seus problemas do passado. Aprenda a dirigir seus pensamentos com brandura e autocontrole para que nunca mais você tenha a hipertensão. Não acredite na medicina arcaica e medieval. Acredite em você! Não estou falando para você parar de tomar seus remédios, estou propondo que antes de toma-los experimente controlar o medo através da concentração em algum movimento ou acontecimento alegre. A alegria cura a pressão arterial.

Lembre-se que os problemas emocionais guardados e não resolvidos se tornarão pensamentos pessimistas e insistentes. A pressão alta indica uma pessoa extremamente preocupada em não perder, que remói detalhes e sofre por não aceitar determinadas situações.

Liberte-se de lembranças desagradáveis e relaxe deixando o tempo resolver essa situação para você. Deixe de limitar seus pensamentos a um fato determinado e de canalizar as suas forças negativas porque elas podem destruí-lo muito antes de você perceber. Alivie seu coração desapegando-se daquilo que o incomoda. Liberte-se do medo do futuro, pois muitas vezes tememos e sofremos antecipadamente por fatos que nunca acontecerão.

Use técnicas de respiração e "solte" os problemas. Com certeza eles irão se resolver, com ou sem você. Dirija sua mente para outros assuntos e viva plenamente.

Leia o tópico *Insônia* e pare de supervalorizar os seus problemas e sofrimentos. Saia dessa posição de vítima e forme uma nova personalidade, cheia de tranquilidade e segurança. Comece algo novo na sua vida e volte a ter fé de verdade e não teórica. Fé traz alegria e bons pensamentos e consequentemente saúde total. Pratique meditação todos os dias nem que seja sentado numa cadeira. Mantenha a coluna reta, olhos fechados e prestando atenção na respiração suave e tranquila. Peça ajuda e se cure!

Pressão baixa

É sentir-se carente e com incertezas. Pessoa que nunca se sente amada e considerada pelas coisas boas que faz. Repare quantas vezes você foi pessimista no dia de hoje. O sentimento de frustração destrói o seu ânimo e, assim, parece que lhe falta o essencial na vida. Procure ver todos os lados da questão e perceba que você está cobrando um amor que pensa não ter. A sua expectativa em relação às pessoas faz com que você seja fraco no momento de tomar decisões. Devemos aprender que é inútil esperar algo de alguém. Precisamos reconhecer e agradecer as pequenas coisas que nos são oferecidas. Enquanto você se sentir desamado, nenhuma pessoa será perfeita para você pois a expectativa é sua e não de quem vive ao seu lado. Fortaleça sua personalidade com conhecimentos de psicologia e você verá quanto tempo está perdendo com essa postura de vítima. Saiba conquistar aquilo que você deseja sem medo de não consegui-lo. Sinta-se forte e acredite em seu potencial, pois todos nós temos capacidade para realizar os nossos sonhos. Mas lembre-se, não fique esperando cair do céu, porque você pode se machucar e começar a achar que tudo é difícil de conseguir. Vá à luta e não tenha pena de si mesmo.

Felicidade se conquista! Portanto é inútil tentar atrair amor fazendo-se dependente dele, pois, o máximo que você conseguirá com isso será transtornar a vida da pessoa a quem você ama de tal forma, que ela ficará sem saber se o sentimento que ela tem por você é amor ou dó.

Preencha seu tempo com atividades importantes e reaja positivamente contra esse sentimento de "vítima do desamor". Saiba que amor se conquista através de uma imagem segura, ativa, alegre e disposta e se desgasta com a imagem de doença, cansaço e com as críticas indiretas e diretas sobre o comportamento do outro: isso apenas aborrece e distancia a pessoa que amamos.

Ponha-se no lugar do outro e imagine a cena de uma pessoa emocionalmente fraca que vive agarrada "ao seu pé", implorando seu amor. O que você faria? Ou melhor, o que você sentiria em relação a ela? Você, talvez, até tentasse provar-lhe que a ama, mas ela, por insegurança, voltaria sempre a cobrar mais amor.

O sentimento de posse traz infelicidade, intrigas e, consequentemente, pressão baixa para "atrair" amor de outra forma que não seja através da cobrança explícita. Compreendeu? Estou apenas mostrando que a pressão baixa desaparece quando a pessoa normaliza os seus sentimentos e passa a gostar de estar em paz consigo mesma. Goste mais de você e pense em fazer agrados a si mesmo, passeando, conhecendo pessoas, presenteando-se, praticando esportes ou ginástica e cuidando mais de sua aparência. Desta forma você só poderá ser feliz, pois descobrirá que estamos na vida das pessoas para trocarmos alegrias e informações e que, quando não percebermos isso, estagnamos a alegria e a liberdade para viver e amar a tudo e a todos com intensidade. Tudo o que aconteceu de "horrível" na sua infância e na sua adolescência é responsável pela pressão baixa. Aceite terapias que ajudem você a elaborar seu passado sofrido e sem amor. Aceite que o inconsciente carrega sua crença nessa "solidão secreta" e se permita resignificar a história da sua vida pela PNL (Programação Neurolinguística" ou com algum profissional de "Coaching"), eles saberão o que fazer por você. Não vale a pena "usar" a queda da pressão para ser tratado como uma criancinha indefesa e carente. Cresça e observe sua própria conduta diante daqueles que o contrariam. Observe seus pensamentos secretos de desejar que as pessoas intimas façam o que você quer e do seu jeito. Seu comportamento se aproxima muito do comportamento de uma pessoa "mimada". Muitas vezes pessoas que não foram mimadas e nem protegidas passam a se comportar como uma pessoa "mimada" para compensar, inconscientemente, o amor e os sonhos frustrados.

Cresça! É maravilhoso crescer e produzir por si só sua prosperidade financeira, sua família, seus amigos e sua saúde com gratidão e alegria de viver.

<u>Febre</u>

No Taoísmo sabemos que tudo o que existe nesta dimensão possui duas polaridades opostas e complementares: Yang= masculina e Yin= feminina. A força masculina é representada pelo sol, o dia, a expansão, o claro, o quente etc. A força feminina é representada pela lua, pela contração, o escuro, o frio etc. A febre é uma energia masculina e representa a raiva, o estar "queimado" contra alguém ou algo.

Simboliza, nitidamente, o "atrito" com pessoas próximas. Experimente esfregar as mãos com força e persistência: você sentirá que o atrito entre elas provocará calor intenso.

A expressão "ferver de raiva" traduz, perfeitamente, o significado da febre. Quando a raiva é intensa, não é desabafada ou solucionada, surge a febre, ou até acidentes com fogo, uma vez que o inconsciente traduz, ao pé da letra, nossos sentimentos. Se analisarmos, por exemplo, uma queimadura na pele, será fácil identificar o alvo da raiva, pois cada parte do corpo simboliza uma emoção ou uma situação específica.

A febre na criança revela a existência de atrito entre os pais, ainda que eles não demonstrem o que estão sentindo. Este reflexo é possível porque os inconscientes se comunicam: se um dos cônjuges guarda raiva e ressentimento contra o outro, um dos filhos sofrerá as consequências.

A criança de zero a sete anos e meio está conectada a polaridade feminina e por ressonância se "pluga" à mulher que a cria (mãe, madrasta, avó, babá, cuidadora, professora ou até à irmã mais velha, caso ela seja a substituta da mãe. A criança de sete anos e meio até quatorze anos e meio está conectada a polaridade masculina e por ressonância se "pluga" ao homem que a cria (pai, padrasto, avô, cuidador, professor ou ao irmão mais velho). Por isso, quando uma criança está com febre, independentemente, se é uma virose ou infecção, sabemos pela sua idade qual dos pais está guardando raiva no coração.

Serene sua mente e sinta descer sobre sua cabeça um orvalho fresco e calmante. Deixe-se levar pela imaginação e flutue leve e calmamente por sobre as nuvens. Respire fundo e solte o ar, lentamente, fechando os olhos e relaxando...

Você é um ser protegido pela Natureza e tudo aquilo que parece prejudicá-lo está apenas mostrando que seu rumo deve ser mudado. Pense tranquilamente sobre todos os assuntos com os quais você está envolvido e você passará a ver coisas que antes não conseguia ver. Sinta-se seguro e amado pela energia do Universo.

Aprenda a sair das vibrações negativas dos ambientes, e aceite como ensinamento o que o mundo lhe oferece vendo o lado bom do oponente.

Decida não mais querer que seja tudo à sua maneira. Aceite as opiniões alheias sem, entretanto, mudar sua personalidade ou o seu modo de ser. O verdadeiro líder é aquele que não se deixa abalar pela oposição, mas consegue, através dela, enxergar detalhes que outras pessoas não conseguem perceber.

A calma e a autoconfiança serão necessárias para você conhecer o caminho da solução. É só querer. Deixe de lado o seu orgulho, saiba admitir quando está errado e, se estiver certo, mantenha a calma e deixe o "mundo cair", pois você é responsável apenas pelos seus atos e não pelos atos das outras pessoas.

Acredite que até certo ponto você pode influenciar as opiniões alheias, mas se insistir nisso estará desrespeitando o direito e a liberdade de suas crenças.

Praticar meditação simples diariamente vai fortalecer seu humor e sua forma de agir. Use mais a intuição, a paciência e saiba esperar para atuar com sabedoria na hora certa. A raiva cegará a sua razão e a solução, e deixará você fervendo por dentro.

A raiva é excesso de energia yang e somente o seu oposto poderá curá-lo: A energia yin "o amor".

Medo

Se você é uma pessoa indecisa e cheia de dúvidas, ou demora para tomar uma atitude com o pretexto de que é apenas cauteloso, saiba que seu coração está cheio de "medos".

Já imaginou quantos medos podemos ter durante o dia?

Você pode dizer que não se trata de medo, mas de receio, para parecer mais leve, mas não deixa de ser uma forma de medo.

Determinadas pessoas querem sempre mostrar que não têm medo de nada e, mesmo que alguma coisa as aflija, "engolem" aquele mal e dizem que podem resolver tudo. Seu orgulho é tão grande que têm medo de dizer que estão com "medo", de resolver sozinhas, tal situação. Outros revelam seus medos de forma dramática para conseguir algum apoio de alguém que sentirá pena deles.

Admitir o medo não significa incapacidade para solucionar certos problemas.

O ser humano, por ter perdido a chave do conhecimento ficou sem o apoio necessário à vida uma vez que desconhece o poder criador do pensamento. Assim, o medo toma conta da situação, às vezes de forma camuflada.

Exemplos: medo de decidir e errar; medo de falar e magoar, ou de ser mal interpretado; medo de se "machucar" descobrindo aquilo que tanto temia; medo do tempo que não espera para você pagar suas contas; medo de altura; medo de ladrão, medo de ser sequestrado; medo de doenças que, dizem, não ter cura; medo de ficar só; medo de perder o que tem; medo de não conseguir emprego; medo da velhice e, até, medo... de ter medo!

Será que você tem qualquer desses medos?

Saiba que o medo existe como forma de defesa e instinto de sobrevivência do ser humano. Ser racional é importante para não se deixar levar pela força das emoções e do medo, mas muitas vezes a razão fecha todas as portas e janelas e se tranca em pensamentos curtos para não ter que dar "de cara" com o medo pelo corredor.

Equilibre-se! Peça à sua razão que abra as janelas e cumprimente as suas emoções. Elas podem ser amigas, pois as emoções carinhosas conhecem os caminhos que a razão jamais ousou pisar.

Emoções leves têm contato direto com o inconsciente positivo, o mensageiro da natureza perfeita que conhece a melhor solução, pois tem "olhos" do tamanho do Universo.

Confie na vida. Relaxe e se entregue um pouco à certeza das coisas boas. Tire o peso dos ombros. Você não é obrigado a assumir as responsabilidades dos outros. Deixe que eles carreguem o que é deles, para que possam aprender a viver e dar valor ao seu próprio suor.

Deixe de ser "egoísta" ao querer todos os problemas só para você. Isso é muito feio! Olhe-se no espelho. Você não parece o próprio latão de lixo? Pare de guardar tantos problemas "sem solução", porque eles podem "apodrecer" dentro de você e se transformar em doenças que "cheiram mal"!

Seja despretensioso e saiba que o mundo não vai desabar sobre sua cabeça se você soltar os problemas. Pense bem: será que você teme soltá-los porque tem medo de perder alguém? Ou você teme perder o seu prestígio, ou os negócios, os amigos, os amores? Ou será que você carrega no coração algum sentimento de culpa e por isso sente tanto medo?

Quem gosta de você realmente, gosta pelo que você é, pelo que faz, ou pelo que você tem? Descubra o verdadeiro sentimento que as pessoas têm por você. Na verdade, nem elas saberiam como agiriam caso você parasse de garantir o que é delas, sejam serviços, favores, promessas, dívidas ou até chantagens.

Olhe para si mesmo e veja se essa é a vida que você gosta de levar. Se não for, não espere vir uma doença para se livrar de tudo sem remorsos. Tenha coragem de resolver todas as questões de maneira intuitiva, com calma e confiança. Quando uma pessoa reage com fé e determinação, automaticamente as portas se abrem e a saída aparece. Mexa-se!

O ser humano é valorizado pela sua coragem e não pelas pequenas tarefas que desempenha no dia a dia, as quais não exigem esforços para o autodesenvolvimento espiritual. Os pequenos desafios sim, é que acrescentam força ao nosso espírito. Portanto, não fuja das barreiras. Saiba transpô-las com sabedoria que é sinônimo de coragem. A fé não se aprende nas igrejas, mas nos pequenos e grandes milagres do dia a dia. Veja quantas situações você já passou na vida e admita que a solução nem sempre "veio" pelas mãos de alguém. Tudo sempre terá solução, de uma maneira ou de outra, por isso deixe as coisas acontecerem mesmo que momentaneamente esteja causando a você alguma frustração ou contrariedade. O mundo gira e muita coisa ainda acontecerá para todos aprenderem as lições da vida. Não exija da vida que as coisas aconteçam do seu jeito e no seu tempo. A Sabedoria divina sabe o tempo de cada caso e você só precisa visualizar secretamente como você deseja sua vida. O Universo estará lendo seus pensamentos e trará tudo ao seu tempo. Enquanto isso, se ocupe com algo nobre, estudos, cursos, entretenimentos saudáveis e tudo que faça você se sentir merecedor dos seus sonhos.

O medo é a ausência do amor e na Bíblia está escrito: "O Amor afasta todo o medo".

Medite sobre isso e arranque o medo do seu coração com a gratidão e a autoestima.

Medo e ira — inimigos do nosso organismo
(Texto compreendido em *A Verdade da Vida*, vol. 29, de Masaharu Taniguchi)

"Ao sentirmos medo, ou ficarmos irados, a secreção de adrenalina em nosso organismo torna-se muito elevada no sangue, provocando arrepios, lacrimejamento, suor frio, tremores, etc."

"Ao ocorrer o aumento dessa secreção aparece no sangue e na urina, maior quantidade de glicose. Quando o excesso de adrenalina chega à musculatura do estômago, este diminui a capacidade de contração porque perde o tonus muscular, resultando em atonia gástrica – fraqueza e debilidade a nível gástrico e estomacal (gastroptose)."

"Portanto, saiba que ansiedade, preocupações, medos e todo tipo de ressentimentos provocam excesso de secreção de adrenalina que implica no afrouxamento dos músculos do estômago reduzindo-lhe a capacidade de contração."

"Dessa forma, com o estômago inativo, o excesso de sangue precisará ser enviado a outras partes do corpo, o que causará certas alterações. Exemplo: na cabeça, deixará a pessoa bastante agressiva; no coração aumentará os batimentos" cardíacos e no fígado fará com que este devolva o excesso de glicose para o sangue, aumentando o nível de açúcar na corrente sanguínea. Isto fará aumentar o 'combustível' que ativará os músculos, deixando-os tensos e prontos para reagir. Assim, nos momentos de nervosismo, o excesso de adrenalina fará o organismo concentrar todas as energias para reagir contra o agressor.

"Quando uma pessoa que acumula essa adrenalina, que deveria ter sido queimada de alguma forma, se depara com certas situações, ela reage violentamente contra". Desta forma, cria-se um círculo vicioso e será quase impossível eliminar o acúmulo dessa secreção.

"Portanto, quanto mais tensa a pessoa ficar, mais adrenalina no sangue ela acumulará e o seu organismo sentirá a necessidade de expelir, de alguma forma, esse excesso que, acumulado, provocará o diabetes."

Mude sua atitude mental e solucione os conflitos íntimos que causam tantos transtornos.

Para que temer a vida e as pessoas, se elas são apenas reflexo daquilo que você acredita?

Capítulo 13
Glândulas

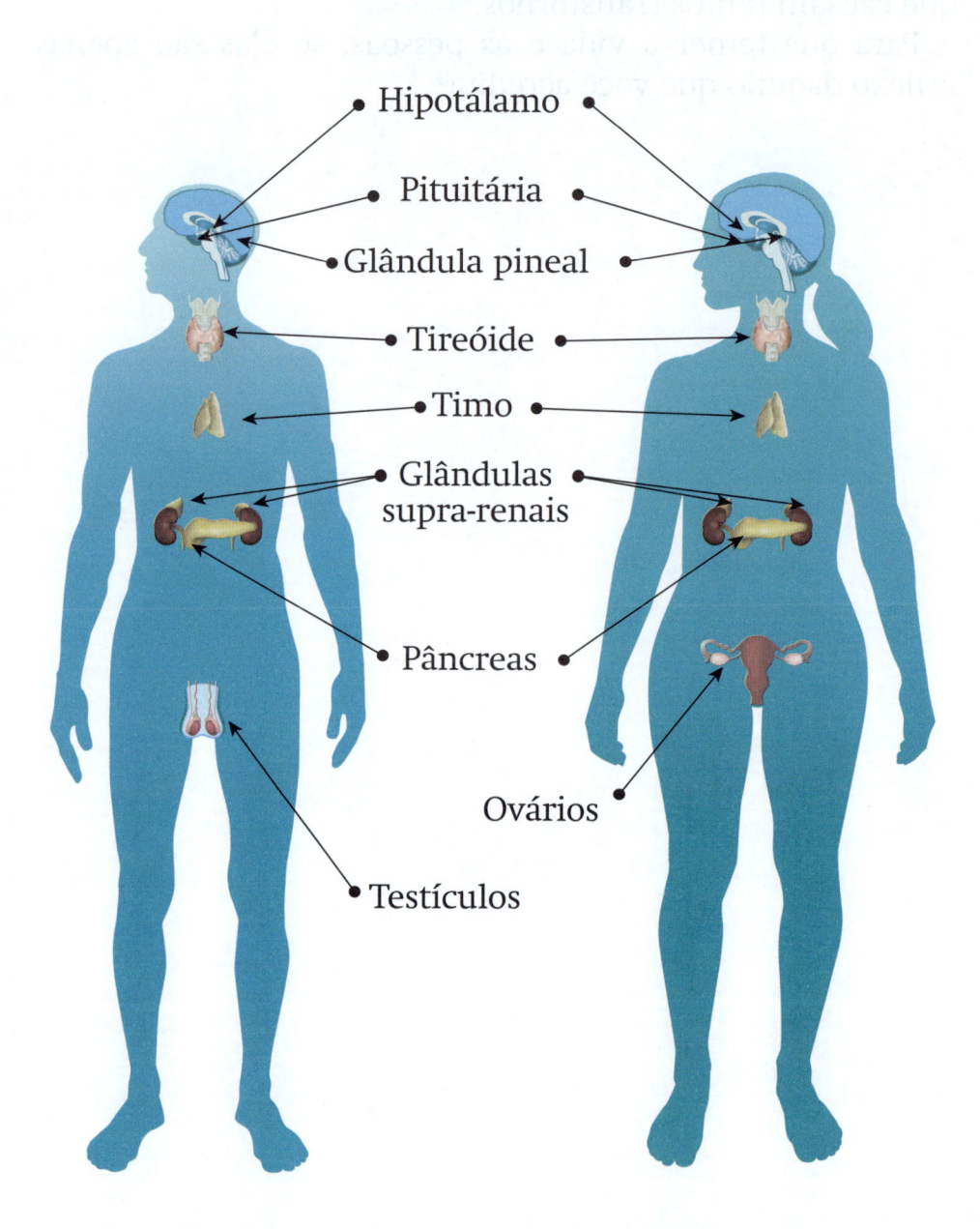

- Hipotálamo
- Pituitária
- Glândula pineal
- Tireóide
- Timo
- Glândulas supra-renais
- Pâncreas
- Ovários
- Testículos

Mamas ou seios

Em japonês, a palavra *titi* significa: seios, pai, marido, leite materno. Quando uma mulher nutre em seu coração sentimentos de revolta contra o pai ou marido, seus seios passam a ter problemas. Nódulos, mastite ou tumores nos seios significam descontentamento ou ressentimento profundo em relação às pessoas que desempenham o papel simbólico de pai (exemplos: marido, sogro, cunhados, etc). As mamas representam a doação à vida, o acolhimento, o feminino, o desapego, a nutrição da alma. Portanto, os problemas nos seios acontecem em mulheres que negam seu lado feminino, ou seja, são duronas, autoritárias, dominantes, controladoras e apegadas.

Mulheres com esses comportamentos revelam, inconscientemente, que possuem revolta, ingratidão e mágoas contra homens e por isso, assumem o lugar deles para não ter que se submeter a eles.

Toda mulher que se dedica totalmente ao marido, aos filhos, ao pai, à mãe, à sogra, às noras, aos genros e netos, mas não sabe soltar, deixar ir ou até morrer, pois quer controlar a vida e a morte dessas pessoas que "diz" amar sente-se então traída ao perder essas pessoas, seja para a vida, para outra pessoa ou para a morte.

Analisando a lateralidade do corpo pela medicina egípcia, se a mulher tiver acidentes ou doenças na **mama esquerda**, significa que está tentando "controlar", exageradamente, o pai, um filho, o marido ou até o patrão. Se surgir câncer nessa mama está revelando que se sentiu traída pelo marido, pelo pai, pelo sogro ou pelo filho ou pelo patrão (pai).

Se a mulher tiver problemas na **mama direita** significa que está "controlando" alguma mulher do seu convívio e se for câncer está revelando que se sentiu traída por essa, ou essas mulheres.

Enquanto você não perdoar profundamente seu pai biológico, estará se comportando como homem para substitui-lo e isso fará de você uma mulher rígida, nada feminina e controladora.

Para que as mamas se tornem saudáveis, é necessário que a mulher reconheça que tem sido durona demais, rígida nas opiniões, mandona ou briguenta, raivosa contra os opositores, apegada, controladora ou orgulhosa.

Ao perceber e admitir que esteja sendo masculina no comportamento, deve imediatamente buscar ajuda com psicólogos ou psicanalistas para trazer à tona a mulher feminina que existe dentro de você. Saiba que mulher sedutora não é mulher feminina e sim dominadora, ou seja, masculina, pois em toda a natureza é o macho que deve seduzir e a fêmea deve escolher.

Seja doce, meiga, firme e flexível para "amolecer" os nódulos dos seus seios.

Se uma mulher está com insuficiência de leite materno, simboliza a falta de consideração para com o pai ou para com o marido. A insuficiência de leite materno indica também que a mãe "tem medo" inconsciente de que o bebê esteja "roubando" as proteínas de seu corpo ou a mãe tem personalidade dinâmica demais e não suporta o tempo da "maternagem". Prefere retornar logo às suas atividades, ao seu trabalho e por isso, seu inconsciente faz o que ela deseja: seca o leite, para que ela tenha uma desculpa para amamentar a criança com mamadeira se libertando da obrigação de amamentar pelas mamas.

Toda mulher ativa e impaciente "seca" seu leite ou altera o sabor ao ponto da criança negar o peito.

A criança capta as intenções secretas da mãe e nega o peito ou quer mamar até após a fase oral de zero a dois anos. Quando a criança deseja mamar no peito após os dois anos de idade, está captando os sentimentos de apego da mãe, pois é a mãe que permite mesmo devendo educar corretamente para encerrar a nutrição pelas mamas. Mãe mal resolvida no relacionamento amoroso cede as mamas aos seus filhos após os dois anos de idade. Leia o livro Linguagem do corpo volume 3 desta coleção para aprender sobre as fases de desenvolvimento das crianças e as consequências negativas e positivas na vida adulta dessas crianças.

Quando a mulher sente dores ou pontadas nos seios significa que está muito irritada com alguém próximo, ou ainda, que está tentando controlar a vida de alguém. Normalmente as mulheres possessivas passam a ter problemas nos seios — que simbolizam doação e fluxo livre da vida. Esses problemas ocorrem também se a mulher tiver comportamento controlador sobre a pessoa amada, tirando-lhe a liberdade ou impondo-lhe suas opiniões, principalmente quando a pessoa dominada começa a reagir perante a atitude da mulher.

Se você está suportando todos os problemas da casa, está aflita com um filho doente, tem muitas responsabilidades e sente que está sem o mínimo apoio de seu marido (que não reconhece seus esforços) com certeza esse seu sentimento de "fera ferida" causará danos no seu seio esquerdo, que significa revolta contra o sexo masculino.

Parece que você se preocupa demais com o não reconhecimento e isso não é bom para a sua saúde, pois sempre que esperamos e não temos o reconhecimento pelos nossos atos é gerada em nós uma grande decepção e frustração.

A mágoa, mais cedo ou mais tarde se manifestará numa somatização, dando origem a um problema físico. Quando nossas expectativas em relação às pessoas são muito altas, acabamos nos sentindo seres desprezados e desvalorizados, pois não é sempre que os outros entendem que necessitamos de alguns elogios para nos dar forças. Isso faz com que nossos sentimentos em relação a essas pessoas entrem em conflito e faz com que nós mesmas nos sintamos abandonadas e revoltadas. Admita que as pessoas possuam seus próprios valores e que elas também estão se decepcionando constantemente com outras pessoas, que esperam delas aquilo que, talvez, nunca recebam. O que é muito importante para você pode não ser para os outros.

A verdade de cada um deve ser respeitada e você tem de parar de se sobrecarregar com problemas que podem ser deixados de lado, ou divididos com alguém. Lembre-se de que, se sua verdade for desrespeitada, com certeza você se magoará muito. Seja uma mulher desprendida e coerente. Aprenda que a verdadeira mulher não é aquela que carrega o mundo nas costas, mas, sim, a que sabe ser independente, companheira, amiga e organizada. A verdadeira mulher é dócil, feminina, elegante, culta, alegre, mas, também, firme em suas decisões e forte e sábia para organizar seu lar, distribuindo tarefas para o desenvolvimento comportamental de seus filhos, marido e criados. Na verdade, tirando as responsabilidades das pessoas, impedimos que elas se fortaleçam e saibam como agir quando não estamos presentes. As mulheres que fazem com que todos sejam dependentes dela, transformando-se no centro de tudo, causam transtornos para si mesmas e criam vários "monstrinhos" domésticos.

Livre-se o mais rápido possível de pensamentos antigos. Renove sua maneira de ser, aceite ideias novas ou saiba discordar, sem conflitos internos.

A vida deve apenas fluir e receber constantemente a energia cósmica, assim como os fios de nossa casa recebe a eletricidade.

Relaxe e saiba que você não é dona de ninguém. Somos todos passageiros de um mesmo barco que navega por este Universo, buscando a felicidade de formas diferentes. Reconheça seu próprio valor. Faça aquilo que mais gosta e ame-se profundamente! Esqueça que deve esperar algo dos outros e se afaste desse sentimento de autocomiseração. É assim que você estará livre para ser você mesma, satisfeita com seu trabalho e até se esquecerá de cobrar "aquele" reconhecimento. No final, o que vier de elogio ou apoio será um grande lucro. O reconhecimento dos outros será irrelevante e você verá que as pessoas vivem suas próprias vidas e que elas também precisam de reconhecimento e amor, mesmo que não façam aquilo que você esperava. A pessoa que vive ao seu lado, acredite, faz o melhor que pode, dentro de seus limites. Incentive essa pessoa a reconhecer seu próprio talento ou qualidade e ela passará a enxergá-la com mais respeito.

Lembre-se de que nódulos, cistos, calcificações e displasia mamária desenvolvem-se em mulheres duras no trato com as pessoas intimas e que câncer só se desenvolve nas pessoas que não sabem perdoar uma traição, um abandono ou uma humilhação.

O câncer "aparece" um ano exato após uma grande indignação com pessoas que têm poder emocional ou financeiro sobre você. Portanto, busque seu autoconhecimento para saber viver a sua vida e não mais a dos outros.

Não busque a compaixão ou a atenção das pessoas, nem permita que sua mente use o câncer como pretexto para dominar ou culpar alguém. Desapegue-se com sabedoria e alegria entendendo que você precisa ter seus sonhos pessoais para não viver na "sombra" ou na "cola" das pessoas da família, do relacionamento amoroso e do trabalho.

Voe livre com fé e feliz! Cure-se agora!

<u>*Tireoide*</u>
(ver Obesidade, capítulo 10)

Capítulo 14
Análise psicológica dos órgãos internos

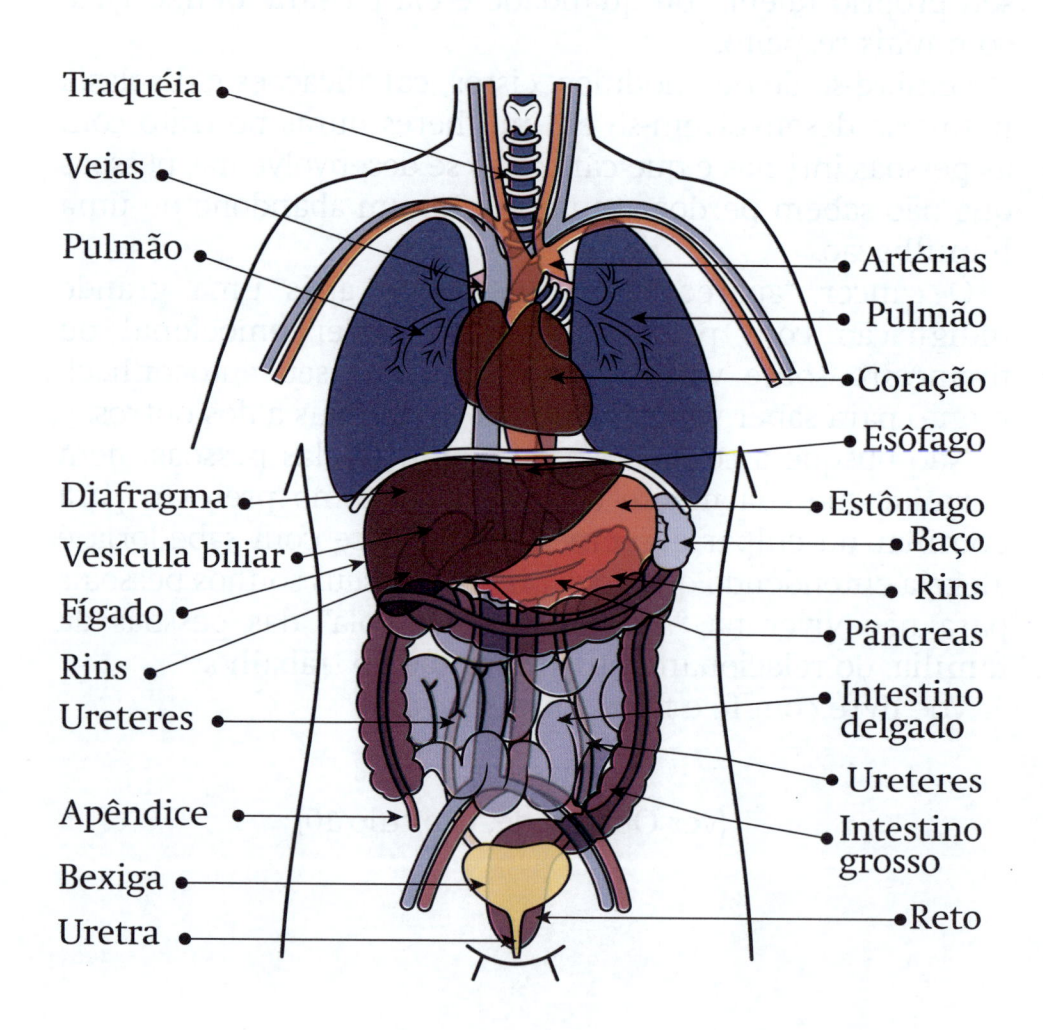

Traquéia
Veias
Pulmão
Diafragma
Vesícula biliar
Fígado
Rins
Ureteres
Apêndice
Bexiga
Uretra

Artérias
Pulmão
Coração
Esôfago
Estômago
Baço
Rins
Pâncreas
Intestino delgado
Ureteres
Intestino grosso
Reto

Coração

É o órgão mais fascinante do corpo devido a sua forma "desapegada" de trabalhar. Não guarda nada para ele, pois nasceu para receber e doar sangue para todo o organismo sem reter e sem controlar. Ele apenas redistribui constantemente o sangue com oxigênio e faz o gás carbônico sair pelos pulmões. Seu bombeamento acontece em sístole e diástole (descanso dos músculos do coração e o retorno do batimento) respectivamente.

O coração nos ensina a viver com a demonstração do seu trabalho: trabalha e descansa, trabalha e descansa...

O coração tem neurônios assim como o cérebro e os cardiologistas e neurologistas sabem que o coração "pensa".

Pessoa apegada e controladora tem mais chance de se tornar cardíaca, pois age contra o coração, age ao contrário do que o coração ensina.

Pessoa com sentimentos duros e que não confia em ninguém, devido à infância difícil que teve, tende a ter infarto quando não solta pessoas e coisas que perdeu ou que tem medo de perder.

Todos os cardíacos tiveram que ser adultos antes da hora. Tiveram uma infância de perdas e mágoas profundas em que não puderam ser crianças. Cresceram cuidando da família e trabalhando muito. Foram cobradas a serem responsáveis e a controlar tudo devido às tormentas da família.

Os problemas do coração revelam pessoas que guardam sentimentos e pensamentos do passado, objetos, acumulam coisas nas gavetas, nos guarda roupas, armários, depósitos e até pela sala, quartos, cozinha e banheiros, se tornam acumuladores compulsivos e negam essa verdade por não saberem lidar com o desapego. Possuem muito medo e insegurança e se mostram duras em suas opiniões e são inflexíveis tornando as artérias do coração também duras.

Quando alguém permite que os problemas o afetem emocionalmente, suas preocupações com relação ao futuro aumentam e seu coração padece fisicamente. A insuficiência da válvula mitral, por exemplo, revela uma pessoa, que se sente lesada e nutre sentimento de vingança contra alguém próximo.

O cardíaco tem medo de ver seus bens materiais diminuírem ou serem roubados, costumam arrastar por muito tempo os problemas emocionais e devido ás preocupações constantes, falta de alegria de viver. Sentem o coração "apertado" de tanto sofrimento desde criança e se conduzem a vários problemas cardíacos.

Normalmente as pessoas cardíacas são autoritárias, não admitem erros e têm um comportamento inflexível, sofrem do miocárdio, que enrijece. Você afirma que não é inflexível, então faça uma reflexão sincera e responda a si mesmo: quantas vezes você teima, incansavelmente, por uma causa? Quantas vezes você não dorme direito só em pensar que podem o estar passando para trás em alguma questão?

Se estas são as suas atitudes mais comuns e você ainda não é cardíaco pare imediatamente de temer "perdas"! Deixe de ser "turrão" com relação aos outros e consigo mesmo e exija menos da vida.

Deixe que ela aconteça sem pressioná-la. Acalme-se! Equilibre suas emoções e descubra o prazer de viver sem tensões. Envolva-se com a sensação de bem-estar que a calma oferece. Como? Arrependa-se humildemente de ter alimentado sentimentos de vingança contra alguém e perdoe do fundo do seu coração! Só, então, você estará livre de qualquer problema cardíaco. Enquanto você desconfiar das pessoas que o rodeiam, pensando que vai ser traído a qualquer momento, suas forças se esgotarão e poderão até levá-lo à morte. Economize as suas energias deixando de premeditar fatos. Por mais clara que seja a situação, quando estamos calmos e receptivos, percebemos as soluções que a vida nos oferece por si mesma. Perceba e elimine aquele medo de ser abandonado pelas pessoas que você ama. Há pais, e mães, que passam a ter sérios problemas cardíacos — até fatais — quando um de seus filhos casa-se e afasta-se para outro local ou até a simples intenção, por parte dos filhos, de ir morar sozinho.

Na verdade você está precisando frequentar algum lugar que o ensine a respeitar a si mesmo e descobrir mais sobre o mundo espiritual, o que lhe dará forças extras no momento que elas forem mais necessárias. Relaxe e desapegue-se de coisas e pessoas.

Se você é do tipo que guarda coisas do passado, mantém bagunça nos quartos, nas gavetas e nos armários e não se desfaz de nada por apego ou por ter vinculo afetivo, então você é um grande candidato a ter enfarto. Se você não solta as pessoas que querem viver diferentes de você ou não aceita renovações na sua empresa ou residência, ou seja é conservador, então procure imediatamente um profissional de psicologia, pois você está cavando a sua própria sepultura por acreditar e insistir em permanecer sempre no mesmo lugar e agir sempre da mesma maneira. Quanto mais você se irritar com pessoas que não fazem o que você quer, suas artérias coronárias também ficarão cada vez mais rígidas e entupidas assim como seu comportamento intransigente e acumulado de lembranças do passado.

Não importa o que aconteceu na sua vida! Deixe o presente lhe mostrar que existem portas de alegria e abundância no futuro. Tenha fé e se solte para o desapego sem medo, pois o grande Pai, nunca abandona quem se lança para o novo com coragem, com fé e alegria. Renove-se!

Solte o controle com sabedoria, seja como um barco à vela e deixe o vento levá-lo suavemente para todos os cantos da sua vida.

Mude o cenário sempre!

Faça a oração do perdão que está no final deste livro durante três meses (ciclo regenerativo psíquico) para seus pais biológicos mesmo que você não os tenha conhecido ou mesmo que você ache que não tem nada para perdoar. Faça corretamente da seguinte maneira: um dia para seu pai e o outro dia para sua mãe, sem contar para ninguém, sem falhar e sem questionar. Se você quer se curar completamente precisa estar em harmonia com suas polaridades (pai e mãe) no profundo da sua alma. O coração e suas válvulas e artérias se regeneram, pois somos seres regenerativos e não degenerativos como prega a medicina arcaica e medieval de hoje. Acredite que centenas de milhares de pessoas se curaram dos problemas cardíacos e das sequelas do enfarto, com hipnose, visualizações criativas e mudança comportamental.

Seja flexível nessa leitura e queira se curar. A não ser que você tenha seus "ganhos secundários" ou lucros com essa doença. As doenças só existem para controlarmos alguém ou alguma situação que a pessoa não quer soltar. Deus criou tudo perfeito e quer que sejamos saudáveis e felizes.

Chame a felicidade e deixe-a entrar em sua vida para sempre.

Intestinos

Intestino grosso tem a função excretora e o intestino delgado tem duas funções: reabsorção de vitaminas para o organismo e de excreção para o intestino grosso. Os intestinos representam energia masculina *yang* que simboliza o "pai" e a carreira. Representam também o passado e tudo que devemos dispensar de velho e sem uso para abrir caminho para o novo e fazem a eliminação final de substâncias desnecessárias ao organismo.

Se um indivíduo está "segurando" em sua mente algo do passado, resistindo em não permitir que coisas e fatos novos entrem em sua vida e se incomoda com ideias de mudanças em seu espaço, o inconsciente lhe mostrará, por analogia, um intestino preso (intestino que "segura").

Água parada fica estagnada, ao passo que água corrente, que flui da fonte, renova-se constantemente e percorre seu caminho, livre e sem resistência, fortalecendo o ecossistema.

Preste mais atenção em sua conduta. Veja o que você está "prendendo" em sua mente, com medo de soltar. E por quê? Preste também atenção no nível da sua ansiedade, pois os intestinos prendem quando as pessoas "têm pressa".

Os médicos da psicossomática ensinam que "fazer cocô e correr não dá", pois quando o cérebro detecta uma "ameaça" no ambiente ou na vida da pessoa, ele inibe, por comando, os intestinos, entendendo que precisa preparar os músculos da pessoa para ela correr e fugir.

O inconsciente entende tudo de forma analógica ou por associação, por isso, quando você está com nível alto de ansiedade o seu cérebro se encarrega de controlar os órgãos de excreção.

Para se curar desse mal será necessário mudar de vida e não mais viver em um ambiente que o sobrecarregue ou "cobre" você. Se puder mude seu jeito sem medo de uma possível retaliação que possa vir das pessoas quando você se preparar para não ter mais pressa para nada.

Perceba quantas vezes você prefere atender primeiro ao chamado de pessoas ou do trabalho do que ir ao banheiro relaxar.

Por que tanta ansiedade e necessidade de controlar tudo?

Você pretende passar a vida toda tomando remédios e sofrendo com dores e gases desagradáveis?

Liberte-se das "coisas" velhas que existem em sua mente! Faça o mesmo em sua casa, em seus guarda-roupas e em sua mesa do escritório: desfaça-se de tudo aquilo que não tem mais utilidade para você. Deixe a teimosia de lado e permita que seu mundo seja invadido por coisas novas. A vida deve estar sempre em constante renovação, pois a mente que acredita já saber de tudo ou que não precisa mudar nada, acomoda-se e sofre as consequências do "pensar pequeno".

Confie na vida e ame-se de verdade. Solte-se e seus intestinos se soltarão também.

Se você está segurando alguém em sua mente, teimando em manter um relacionamento falido ou não permite mudanças nesse relacionamento isso também influenciará negativamente seus intestinos.

Largue a sua teimosia. Tente achar soluções para os problemas através da flexibilidade de opiniões. Assim libertará sua mente desse círculo vicioso dentro do qual você, às vezes, nem percebe que vive. Deixe de ser uma pessoa controladora! Afaste a necessidade de controlar os outros!

Como expliquei acima, os intestinos representam a energia Yang (carreira, segurança, proteção, estabilidade financeira e seu pai). Portanto, sentir-se traído na profissão ou no trabalho desenvolve câncer nos intestinos, pois câncer acontece em pessoas que não conseguem perdoar uma grande perda, uma grande traição ou uma grande humilhação. O câncer "desencapsúla" do gene, um ano exato depois da grande indignação que não foi elaborada e compreendida. Sossegue seu coração e sua mente e pratique meditação para aprender a ser seguro e desapegado.

Intestinos presos revelam pessoas acumuladoras de objetos, papéis, apegada em pessoas, controladora e não aceitam se desfazer das coisas que não usam mais. Esse sintoma de acumulador revela medo da solidão e dificuldade para lidar com as emoções, devido ao tipo de infância que viveu: Pais ou Cuidadores rígidos e de forte autoridade que não permitiram que a criança se expressasse ou sonhasse. A criança teve de crescer antes da hora e foi obrigada a controlar e cuidar de pessoas da família, trabalhar e economizar devido ao medo de perder. Foi punida quando não cuidava corretamente da casa, da família e até do trabalho e com isso, se instalou no inconsciente, nível auto de ansiedade e de controle.

O problema dos intestinos começa na fase de desenvolvimento da criança chamada de fase "anal": aproximadamente de dois a quatro anos de idade. Leia o volume três, desta coleção da linguagem do corpo todas as fases de desenvolvimento das crianças e suas consequências positivas e negativas conforme foram tratadas.

Pessoas que fazem cocô apenas uma vez por dia têm intestinos presos, pois a cada duas horas, aproximadamente, depois de cada alimentação, o bolo fecal já está no intestino grosso para ser excretado. Portanto, pessoas com intestinos saudáveis "defecam" de três a quatro vezes ao dia.

Se o seu caso é intestino solto, observe se você não está relembrando uma situação antiga, ou recente, que lhe causa medo de perder o controle ou de perder alguma coisa; ou se foi incumbido de uma responsabilidade que você julga ser grande demais para a sua capacidade. Observe também o que ocorre quando alguém muito importante está para lhe falar ou quando, de repente, tudo parece depender somente de você para ser resolvido ou será que você terá que pagar as contas e o dinheiro está curto? O que acontece é que nestas situações a sua mente perde o controle em segredo e o medo dá sua resposta. Lembra-se do velho chavão: "Estou me borrando de medo."? Se você está assim ou é assim, saiba que algo o está deixando temeroso ou preocupado em relação ao futuro.

Acalme-se. Tente descobrir o que o aflige e saiba que tudo tem solução. Aceite o que vier e encare as coisas e as pessoas com mais naturalidade. Você tem uma capacidade que desconhece, portanto pode encarar destemidamente o futuro. Confie em seu otimismo e o Universo o ajudará, com certeza.

Se o problema for relacionado ao amor, você pode estar apenas com medo de ficar sozinho ou medo de não encontrar pessoa melhor para trocar problemas e alegrias ou até medo de descobrir que está sendo traído.

Leia o tópico "Medo" e você entenderá porque valoriza tanto seus medos ou dá poder demais a certas pessoas e acontecimentos. Intestinos soltos, revela insegurança e medo do "tempo". Você vê o "tempo" como um inimigo repressor e autoritário que cobra de coisas e atitudes, mas não espera. Nós fazemos o tempo e quando parece que ele é hostil, é porque o enxergamos com os olhos da crença dos outros e da sociedade. O tempo é relativo e quando estamos serenos e tranquilos em relação a ele, perdemos o medo de perder e fazemos nossa vida de acordo com nossas possibilidades. Dar tempo ao tempo é uma grande sabedoria, mas para isso, você precisará de uma boa autoestima pelo autoconhecimento. Saber quem é e o que quer verdadeiramente da vida o fará uma pessoa tranquila e firme para conseguir soluções dos seus problemas. Não permita que o "encostem na parede", seja você mesmo sem medo de ser abandonado ou criticado, mesmo porque tudo na vida pode ser negociado ou modificado.

Encare positivamente as responsabilidades que a vida está lhe propondo. Ela jamais colocaria em seu caminho aquilo que você não poderia suportar ou resolver.

A infecção intestinal, segundo a medicina convencional, é o desenvolvimento de vírus e bactérias capazes de destruir a flora intestinal provocando sérios danos ao organismo.

Mas, se analisarmos o problema psicológica e energeticamente, encontraremos a verdadeira causa da infecção intestinal e a trataremos sem sequelas para a mente e para o corpo. Como exemplo, veja quando o ser humano devasta as florestas, todo o ecossistema é alterado afetando, seriamente, a flora e a fauna, desencadeando profundas e drásticas mudanças climáticas na natureza.

De forma semelhante ocorre com o indivíduo que permite que a harmonia do seu sistema orgânico seja afetada através da "devastação" de sua própria paz de espírito, das lembranças constantes de ódio e mágoas vividas em situações extremamente delicadas e, ainda, permite que opiniões alheias firam seus sentimentos. Como resultado desse estado psicológico lastimável haverá a perda do equilíbrio e do poder de harmonia entre a Natureza e seu corpo. A glândula hipotálamo, localizada no centro do cérebro, fabrica "materiais químicos" ou toxinas conforme as emoções das pessoas. Essas substâncias são lançadas na corrente sanguínea provocando destruições no organismo quando são tóxicas ou a cura quando são alcalinas.

Manter na mente lamentações e críticas sobre o comportamento e sistema de vida de outras pessoas faz com que "o seu chacra cardíaco" que é um vórtice da energia eletromagnética pare de alimentar a glândula endócrina Timo (produtora de anticorpos). Essa glândula é uma das responsáveis pelo sistema imunológico e como o chacra cardíaco só funciona com a energia do amor, o Timo não é alimentado quando a pessoa sente raiva, mágoa, críticas, tristeza, vingança, falta de gratidão e mal humor. Com isso, há uma queda no sistema imunológico e os vírus que existem de forma organizada se desequilibram e invadem a corrente sanguínea. As bactérias, que até agora não lhe faziam mal, passam a ser conduzidas para cumprir o papel de mensageiras do inconsciente alertando a pessoa que seus sentimentos estão seguindo rumo incerto. O amor e o perdão curam todas as infecções, pois inflamações e infecções representam sentimentos de raiva, mas o amor afasta o medo, a raiva e a dor curando todo o organismo e a alma.

Harmonize-se com a vida e com tudo que faz parte dela. Mude sua maneira de pensar e procure ver o lado positivo da situação. Se você se esforçar para falar palavras de amor e gentilezas, e tiver mais piedade pelas pessoas difíceis, a paz interior será seu escudo e nada neste mundo poderá afetá-lo. Não tenha medo de mudar e encontrar uma nova saída para seus problemas.

O orgulho é um dos maiores inimigos do homem. Impeça que ele interfira em suas decisões. Fortaleça-se através do amor e da compreensão e fale, claramente, o que pensa de forma amorosa e aprenda a não querer que a família ou funcionários sejam como você quer, pois eles sempre vão contraria-lo e a raiva secreta que você nutrirá em seu coração somatizará infecções intestinais. Infecção é raiva, lembre-se disso!

Soltando as pessoas e deixando-as viver suas próprias lições e eliminando o medo de perdê-las, a energia vital, que vive em você, terá forças para reorganizar seu organismo.

Ânus

Ânus representa, literalmente, a "porta" de saída daquilo que não precisamos mais para o nosso organismo. Pela psicologia da correlação (linguagem do corpo), o ânus representa " deixar ir embora o passado e as inutilidades da vida de forma suave e desapegada".

Problemas nessa região revelam ansiedade extrema na busca da liberdade; o desejo louco de se libertar do passado e das coisas que lhe fazem mal e extrema exaltação dos sonhos dessa mudança ou transformação de vida, ou uma ansiedade dolorida de querer apressar secretamente as mudanças.

Tente libertar-se serenamente das coisas e das pessoas que lhe são inúteis. Por que se culpar por se sentir diferente em determinados ambientes? Apenas respeite o seu verdadeiro jeito de ser!

Deixe a liberdade chegar naturalmente adequando-se a cada nova situação que for vivendo.

Liberdade é questão de aprendizagem do uso de sua experiência de vida. Quanto mais você tiver certeza do que quer e coragem de dizer não, com decisões firmes e sem arrependimentos, mais estará compreendendo o que é a liberdade. Isso serve para suas próprias decisões na busca de um novo objetivo.

Seja você mesmo sem "pressa" e com clareza. Abaixe o nível da sua ansiedade, pois é ela que está causando problemas nas suas hemorroidas.

As hemorroidas existem para o controle de saída das fezes e representa, pela linguagem do corpo, o controle sobre o passado. Como você consegue controlar o que já passou? Não consegue, por isso seu inconsciente segura suas fezes ou as resseca mostrando que você está segurando algo que precisa ir embora, daí o grande sofrimento nas hemorroidas que só podem controlar substâncias levemente pastosas e são obrigadas a tentar deixar passar aquilo que você está segurando inconscientemente. Que briga!

Seus medos estão gerando muita ansiedade e pressa. Você não aguenta mais o tipo de vida que está levando e por isso, quer sair rápido dessa rotina ou dessas obrigações que não quer mais.

Para curar as hemorroidas e ter ânus saudável será necessário você desacelerar os pensamentos e a ânsia de resolver tudo rapidamente. Sei que você pode ter encontrado um novo caminho na sua vida e é lá que você deseja estar, mas você precisará respeitar o tempo dos acontecimentos para não "colher frutos verdes" antes da hora. Veja que o fator "Tempo" é o que causa ansiedade, pressa e medos nas pessoas, então saiba levar o "tempo" com sabedoria e de forma relaxada. Deixe as coisas chegarem até você, pois as vezes não podemos ser dinâmicos quando estamos vivendo algum processo delicado na vida.

Trilhe seu ideal confiante e sem pressões. Seu grito de liberdade deve ser agora! Mas com paciência e método para não ferir seu corpo. Relaxe!

Hemorroidas

Estão estreitamente ligadas à resistência mental.

Aparecem mais frequentemente em pessoas de temperamento implicante, impaciente e normalmente naquelas que reclamam da comida, sem perceberem. Pessoa que resmunga sempre quando a comida não vem como ela quer.

O que faz as hemorroidas se saturarem e se romperem são os sentimentos de opressão frente aos fatos, a sensação de fazer coisas que o desagradam, a falta de vontade de querer deixar que as coisas aconteçam de forma natural e medo de "soltar" da mente certos fatos do passado. Então, quando ocorrem problemas nas hemorroidas, o inconsciente está querendo mostrar à pessoa que ela está resistindo a algo e tem medo.

Livre-se de tudo que não seja amor e acredite que a vida lhe oferece todo o tempo do mundo para que você possa realizar as coisas a seu modo.

Aceite o curso normal da vida e de seus acontecimentos e procure resolver seus problemas sem reprimir suas vontades e escondendo suas contrariedades. Tanto as hemorroidas quanto os intestinos funcionam perfeitamente bem quando a pessoa sente gratidão pela comida e pela vida que leva hoje, pois nada acontece por acaso. Esses dois fatores atuam psicologicamente sobre essas partes do corpo. Então agradeça quem fez o alimento, seja num restaurante, na casa de alguém ou na sua casa, principalmente. E saiba planejar uma nova vida para você sem ansiedade. (ver tópico Ânus)

Útero

O útero é um órgão de energia *Yin* (feminina) e é o único órgão do corpo que necessita de um outro órgão oposto complementar que se localiza no corpo de outra pessoa para gerar vida: A próstata que é energia *yang* (masculina). Por sua natureza necessitar da presença do masculino, sempre apresentará doenças ou dificuldades devido a ausência do primeiro representante dessa energia masculina: o pai. Por isso, o útero simboliza a criatividade e o relacionamento amoroso. Pai ausente tem várias especificações: pai bonzinho que deixa a esposa comandar, pai trabalhador que fica pouco tempo com os filhos e a esposa, pai que viaja muito, pai alcoólatra, pai autoritário que só percebe suas próprias ideias e ignora as dos filhos, pai que morreu cedo, pai desconhecido, pai doente física ou psiquicamente e até aquele que fica muito tempo perto dos filhos mas não participa dos sonhos ou brincadeiras e estudos deles.

O inconsciente da filha registra essas faltas e esconde de sua própria consciência, seja por amor ou por medo, mas o inconsciente revelará através do corpo tudo o que está mal resolvido "na alma = psique".

A menina quando se torna mulher e sente que deve namorar ou casar, sem perceber estará sempre entrando em relacionamentos de homens "ausentes" de alguma maneira: Homem casado ou comprometido, homem que a critica em tudo, dependente químico ou de jogos, viajante, frágil onde ela não consegue discutir assuntos fortes, apegado na mãe, prefere estar com os amigos a ficar com ela, morre cedo, autoritário, dependente dela (infantil) e até essa mulher, pode não se atrair por homem algum pelo medo inconsciente de ter um marido igual ao que o pai foi para sua mãe.

Por mais que você afirme que seu pai foi perfeito e que você o ama e não tem nada contra ele, seu corpo não poderá mentir. Se for esse o seu caso, saiba que seu inconsciente está protegendo você com algum mecanismo de defesa que a faça ver seu pai como perfeito ou a fez esquecer de algo ruim que ele fez a sua mãe para não ter que julgá-lo.

Claro que você deve amar seu pai, mas não poderá deixar situações negativas da infância escondidas no seu inconsciente. Se você quer curar seu útero ou deseja engravidar e não consegue precisa aceitar a ajuda de um psicanalista, psicólogo ou até um profissional da PNL e da constelação familiar. Existe algo triste guardado em você contra seu pai mesmo que você negue. Queira descobrir para se curar e poder amar seu pai através do perdão verdadeiro e não pela síndrome de Estocômo que por medo, inverte o ódio, ilusoriamente, para você sentir um amor falso. Seu corpo está revelando que algo está errado na sua relação com seu pai. Faça a oração do perdão que está no final deste livro para seu pai. Faça durante três meses (ciclo regenerativo psíquico). Mas faça intercalando um dia para seu pai e no outro dia para a sua mãe. Esse procedimento trará o equilíbrio das polaridades no seu corpo. Os médicos convencionais não estudaram metafísica da saúde, por isso descarte as opiniões de médicos que dizem não ter cura ou ser hereditário. Jesus disse: "Pai, perdoai-vos, eles não sabem o que fazem" *(Lucas v. 23, cap. 33,34).*

A mulher que tem mioma ou qualquer problema no útero, ovários e trompas mostra estar anulada em sua vida. Revela que faz tudo para os outros menos para si. Se permite viver para o trabalho, para a família, para um homem que ela enaltece ou até viver para ajudar a humanidade, esquecendo dos seus próprios sonhos pessoais.

Quando uma mulher se torna dependente de alguém que a tolhe em sua criatividade e é obrigada a deixar de fazer o que gosta, e do jeito que gosta, seu útero reage com dores, atraso menstrual, etc. Se ela vive alimentando sentimentos de mágoa contra o marido e vive "engolindo" os fatos para manter seu relacionamento, desenvolverá nódulos e cistos nos ovários e no útero. Quando o casal vive em desarmonia e a mulher se anula para "alcançar" o marido, podem aparecer também infecções difíceis de curar. O inconsciente da mulher pode transformar o sentimento de raiva pelo parceiro, ou a sensação de ser usada por ele, em vaginite e até em doenças venéreas, dependendo do seu grau de ressentimento ou da falta de amor próprio. Muitos relacionamentos chegaram ao fim por acreditarem que foram traídos quando uma doença venérea ou uma simples "candidíase" surgiu no órgão sexual dela. Todos precisam saber que o inconsciente produz doenças desse tipo apenas para afastar a relação sexual com o parceiro ou com a parceira devido a mágoa, mas nem sempre houve traição.

No homem quando surge herpes no pênis seu inconsciente está revelando mágoa ou raiva contra a parceira devido a ela ser como a mãe dele foi. Somente em sessões terapêuticas que o inconsciente se revela e por isso, não vale a pena brigar com ele, pois talvez o homem nem saiba que guarda mágoa da mulher.

Mágoa pelo fato de você ter sido traída, ou abandonada, desenvolverá câncer uterino como autopunição ou vingança contra o marido e o pai. O câncer aparece um ano depois da grande indignação, pois estará se desencadeando devido às mágoas que você guardava contra seu pai sem saber. O marido, para o inconsciente, é a continuação do pai mesmo que pareça ser diferente, no fundo eles produzem em você as mesmas sensações de frustração, ausência e mágoa. Portanto, basta seu companheiro trair você para que seu inconsciente revele o que seu pai já fazia para você ou para sua mãe.

Atendi diversas freiras com problemas no útero que me contaram situações desagradáveis dos seus pais. Com certeza, muitas freiras fogem para o convento por não saber lidar com a realidade do seu pai. Muitas se sentem constrangidas quando pergunto se elas sentem atração por algum homem e me respondem que se autoflagelam para não sentir, pois seria pecado.

Saibam que muitas mulheres se anulam por não se permitirem ter autoconhecimento e saber quem de fato elas são e o que querem, de verdade, para serem felizes. A ideia do "pecado" foi distorcida diversas vezes por quem tem "problemas" mal resolvidos no inconsciente. Casar e ter filhos, é pecado? Então um padre ou uma freira casando se tornam pecadores? Penso que eles não se relacionam para não ter que servir a dois Deuses e não porque seja pecado. A palavra "pecado" significa "errar o alvo" e por isso, fazer "amor' não é "errar o alvo", como na luxúria. Na luxúria as energias são levadas para os chacras inferiores arrastando a pessoa para sentimentos densos que a afastam do verdadeiro amor e bondade. A luxúria vem do egoísmo e do sarcasmo e não do fazer "amor" de casais que trazem anjos para a terra através de suas uniões.

Cuidado para não se casar com quem só deseja a luxúria com você, pois ele desconhece o verdadeiro amor e você se tornará escrava dos desejos dele. Se você também quis certas fantasias sexuais no começo do relacionamento, penso que você já não quer mais isso para sua vida e está sofrendo as consequências do desprezo dele ou das suas ameaças. Procure um psicólogo para curar sua autoestima e volte a se respeitar. Se perdoe por ter "errado o alvo", mas nada acontece por acaso. Você quer ser feliz de outra maneira agora e você tem o direito de escolha. O homem tem seus desejos e terá sempre uma mulher que o acompanhe nessas fantasias, mas se você estiver com doenças no útero está mostrando infelicidade no amor. Não é culpa de ninguém, apenas busque seu autoconhecimento e comece a trabalhar ou a estudar não importando a sua idade.

O atraso menstrual, por sua vez, significa que a mulher está negando, de alguma forma, sua própria feminilidade. Por exemplo, com medo de se entregar ao amor e ser derrotada pela fragilidade, seu inconsciente faz com que ela se entregue ao excesso de trabalho. Mas também quando a mulher é controladora, possessiva, dominadora, personalidade forte e briguenta, seu inconsciente, "pensa" que ela é um "homem" e faz com que seu fluxo menstrual seja bloqueado, simbolizando o "não permitir-se ser mulher".

Não seja antinatural. Lembre-se de que a natureza criou o homem e a mulher para viverem em perfeita harmonia e não para competirem entre si.

A recusa exagerada da união não passa de orgulho e jogo de disputa inconsciente. Analise seus sentimentos e aceite seus verdadeiros desejos, sem recusar o que realmente você quer. Caso você seja homossexual e tenha algum problema no útero, saiba que o inconsciente está mostrando algo mal resolvido com seu pai também. Lembre-se que o útero precisa do "pai" e quando ele é ausente de alguma forma, torna a mulher infeliz no amor. Mas caso você realmente não queira nenhuma relação com os homens e nem com as mulheres, faça sua vida ser mais colorida, musical e artística.

Use sua criatividade para melhorar sua casa, seu trabalho, suas finanças e tudo que sentir necessidade de mudar. Quanto mais você criar, mais seu útero responderá positivamente, pois ele é o símbolo da criação e não deve ser limitado. Além de você procurar ser natural em seus sentimentos, procure também desobstruir a passagem da sua criatividade. Faça cursos, trabalhos artísticos, arrume a casa como você gosta sem esperar elogios, compre objetos para enfeitar seu ambiente e, acima de tudo, busque a maneira diferente de se harmonizar com a família. Se você acha que ainda ama seu parceiro e quer viver ao lado dele, então o perdoe e pare de se fazer de vítima. Por que nutrir sentimentos de raiva e mágoa pela pessoa com quem você quer continuar a ser casada ou ser namorada? Mas, se você não o ama mais, por que está com ele? Para se vingar ou porque não tem coragem de recomeçar a vida em outro lugar? Filhos nunca prendem ninguém e dívidas muito menos, pois em qualquer setor da vida existem acordos. Se você quer apenas vingança, então vai sofrer muito pela sua *auto escravidão* e criará uma doença para imobilizar a pessoa "alvo", o que quer dizer que você, inconscientemente, manterá junto de si a pessoa de quem você quer se vingar ou de quem quer amor. Saiba que, pela medicina chinesa, pela psicanálise e pela psicologia quando alguém provoca câncer em qualquer parte do corpo significa vingança, raiva e desejo de criar uma situação complicada dentro do lar, onde aquele que a fez sofrer estará sentindo-se preso e obrigado a dedicar a atenção que antes negava.

Crescer é o melhor remédio. E, como diz o psicólogo e grande médium, Luís Antônio Gasparetto: *"Se ligue em você"*. Aprenda a conhecer sua verdadeira identidade para suprir suas próprias necessidades e para, definitivamente, parar com essa postura de vítima e jeito de "fera ferida". É desnecessário que você implore amor ou que queira que tudo seja diferente. Apenas aprenda a se conhecer melhor e a descobrir que quando passar a se respeitar e a se amar, a carência desaparecerá completamente e o seu medo de ser traída, também.

O nosso inconsciente é objetivo e manifesta doenças de acordo com nossos pensamentos e conduta. Sua linguagem deve ser respeitada, pois ele, constantemente, nos aponta onde estamos errando na construção do nosso destino.

O perdão é a solução. Mas se você acha que não tem mais mágoas, então por que continua doente? Saiba compreender que lá no fundo do seu coração você ainda não se conformou, ou não entendeu que deve "soltar" a vida nas mãos de Deus.

O útero representa seu pai, como expliquei anteriormente, por isso você deve fazer a oração do perdão para seu pai biológico, mesmo que você não o tenha conhecido ou que ache que não tem nada para perdoar.

Preste atenção: para equilibrar as polaridades energéticas do corpo você deverá fazer essa oração durante três meses. Sendo um dia para seu pai e o outro para sua mãe. Procure deixar vários impressos dessa oração pela casa, na bolsa, no carro e no trabalho para que seu inconsciente não possa sabotá-lo. Ele tentará fazer você esquecer-se de fazer ou confundirá sua cabeça. Então faça três meses sem falhar, sem questionar e sem contar para ninguém.

O ciclo da regeneração psíquica é de três meses, portanto faça corretamente para seus pais biológicos.

Seu inconsciente se encarregará de curá-la no decorrer dessa disciplina.

Busque, através de orações, o perdão profundo e, se

necessário, procure um profissional de PNL (Programação Neurolinguísta) que saberá trabalhar seu subconsciente de maneira precisa e rápida.

Órgãos Sexuais

Vaginite

Simboliza o relacionamento amoroso. Se seu coração estiver cheio de desconfianças, de traição, se nutre raiva do companheiro pelo fato de ele estar dando maior atenção aos negócios do que a você, se sentir vontade de traí-lo para vingar seu orgulho ferido ou devido à carência afetiva que ele lhe provoca, certamente conseguirá somatizar inflamações dolorosas como prova de sua insatisfação.

Muitos casos de vaginite ocorrem simplesmente pelo fato de a mulher estar com muita raiva do cônjuge (ou namorado) por ele estar sempre "distante". Essa inflamação não ocorre necessariamente após o ato sexual.

Certas mulheres, com este tipo de somatização, procuram imediatamente um médico a fim de se certificarem se adquiriram a moléstia por falta de higiene, pela alimentação inadequada ou se — e esta é a maior preocupação — foram contaminadas pelo marido que se infectou em aventuras extraconjugais.

Por desencargo de consciência, procure um médico, mas não se esqueça de analisar seus sentimentos "mais secretos" em relação ao seu parceiro. Tente o máximo de reflexão e descubra que o mal que a aflige é a insatisfação e a raiva.

Se você tiver que escolher entre duas pessoas e não conseguir se definir, também seu corpo responderá com qualquer tipo de inflamação na vagina. Relaxe, respire fundo e pense, tranquilamente, no que você deseja para ser feliz. Lembre-se que indecisão entre duas pessoas é porque não é nenhuma delas. Pode acreditar! Ignore também os falatórios venenosos de certas pessoas que desejam acabar com seu relacionamento, pois cada pessoa tem sua própria opinião e muitas vezes essas opiniões são maldosas e vem normalmente, por quem não é feliz no amor. Acredite no amor verdadeiro e na sabedoria da Natureza que criou o homem e a mulher, prontos um para o outro e esqueça as perturbações causadas pelas influências externas que a humanidade foi criando e que geraram o medo de ter relacionamentos seguros.

Os meios de comunicação são os maiores responsáveis pela descrença na fidelidade, pois através de novelas, filmes e noticiários é provocado certo desencanto, principalmente nas mentes das mulheres. As noticias sensacionalistas são, geralmente, divulgadas de forma distorcida, para aguçar a fantasia do ego que precisa de sensações fortes para se satisfazer. Com isso as mulheres dão asas à imaginação, transferindo todos os "problemas" da televisão para o seu próprio mundo e acabam causando discussões dentro de casa uma vez que o medo e o conflito começaram a dominar seus pensamentos. Mesmo sabendo que os "problemas" existem apenas no roteiro da novela, o ser humano diariamente é influenciado pelas informações que invadem seu subconsciente e passam a fazer parte de sua realidade. É assim que, coletivamente, as pessoas vão se tornando negativistas e assustadas com o mundo e vão gerando cada vez mais desconfianças e, fatalmente, acabam se afastando do verdadeiro amor.

Na verdade todos, homens e mulheres, almejam encontrar alguém que os ame profundamente e com quem possam trocar os sonhos mais lindos "a dois", sem que se preocupem com o "três".

O complemento sincero vem da confiança e da liberdade, dificilmente através de cobranças e desconfianças, que causam sentimentos secretos de culpa que apenas levará a pessoa "sufocada" a aliviar seu coração nos braços de outra pessoa.

Pela psicanálise sabemos que a mulher busca, inconscientemente, "o pai biológico" nos relacionamentos, mesmo que não o tenha conhecido.

Conforme o modelo que o pai deixou no inconsciente da menina, assim seu filtro da mente "procurará" e encontrará, o homem que lhe seja familiar para dar continuidade à imagem do pai. Mas é inconsciente, pois conscientemente ela jamais admitiria estar "procurando" seu pai na multidão.

Por exemplo: se seu pai foi ausente, você se atrairá por homens que serão igualmente ausentes de alguma forma, as características de um pai ausente são: bonzinho, autoritário, alcoólatra, trabalha muito, é viajante, é doente, morreu cedo, presente fisicamente, mas não compreende você, ou que ele tenha desaparecido antes de você nascer.

Seu inconsciente só sabe lidar com o que é familiar e, portanto, se você não quer ter alguém como parceiro ou nunca é feliz totalmente no amor, faça a oração do perdão (que está no final deste livro) para seus pais.

É importante equilibrar as energias das suas polaridades para que você vibre numa frequência equilibrada para encontrar "alguém" também equilibrado, pois semelhante atrai semelhante, segundo as leis do Universo.

Faça três meses de oração, com disciplina e perseverança. E faça-a da seguinte maneira: um dia para seu pai e outro dia para sua mãe (biológicos), mesmo que você não os tenha conhecido. Faça durante três meses corretamente, pois esse é o ciclo de regeneração psíquica. Comece hoje sem falhar, sem questionar e sem contar para ninguém.

Faça, mesmo que acredite não ter nada para perdoar, pois seu inconsciente poderá estar "escondendo" de você as mágoas de sua infância.

Com esse trabalho interno você recuperará sua saúde e, "estranhamente", você será feliz no amor e nunca mais terá medo de perder.

Vimos agora como se forma o círculo vicioso de apaixonar-se, de ter medo de perder e como ele vai levando o ser humano a acreditar que essa é a verdade da vida.

Ame-se acima de tudo, aprenda a viver consigo mesma sem conflitos e sem angústias e evite conversas do tipo "marido infiel", pois elas são sempre um veneno a mais para o seu subconsciente. Seja segura e feliz com seu amor e torne-se uma pessoa grata, meiga e sábia que ele lhe corresponderá com carinho e fidelidade. Fidelidade é consequência de mentes e corpos em harmonia e não pode ser cobrada, mas sim, conquistada, mesmo porque "alma gêmea" não trai. Se houve traição pela parte de um ou dos dois então vocês são "almas de resgate" e não almas gêmeas. A alma gêmea existe e está "dando cabeçada" por aí, tentando encontra-la (leia a Lei da Afinidade) de minha autoria. Acalme seu coração ocupando sua vida com alguma atividade nobre, um curso, um trabalho ou com amigos de alto astral e espiritualizados para que você preencha seu coração de alegria.

Tenha em mente que você deve aprender, em primeiro lugar, que ninguém tem o poder de nos fazer felizes ou infelizes. Nós é que nos permitimos ser felizes ou não. Ninguém tem a obrigação de nos dar o que queremos e sim nós é que devemos nos agradar e saber impor respeito com carinho e firmeza.

O homem também procura, inconscientemente, sua mãe na multidão e quer queira quer não, ele encontrará você para, de alguma forma, dar continuação aos sentimentos bons ou ruins, que estão escondidos no inconsciente dele em relação a sua mãe. E o alvo será você caso seu pai lembre esse homem, então vocês se atrairão para a repetição da tragédia da sua família ou para a felicidade. Tudo dependerá de que grau espiritual vocês dois estão no coração. Lembre-se que semelhante atrai semelhante.

Próstata

A próstata representa a polaridade yang = masculina e sua natureza necessita do órgão de polaridade oposta Yin=

feminina para a criação. A próstata e o útero são órgãos que dependem de outro órgão que se localiza no corpo de outra pessoa. Por isso, o inconsciente representa a polaridade yang com o "pai" e a polaridade yin com a "mãe". Quando há desarmonia no relacionamento dos pais, os filhos adoecem e levam para o futuro bloqueios e mágoas contra a sua polaridade oposta.

O homem quando teve mãe ausente, chantagista ou dominante procura, inconscientemente, numa mulher a sua própria mãe, como se pudesse se resolver ou se vingar da mãe por outra mulher.

Quando o homem se sente menosprezado, traído e humilhado pela esposa, seu inconsciente associa ao sofrimento secreto que carregava no coração contra a sua própria mãe. Com isso, a próstata que representa a primeira polaridade feminina desse homem adoece.

O homem que sente que, sexualmente, não é mais importante para a mulher e não recebe qualquer elogio sobre sua masculinidade, passa a ter medo de não agradar mais. É envolvido por um sentimento de culpa e sente-se pressionado a desistir.

Quando o homem vive um relacionamento conjugal em constante conflito e a mulher tenta ser completamente independente, seu inconsciente o "avisa" que sua virilidade está em jogo.

Problemas na próstata simbolizam a revolta contra mulheres, ou contra determinada mulher. Câncer na próstata é chegar ao extremo do desespero da autoafirmação e "vingança" por estar sendo humilhado, magoado e traído pela mulher da sua intimidade. O câncer se desenvolve exatamente um ano depois de o homem ter se sentido traído de alguma forma pela mulher, mesmo que seja traição psicológica.

O homem necessita de uma mulher que o compreenda e o incentive sempre, caso contrário passará a se deixar levar pela crença de que, ao avançar da idade, diminuirá sua potência sexual.

Livre-se da dependência de precisar ouvir que você é bom e acredite, por si só, nessa realidade.

Perdoe as mulheres e tente compreender mais as necessidades de solidão e independência que elas, às vezes, reivindicam.

Harmonize-se no seu relacionamento e procure ser flexível sem se anular.. O diálogo sincero resolve todas as questões emocionais. Diga o que está sentindo e esqueça o orgulho. Se não conseguir, não fique irritado, pois existe uma saída para tudo. Arranque de seu coração essa mágoa para continuar a viver, nem que seja com outra mulher. Queira ser feliz sinceramente e ore pela sua felicidade e pela de quem o fez sofrer. Saiba que, se você não permitir se deixar magoar, ninguém conseguirá lhe tirar a paz. Deixe de esperar tanto retorno de quem você ama. A expectativa só traz frustrações e sofrimento. Perdoe e confie em você e em toda sua capacidade masculina, sem traumas. Não estou falando só da sexualidade, estou falando sobre sua capacidade profissional de não depender da forte personalidade da sua esposa. Se vocês trabalham juntos, observe se ela costuma "passar por cima" das suas opiniões produzindo sensações desagradáveis no seu coração. Quanto mais você guardar as contrariedades para não se desarmonizar com sua mulher mais sua próstata reagirá negativamente com doenças. Desista de imobilizá-la através da doença porque você é que será o grande perdedor e ninguém é insubstituível. Viva sua vida sem ressentimentos e aceite as mudanças, com gratidão.

Volte-se para o seu autoconhecimento e descubra toda a sua grandeza. Nunca dependa dos sentimentos dos outros e sinta a alegria de viver, livre das autocobranças e dos preconceitos. Busque a alegria da vida em outros setores do seu cotidiano e destrua essa ideia fixa de revolta e sentimento de "fera ferida".

Os órgãos sexuais e reprodutores do homem tem seu oposto complementar na mulher e o primeiro modelo de mulher de um homem é sua mãe.

Se você teve mãe ausente, dominante, chantagista, anulada, briguenta ou que até não a tenha conhecido, saiba que esses modelos estão enraizados ou ancorados no seu inconsciente.

Portanto, entenda que seu inconsciente fará você "escolher", como disse antes, a mulher que tenha alguma dessas características para que você dê continuidade ao sistema de sua família. Nossa mente só sabe lidar com o que é familiar e por isso você, sem se dar conta disso, "casará" com sua mãe, ou seja, com alguém que represente sua mãe, mesmo que elas sejam aparentemente diferentes no comportamento. Com isso quero dizer que será necessário você fazer a oração do perdão para sua mãe independentemente de ela estar neste plano ou não.

Para equilibrar suas polaridades internas, faça a oração do perdão que está no final deste livro por três meses intercalando um dia para seu pai e no outro dia para sua mãe. Existe o ciclo de regeneração psíquica que ocorre no tempo de três meses, por isso faça-a corretamente, sem falhar, sem questionar e sem contar a ninguém.

Sua cura depende de sua disciplina, persistência e autoestima.

Você criou essa doença com seus sentimentos negativos e vai curá-la através dos novos sentimentos positivos. Se você é homossexual e desenvolveu problemas na próstata ou nos testículos o processo é o mesmo: você carrega uma situação mal resolvida com sua mãe. Faça a oração da mesma forma e tudo ficará bem.

Lembre-se que a próstata tem seu oposto complementar na mulher e ela não necessita ser sua esposa para que você se sinta traído por ela de alguma forma. As mulheres que possuem poder sobre você sempre representarão sua mãe inconscientemente. Harmonize-se, perdoe! E cure-se!

Pulmões

Pulmões são órgãos duplos e funcionam com as duas polaridades em equilíbrio: Pulmão esquerdo representa a polaridade yang (masculina = pai) e o pulmão direito representa a polaridade yin (feminina = mãe).

O coração está localizado entre os dois pulmões e possui a força eletromagnética e quântica do "Amor". O chacra cardíaco (vórtice de energia eletromagnética ou portal) rege a glândula endócrina Timo (Alma em grego) responsável pelo sistema imunológico do corpo.

O sentimento de amor incondicional e de gratidão faz vibrar o Timo produzindo glóbulos brancos ou leucócitos (anticorpos) que combatem as infecções.

O coração é regido pelo chacra cardíaco que rege os dois pulmões, a traqueia, os brônquios e todo o sistema cardiorrespiratório. Portanto, os pulmões adoecem quando a pessoa sente raiva e críticas constantes contra o cônjuge. Todo problema pulmonar só acontece em pessoas infelizes no amor devido a serem críticas demais e só enxergam os defeitos do parceiro ou da parceira.

Quando os pais foram desarmoniosos e críticos um com o outro e eram infelizes no casamento deixam esse mesmo "modelo" de vida para seus filhos. Inconscientemente, os filhos se identificarão com alguém para namorar ou casar que possui modelo negativo dos seus pais também e se unirão automaticamente sem saberem o que acontecerá no futuro. Tudo começa bem, mas com o tempo e com as primeiras decepções começarão a "ver" seus pais no cônjuge sem imaginarem que estão apenas repetindo a história da família. O que for mais crítico, perfeccionista e infeliz nesse casamento é o que terá primeiro os problemas pulmonares. Os médicos dirão que a pessoa pode ter "pego" uma friagem, bactéria ou que falta de vitaminas, hereditário, queda do sistema imunológico ou qualquer outra coisa, mas não explicam que as energias eletromagnéticas (que todo físico sabe que existe) são alimentadas pela força das emoções e pensamentos.

Existem muitas pessoas que têm problemas pulmonares e dizem que não tem relacionamento amoroso nenhum e que não são críticos. Porem, não ter relacionamento nenhum há muito tempo já está revelando sentimento de queixas e críticas contra casamento ou um simples relacionamento. Com certeza essas pessoas carregam, sem saber, mágoas e críticas contra seus pais da época da infância.

Quando digo "críticas" estou me referindo também aos pais que foram ausentes de alguma forma ou que se maltrataram durante o casamento mesmo sendo bons pais. O inconsciente guarda memórias de situações que nem sempre a consciência recorda devido ao mecanismo de defesa do próprio inconsciente protegendo a pessoa daquilo que ela não consegue lidar.

Os pulmões por serem duplos dependem da harmonia dos casais mesmo que estejam divorciados. Perdoar profundamente os símbolos dos pulmões (pai e mãe) e marido e esposa que são a continuação dos pais curará completamente os problemas pulmonares dos adultos e dos filhos. Os filhos são os frutos e "conhecemos a árvore pelos frutos" disse Jesus *(Mateus v. 12, cap. 33)*. O médico e pai da psicanálise Sigmund Freud ensinou que crianças com bronquite e asma são filhos de pais desarmoniosos que se ofendem e brigam friamente.

Os antigos chineses, egípcios e indianos sempre ensinaram que a harmonia, o amor e o perdão entre os casais mesmo que não queiram ficar juntos proporciona a cura das doenças dos pulmões. O antídoto para curar esses órgãos duplos é: ELOGIAR, AGRADECER E VER O LADO BOM DO CONJUGE E DOS PAIS. Esse exercício diário sincero e mais a oração do perdão por três meses para os pais biológicos regenerará completamente os pulmões, o coração e suas artérias e a cura das mamas que também são regidas pelo chacra cardíaco.

Veja o lado bom do caos, pois nada acontece por acaso e lembre-se que você pode mudar o destino pela Lei de causa e efeito (pensamentos, palavras e ações).

A cura dos pulmões depende do quanto a pessoa percebe que está sendo crítica, triste, ingrata, insatisfeita e deve mudar radicalmente sua maneira de pensar e agir. Deve elogiar mais, agradecer o lado bom do cônjuge e respirar a vida com mais alegria e esperança.

Pneumonia

Significa desespero secreto, mágoa profunda e falta de coragem para continuar. Quem tem este problema sente-se cansado o que impede que o mal se cure; busca constantemente, através de sua razão e de sua lógica, entender suas emoções. Também se sente descrente e sem energia.

Destrua a mágoa que está dentro de você em relação aos seus pais e aos relacionamentos amorosos que você sofreu, porque ela o sufocará e o mundo, na verdade, tem solução.

Solte tudo que o faz sofrer, mude sua estrada se for necessário e recomece a viver, respirando outros ares. Acredite no velho amigo "tempo" que sempre resolve tudo. Trabalhe seu espírito para buscar novos ideais e desapegue-se do passado. A sede de viver tem de continuar, pois as pessoas carecem de companhias que as incentivem. Use essa sua força para construir algo novo e dê a volta por cima. Afaste as tristezas, pois as voltas que o mundo dá trarão novamente as coisas que você pensa que estão, há muito, perdidas e também coisas novas para torná-lo feliz. Visualize um plano de vida especial, construa um projeto em sua mente, coloque nele somente o que lhe agrada e deixe-o sempre vivo na memória. Seja otimista! Construa lentamente sua nova história. Alegre-se e se habitue a rir de tudo, até de você mesmo!

A cura pelo riso já foi comprovada em países desenvolvidos.

Lá os estudiosos conhecem o valor da "válvula de escape" do riso que desintegra a tensão contida e alivia os pensamentos "pesados". Ria de tudo! Ria pra valer e não tenha medo da superstição criada em cima do excesso de riso. Liberte-se dos medos gerados no decorrer de sua vida e saiba que, se todas as pessoas aprendessem a deixar de esperar "coisas e atitudes" dos outros, todos estaríamos vivenciando a verdadeira paz de espírito.

Leia o tópico Pulmões.

Tuberculose

Durante a segunda Guerra Mundial a tuberculose se desenvolveu em milhares de pessoas devido aos sentimentos de ódio, tristeza e vingança inconsciente que a guerra proporcionou à humanidade.

A tuberculose representa a dor profunda com preocupações, traumas, tristezas e sentimento de impotência diante da família.

A tuberculose tem ciclos nas civilizações devido às épocas das tormentas que retornam na vida de cada ser ou de um país.

Os pulmões representam o equilíbrio entre **Yin** e **Yang**, ou polaridades negativa e positiva, respectivamente, e simbolizam (**Yin=Mãe**) e (**Yang=Pai**).

Se você vive esse drama, busque a terapia pela fé, harmonize-se com o passado e elabore um futuro com esperança de novos planos.

Acredite mais na bondade e na justiça de quem O criou. É injusto você tentar resolver tudo sozinho e maltratar sua mente e seu corpo só porque acha que pode resolver tudo apenas com a sua inteligência.

Espiritualize-se, pois espiritualidade não significa ser uma pessoa religiosa, mas sim ser uma pessoa amorosa, alegre, que perdoa e agradece todas as coisas do céu e da terra. Dilua dentro de você a falsa crença de que o homem nasceu para sofrer. Nós somos responsáveis, direta ou indiretamente, pelas coisas que nos acontecem, porque somos livres para escolher. Use seu livre-arbítrio˙ para corrigir sua conduta e não a dos outros.

Leia o tópico Pulmões.

Bronquite

Ocorre em famílias extremistas, que mantêm as emoções desequilibradas. Muitas vezes estão todos em paz e quietos e, de repente, começam os berros e os conflitos sérios.

Na língua japonesa existe a expressão *iki-ga-au* (respiração que combina) e *iki-ga-awanai* (respiração que não combina).

Quando a desarmonia conjugal é grande, os membros da família passam a ter problemas respiratórios (*iki-ga-awanai*).

Em relação aos filhos, quando a mãe tem profunda crise de ciúme do marido e o critica demais essa vibração de desarmonia faz com que um dos filhos tenha crises de bronquite como reflexo de seu comportamento mental.

Repito que os filhos, até sete anos de idade, são influenciados pela mente da mãe e, a partir dessa idade, até quatorze anos serão influenciados pela mente do pai. Os orientais conhecem a sabedoria da natureza humana. Sabem que as relações humanas começam pelo sistema inconsciente e depois passam a ser visíveis através do consciente. Portanto, as mães devem tomar muito cuidado para não transferir aos filhos menores todas as suas angústias, temores ou doenças através dos pensamentos e sentimentos secretos ou declarados. Para que os filhos menores sejam protegidos em todos os sentidos e se tornem saudáveis é necessário que a mãe vibre na frequência do amor e da alegria. As crianças captam por ressonância vibracional os sentimentos dos pais.

Pessoa ciumenta, dominante, crítica e infeliz no amor desenvolve em si mesmo problemas de bronquite que significa (pessoa bronquiada).

A alegria e o bom humor da gratidão entre os casais cura

completamente os problemas de bronquite e asma em si e em seus filhos.

Trabalhe seus pensamentos a favor de sua saúde e da saúde de seus familiares. Não queira carregar a bandeira da verdade. A docilidade e a flexibilidade da personalidade sempre será a solução para todos os problemas do mundo. Perdoe, se alegre e se precisar siga outro rumo.

Bronquite asmática nas crianças

Doenças nas crianças são reflexos das "doenças" psicológicas dos seus pais ou protetores, o que quer dizer que os conflitos que os responsáveis pelas crianças carregam é que fazem surgir nelas a somatização das doenças.

É muito difícil fazer com que os pais reconheçam esse fato, pois eles acabam achando que estão sendo atacados e que o problema é devido a algum fator climático, genético, alimentar ou congênito. É mais fácil acreditar nisso porque assim a responsabilidade não pesa sobre os seus ombros! Às vezes, ser cético é apenas uma questão de comodismo e conveniência.

A bronquite asmática ocorre pelo mesmo motivo da *ikigaawanai* (v. Bronquite nos itens anteriores).

Os pulmões precisam estar desobstruídos e puros assim como os sentimentos dos casais deveriam ser. Portanto, procure resolver e definir rapidamente seus problemas emocionais com o seu relacionamento amoroso ou com seus pais no seu inconsciente. Procure compreender que a harmonia é muito importante para a saúde de toda a família e procure frequentar ambientes espiritualistas que o ensinem a viver melhor. Não queira estar com a razão, pois se alguém em sua família está doente é porque carrega no coração descontentamento, raiva e críticas contra alguém da família estão. Sei que você não pode mudar a cabeça de certas pessoas da sua família ou do seu cônjuge, mas pode gerar um clima calmo e de bondade no ambiente em que você trabalha ou mora. Não seja mais uma pessoa que encara as brigas ou pequenas e cansativas discussões que não levam a nada.

Todas as brigas, discussões e ataques verbais ou físicos apagam a Luz da sua áura e leva às doenças.

Doença é ilusão: é apenas a manifestação dos pensamentos e da conduta de um ou mais indivíduos. A conduta negativa gera retorno negativo e a conduta e pensamentos positivos geram retornos positivos. Aprenda também a sentir gratidão pelos seus antepassados.

OBS: Mesmo se os pais disfarçarem seus sentimentos, ou estiverem afastados momentaneamente dos filhos, saiba que as crianças captam, sem saber, as vibrações dos pais. O melhor mesmo é tentar ser feliz de verdade, para que os filhos (frutos) recebam a vibração dos sentimentos saudáveis dos pais.

Os elogios mútuos são importantes, por isso todos devem elogiar as coisas boas que um fizer ao outro. Agradeça aos pais, agradeça ao marido, ou à esposa e admita que ninguém está cem por cento certo. Dividindo as responsabilidades pelos erros fica mais fácil resolver harmoniosamente as pendências.

Se existe amor, existirá perdão. Mas, se não existir amor, deverá, pelo menos, existir consideração pelo ser humano que é cada um e por tudo o que foi criado pela convivência tanto de marido e mulher, quanto de pais e filhos. Compreenda o que passou, sem carregar ou atribuir culpas. O que aconteceu foi que você cresceu.

Pais mudem sua conduta para a cura de seus filhos. Saibam aceitar as mudanças e esqueçam, completamente, o passado. Esquecer só dependerá da força de vontade e do amor incondicional, mesmo se forem divorciados.

Encontrando a harmonia, seja como for, os problemas respiratórios desaparecerão por completo, pois passarão a ser *iki-ga-au*.

Leia os tópicos acima sobre os pulmões.

Asfixia

Demonstra que a pessoa não está "respirando a vida" como queria. Sua infância fala mais alto dentro de seu coração e ela não consegue crescer porque sente medo do "mundo de gente grande". Não se sente amparada para crescer e suas verdades não acompanham as de seu crescimento.

Sonhe! Sinta-se puro como uma criança, mas continue crescendo. Use a sua beleza de pensamentos e suas crenças para auxiliar as pessoas. Pare de se trancar no planeta do Pequeno Príncipe (se você leu esse livro deve se lembrar de como o seu planeta e o das demais pessoas que ele encontrava em seu caminho, eram pequeninos!). Vivendo desse jeito fica mesmo difícil para você conseguir respirar!

Liberte-se dos medos confiando na Grande Sabedoria que o conduzirá pelo caminho certo e seguro, em toda a sua jornada.

Relaxe e acredite somente nas coisas boas, pois somente o mal e a opressão, que estão na imaginação das pessoas, é que os tornam realidade.

É muito bom crescer, porque é assim que eliminamos definitivamente a postura de vítimas, de sofredores, de abandonados, de fracos, etc., e passamos a ter um comportamento forte e sábio perante os obstáculos nos nossos caminhos.

Saiba que crescer é poder usar os pensamentos e a liberdade à nossa maneira para, inclusive, sermos crianças no momento em que quisermos. Ser criança é continuar a amar, sorrir, brincar com a vida, sonhar e realizar todos os nossos planos, sem a interferência da vaidade ou do orgulho. Cresça para poder ser criança a vida toda. Liberte-se do falso medo, criado pela falta de orientação. Respire a vida e oxigene suas ideias.

Leia o tópico Pulmões para aprender a fazer a oração do perdão para seus pais biológicos mesmo que você não os tenha conhecido. Os pulmões por serem órgãos duplos se curam quando os pares se perdoam e se harmonizam mesmo não estando juntos.

Respire fundo e sem medo! Busque seu autoconhecimento e construa uma nova vida, novos amigos e novos sonhos!

Estômago

O estômago é simbolizado, pela medicina egípcia, como um jovem rapaz dinâmico, alegre e que ama trabalhar em equipe. É o primeiro a chegar no "trabalho" e adora o "novo" para dividir com sua equipe. Ele é generoso e confia nos seus amigos do trabalho. Quando entregam para ele um prato de comida logo sai distribuindo esse alimento para seu grupo e quando ele entrega serviços para essa equipe confia plenamente e não cobra perfeição de ninguém nem de si mesmo, mas procura, com calma ensinar aquele que errou o serviço.

O estômago nos ensina a delegar sem controlar, confiando e tendo paciência com os erros da sua equipe. Ele sabe soltar, desapegar e recomeçar com alegria.

Imagino que você não esteja se identificando com esse "rapaz" tão carismático não é? Gostaria de ser como ele, mas você tem personalidade forte demais para conseguir ter a paciência dele. Pois é, o organismo, através do seu funcionamento, nos ensina como deveríamos ser para não adoecer.

Se você não gosta de delegar, pois não tem paciência de ter que explicar, não tem paciência com os erros dos outros e nem com seus próprios erros, é centralizador e controlador, pega todo trabalho para si, pois acha que só você pode fazer melhor tal serviço ou tarefa e até controla à distância as obrigações da família ou da empresa você deve ter gastrite ou úlcera não é?

O estômago simboliza a forma como assimilamos a vida e como digerimos as ideias. As pessoas acreditam, por influência de muitos médicos, que o estômago sofre conforme o alimento ingerido e não levam em consideração as enzimas tóxicas fabricadas pelo próprio organismo durante as fortes emoções de raiva, medo, angústia, tristeza e vingança das pessoas que sofrem do estômago.

Na Bíblia está escrito: "Não é o que entra pela boca que contamina o homem, mas o que sai dela".

As pessoas que reclamam da vida e resmungam o tempo todo, demonstrando pessimismo, sempre dão seu "contra" antes de aceitar uma ideia, reclamam dos vizinhos, dos filhos, do marido, da esposa, acreditam no pior, são as que provocam fortes dores no estômago, como projeção de uma "indigestão" mental.

Se você tiver dúvidas quanto ao seu comportamento, pergunte aos amigos, ou às pessoas da família, como você é. Eles podem ajudá-lo a ver e a perceber esses seus hábitos. No começo você teimará por dizer que é mentira ou exagero das pessoas, mas depois perceberá que aquilo que está ouvindo reflete exatamente a imagem que os outros têm de você.

O medo de encarar o presente e sem poder desabafar devido ao seu orgulho, a hipersensibilidade que lhe provoca mágoas, pensamentos destrutivos que nunca são eliminados da sua mente, tudo isso junto faz você achar que o mundo é perverso e sem descanso.

Veja como você se destaca dos demais pelo seu ceticismo e teimosia. Todos estão sempre lhe dizendo: "Descanse um pouco". "Não passe nervoso". "Você precisa se distrair um pouco". E tantos outros conselhos que lhe massageiam o ego.

Saiba que, se você não quer abrir mão de alguns maus hábitos, mesmo que lhe causem problemas sérios, é porque você necessita da atenção de certas pessoas. Pois agindo como vítima, sua "muleta" será garantida por alguém que você chantageia constantemente. Isso mostra o quanto você deve crescer e buscar o autoconhecimento, para admitir essa verdade e policiar-se.

Pare de agir como criança e sinta que para ser feliz é preciso ser alegre e otimista nas opiniões, nas atitudes, na fisionomia e em todos os setores de sua vida. Quando você conquistar ou resgatar a coragem, a força de vontade, o amor-próprio, a independência emocional e financeira e compreender que, por trás de suas lamentações, se esconde o desejo de "pedir" algo a alguém, então você mudará completamente sua postura e assumirá seus problemas com sabedoria e em silêncio (sem se remoer por dentro).

Se você está em conflito com alguém próximo e isso lhe causa profunda mágoa ou raiva, ou se está sempre tentando provar o contrário do que os seus adversários afirmam, saiba que você está nadando contra a correnteza e com certeza perdendo seu precioso tempo. Deixe as coisas fluírem naturalmente. É lógico que você deve lutar pelo seu ideal, mas fique atento às suas intuições e sinta o momento de parar com a teimosia e talvez mudar de estratégia.

Pare e analise seu comportamento. Deixe de lado o seu costume de analisar o comportamento das outras pessoas. Seja sincero para consigo mesmo e reconheça que sua teimosia é do tamanho das suas dores no estômago.

Exatamente por você ser uma pessoa extremamente responsável, criativa, eficiente, cautelosa, perfeccionista e sensível é que acaba entrando em atrito, às vezes secretamente, com pessoas que não pensam como você.

Aprenda a ser mais tolerante e compreensivo, pois nem sempre a sua verdade é a verdade dos outros. O que você acha que é certo, pode não ser para outras pessoas e o que lhe causa tristeza pode ser considerado pelos demais apenas exagero de sua parte. Saiba compreender o mundo alheio e tente, pelo menos, respeitar as opiniões e desejos que são diferentes dos seus.

Existem várias portas onde estão as respostas que desejamos, mas enquanto estivermos apegados às velhas ideias, não enxergaremos a saída por nenhuma delas. Você trouxe esse comportamento da sua infância, pois exigiram perfeição de você numa época que você apenas queria brincar.

Procure ignorar os detalhes de uma questão complicada, porque você vai acabar se perdendo no meio deles e passar muito nervosismo tentando entender cada um. Os detalhes representam muito pouco na solução de determinadas questões e o que realmente importa no processo de solucionar algo é o comportamento reto, decidido e determinado. Muitos detalhes levam à neurose, se você não souber lidar com eles. Cuidado!

Seja flexível com você mesmo e com as ideias dos outros. Isso o ajudará a encontrar o equilíbrio emocional e a velha modéstia, que tanto engrandece os seres humanos.

Destrua essa postura de vítima, encare o mundo com desejos de progredir, sem depender dos outros para nada e se depender, tenha compaixão e bom humor para reeducá-los em todas as situações.

O seu inconsciente faz isso porque você necessita ser aceito e amado e com isso não se permite errar e não aceita erros alheios.

Como disse antes dores ou qualquer doença no estômago revelam pessoa centralizadora, que não delega nada a ninguém, pois prefere fazer a ter que mandar fazer e ter de refazer.

Esse perfeccionismo mostra desconfiança e intolerância para com os erros dos outros e para com os próprios erros.

Com certeza exigiram perfeição na sua infância e você teve que crescer antes da hora, carregando para a vida adulta, uma autoexigência exagerada.

Saiba que você não precisa continuar se "punindo" inconscientemente quando algo não esta perfeito, pois isso foi apenas um condicionamento psicológico que você trouxe da infância.

Para ser aceito e considerado não precisa ser perfeito e nem ter de mostrar seus conhecimentos.

Seja simples, se desapegue de suas próprias exigências e, se precisar, procure a ajuda de um profissional da PNL (Programação Neurolinguística) para desprogramar seu cérebro da rigidez do passado.

Liberte-se dessa inflexibilidade e não tenha medo de a "casa cair".

Deus sabe o que faz, pois nada acontece por acaso.

Gastrite

É o sinal das incertezas arrastadas por muito tempo. Você precisa ser compreendido, amado, confortado e ajudado. Isso é maravilhoso, mas na prática não cai do céu. Ajude-se, primeiro, decidindo sua vida, pois ninguém pode passar por situação alguma no seu lugar. Procure sua liberdade interior para descansar da auto cobrança.

Você precisa acreditar no melhor e relaxar. Confie na ajuda espiritual e solte-se. Pare de remoer pensamentos e angústias, seja mais determinado e flexível em seu comportamento e encare os seus erros com naturalidade. Entenda que outras pessoas também estão em busca da felicidade e que elas também erram para conseguir acertar. Perca o hábito de acreditar que sua alimentação é que está errada, ou que, eternamente, você terá de manter uma dieta especial devido à gastrite. Quanto maior for o seu medo de comer, mais o alimento lhe fará mal. Alimente-se com amor e gratidão e permaneça em paz profunda quando estiver almoçando ou jantando. Afaste os tumultos de seus sentimentos e pensamentos na hora da refeição. Seu estômago apenas sofre as consequências dos desequilíbrios emocionais.

Quando o pessimismo se torna um hábito, o portador desse mal não percebe que está carregando esse "vírus" por toda parte. Preste mais atenção nas suas frases e na sua conduta e corrija-se imediatamente, porque senão o seu comportamento acomodado poderá fazer com que a sua gastrite se transforme numa úlcera.

Respeite as opiniões de outras pessoas porque, se tentar mudá-las obstinadamente, elas procurarão mudar as suas e as consequências disso serão trágicas. Seja uma pessoa de paz e, se você sentir que esse ambiente não combina com seu modo de viver, então, se mude.

Leia o tópico Estômago.

Úlcera

De onde você tirou tanto medo? Essa insegurança registrada em sua mente inconsciente não tem fundamento para você viver. Se seus pais criaram um filho dando-lhe injeções de repressão, foi porque acreditaram que essa era a melhor maneira de ajudá-lo a crescer. Compreenda que a vida é reflexo daquilo que acreditamos e que ninguém pode ter culpa de nossas incertezas.

Passe a trabalhar o seu autoconhecimento e inicie um bom autosugestionamento, pois é através de pensamentos positivos e confiantes que você se recuperará.

Antes de dormir diga, repetidamente: sou livre e feliz, sou calmo e seguro e decido de forma rápida e confiante todas as situações de minha vida.

Fazendo esse exercício antes de dormir e após acordar, sua mente estará repleta de confiança e coragem e você, aos poucos, estará acreditando, convicto, em seu sucesso e a úlcera desaparecerá.

O importante é que, quanto mais você sentir gratidão pelas coisas simples da vida, mais seu organismo terá saúde.

Agradeça o alimento que está em seu prato e jamais o coma com raiva ou desprezo.

Harmonize-se antes de sentar à mesa, pois é muito bom respeitar e amar o pão nosso de cada dia. Seja uma pessoa sensata e tranquila quando estiver conversando com alguém: passe-lhe suas ideias com carinho e sem imposições. Deixe-a livre e abandone essa mania de reter ressentimentos porque ninguém tem a obrigação de entendê-lo e de aceitá-lo. Comece já a descobrir o seu mundo interior e você perceberá quanto tempo perdeu insistindo em coisas que você, na verdade, nem precisava conquistar. Amplie a sua consciência e cresça para que a vida possa ajudá-lo.

Teorias não levam a nada. Ponha em prática uma nova personagem em sua conduta. Represente outro papel no palco desta vida e exercite-se para entender o que é autoconhecimento.

Se você continuar de olhos fechados para novas ideias, com medo de se arriscar, também continuará a sofrer dentro de um mundo restrito, criado por você mesmo. Abra-se sem medo e saiba aceitar os primeiros erros de sua nova vida. Errar faz parte do processo natural para se aprender algo. Aos poucos

Você ficará admirado com sua capacidade de mudança e até ajudará a outras pessoas que podem estar na mesma situação em que você se encontrava. Então, o que há? Qual é o problema, agora? Não complique as coisas, simplifique-as!

Leia o tópico Estômago.

Enjoo

Lendo o tópico "Estômago", você conhecerá a personalidade do estômago. Ele gosta do novo, trabalha em harmonia com a equipe orgânica, confia no grupo do trabalho e divide tudo sem apego. Está sempre "olhando" para o futuro e se organizando sem preocupação. Basta você agir ao contrário do que ele ensina e logo seu estômago terá problemas.

Quando você não aceita uma situação ou pessoa e nega a experiência desse contato rejeitando profundamente o enjoo acontecerá revelando sua rejeição.

Enjoo simboliza que você não "engole" e não "digere" tal pessoa ou situação. A negação do novo e a resistência contra algo demonstra que o estômago será atingido, pois ele deveria fluir com qualquer situação ou "alimento" da vida para ser selecionado depois.

O medo que você sente pelo tipo de vida que está levando, o medo de perder uma "batalha", o de não poder ser você mesmo na casa de alguém, na sua casa, no trabalho, no lazer com os amigos e a sensação de prisão tendo que se contrariar para evitar conflitos conjugais, familiares ou mesmo com outras pessoas produzirá um forte enjoo como rejeição dessas situações.

Quando a nossa mente inconsciente percebe uma situação propícia, provoca o enjoo para alertar a anulação dos nossos desejos, pois o estômago necessita que você seja "jovem" e de bom "humor" para dizer o que pensa e não ter medo de dizer "não" ou de ter inteligência emocional para aceitar com alegria e resignação tudo o que não pode ser mudado agora.

Encontre um modo de ficar consigo mesmo e com seus prazeres pessoais sem agredir as pessoas que querem ter autoridade ou chantagem sobre você.

Saiba o que você quer de verdade e não faça nada só para agradar alguém ou por medo de perder.

Saiba que a "intuição" para impedir que você tome uma decisão errada normalmente causa enjoo quando você está prestes a viajar ou tomar decisões importantes. Escute o seu enjoo e questione-se sobre o que você está fazendo com sua vida. As doenças do coração, do fígado, dos rins, do estômago, da vesícula, a diabetes, o colesterol negativo alto, a glicemia alta e outras doenças produzem enjoo mostrando que suas emoções estão desequilibradas e frustradas na vida, daí as doenças. Está na hora de encontrar algo bom para se dedicar que não seja a família "apenas". Seja feliz ao acordar de manhã sabendo que o dia será como você programou e não como os "outros" querem que seja. Faça terapia, meditação ou yoga para se alinhar com a paz e a intuição, assim você saberá como agir nas situações que você atraiu para sua vida por falta de autoconhecimento.

Enjoo em carro

Significa que você realmente não quer estar ali onde está, nem ir para onde vai. Reflita. Tudo tem explicação! Talvez, antes de entrar no carro, você pode ter sido contrariado de alguma forma e talvez a sua mente esteja resistindo à ideia de ficar bem em relação a alguma pessoa que está no carro com você, ou com quem você irá se encontrar.

Nossa mente costuma fazer associação de ideias. Pode ser que você tenha sofrido algum trauma ou alguma decepção profunda relacionada com um carro e o seu inconsciente o "lembrará" disso, sempre que andar de automóvel.

Relaxe e aceite os que não pensam como você. Seja verdadeiro em suas opiniões e objetivos ao exprimir o que quer. Se for necessário, diga que não quer fazer o que não tem vontade. Cuidado para não se acostumar de tal modo a fazer o que os outros querem até chegar ao ponto de desconhecer os seus próprios desejos, compreendeu? Seja responsável pelos seus próprios atos e não tenha medo de ser você mesmo. Reaja e não tenha medo de perdas, pois se você continuar a ter a falsa imagem de "companheiro bonzinho", só atrairá pessoas erradas para o seu convívio e o único perdedor será você.

Normalmente o enjoo é sentido por quem fica no banco do passageiro mostrando, inconscientemente, que não gosta de ser controlado ou dirigido por ninguém. No banco de traz revela pessoa dominante que tem necessidade de dirigir o automóvel para fazer do seu jeito ou se sente "inferiorizado" por estar "atraz" sem "poder" de decisão. O nosso inconsciente revela pelo nosso corpo aquilo que temos em nossa verdadeira personalidade.

Leia o tópico Enjoo.

Enjoo no mar

Será que seu estômago está aguentando essa situação de estar "confortavelmente" infeliz? Veja se você está feliz com sua situação atual e observe se essa situação não está diretamente ligada a alguém que está no mesmo barco que você.

Sempre que nos contrariamos profundamente, geramos enjoos para justificar o desprazer.

Se, também, o seu medo da morte for maior do que a vontade de navegar, sua mente, de alguma forma, o levará para fora do barco.

Fale o que você pensa e não faça sob pressão o que não deseja fazer. Mude de atitude, pois você tem o direito de ser ou de fazer somente o que lhe agrada. Não se anule por ninguém e aprenda a se respeitar e a se harmonizar com as pessoas sem ter de renunciar às suas vontades.

Quando as pessoas querem mudar e não conseguem é porque, sempre que tentam, se sentem presas a sensações antigas de insucessos.

Comece, sem medo e sem culpas, a agir em direção ao seu ideal. O passado já se foi e você sabe coisas que antes não sabia.

Quando você começar a agir com calma e firmeza de propósitos perceberá que, no começo, os outros o acharão estranho, mas passarão a aceitá-lo como uma nova pessoa e, inclusive, gostarão mais de você. Cuide de sua felicidade, porque se você esperar que ela "caia do céu", acabará soterrado sob seus próprios conflitos e terá de suportar "enjoos" pelo resto da vida. Controle seus pensamentos e confie na sua natureza intuitiva.

Passear de barco deve causar prazer e não criar uma situação de angústia e desespero. Você só deixará de sentir enjoos num barco quando aprender a respeitar suas vontades ou quando se harmonizar com as pessoas que o acompanham, olhando o lado positivo de suas atitudes.

Caso você tenha sofrido algum trauma no mar ou em algum rio procure um hipnólogo ou um profissional de PNL (Programação Neurolinguística) para reprogramar ou desbloquear os medos "ancorados" no seu inconsciente. Mas se você não viveu esses traumas reflita sobre seus enjoos quando está para passear ou viajar de barco, navio ou até lancha. Praticando meditação todos os dias você saberá se esse enjoo é um aviso para você não navegar para se proteger de algo ou se é apenas contrariedade por fazer o que não quer e até estar com quem não quer.

Se respeite para atrair respeito e bem estar.

Leia o tópico enjoo.

Enjoos na gravidez

A palavra *mukatsuku*, em japonês, significa ficar com náuseas e também significa ficar com muita raiva.

Quando uma mulher sente indisposição durante a gravidez e sente vontade de vomitar é porque nutre raiva ou rancor em relação a alguém da família. Esse enjoo está revelando que você está rejeitando "não o bebê", mas a situação que você está vivendo. Será que você queria mesmo engravidar agora? Será que você está com medo de ter que parar de trabalhar ou de fazer o que gosta por causa da gravidez? Será que os avós do seu bebê estão controlando você? Ou controlando até o seu marido? Procure harmonizar-se com todas as pessoas em sua casa ou com os que visitam você e reflita também se está mantendo resistência contra seu marido, por achar que ele não lhe dá a atenção necessária. O nenê corre o risco de ser abortado quando a mãe guarda esses ressentimentos contra o marido, contra a sogra, contra a mãe e contra seu pai ou sogro.

Se for caso de *hiperêmese gravídica* (vômito excessivo), a gestante deve imediatamente perdoar a família do marido e sua própria família, pois está gerando o medo de continuar grávida por não querer que seu filho faça parte de uma família que a magoa (inconscientemente).

Cultive em seu coração uma maneira nova de aceitar as mudanças em sua vida. Aceite com naturalidade os momentos em que você se sentir "amarrada". Se você assumir uma postura firme e decidida durante a gestação tudo mudará para melhor. Imaginar sofrimentos futuros é apenas... imaginação!

Sua vida poderá ser diferente se você, através de seus pensamentos, criar um presente tranquilo e um futuro gratificante. Ninguém tem obrigação de dar nada a você. Cresça e neutralize, definitivamente, esse sentimento de "fera ferida".

Enjoo simboliza medo, rejeição (repulsa), então reflita e descubra em seu coração qual o maior medo durante essa gestação.

Avalie se essa gravidez não estaria ocorrendo num momento importante de sua vida onde teria que parar de estudar ou de trabalhar ou até pelo medo de perder a beleza física. Você acredita mesmo que ficou gravida sem planejamento? Quantas mulheres lutam para engravidar fazendo tratamentos, promessas religiosas e até inseminação e não engravidam enquanto outras, mesmo laqueadas ou com seus maridos vasectomizados engravidam "milagrosamente", muitas vezes, causando desconfiança por parte do marido contra sua esposa, sendo obrigada a fazer o teste de DNA para provar a paternidade. Claro que essa situação é tão "estranha" que pode acabar com o casamento, mas se o casal for espiritualizado com certeza vivem fiéis e acreditarão que "Deus" a fez engravidar assim como a esposa de "Abraão", na história contada na Bíblia.

Não importa se foi o poder de Deus ou do inconsciente do casal que a engravidou ou a impediu de ter filhos, o importante é saber que nada acontece por acaso. Na psicanálise sabemos que quando um homem ou uma mulher carrega em sua alma algo mal resolvido contra seu pai, não conseguirão ter filhos. Portanto, quando você engravida não foi sua escolha consciente, foi algo determinado, pois muitas mulheres odeiam o próprio pai, mas engravidam devido a esse sentimento estar na consciência.

Saiba que por mais que você ame seu pai, mas não consegue engravidar é porque você não conhece seus sentimentos de "criança" contra seu pai na época da infância. Pode ser que ele tenha feito sua mãe sofrer, por mais que ele tenha sido um bom pai.

Se seus enjoos continuam você deverá procurar ajuda de um psicólogo e praticar meditação para limpar seu inconsciente e suas crenças errôneas sobre o que é ser mãe ou esposa.

Seja feliz com o que vier. Aceite as experiências que a vida fornece, pois tudo é consequência das Leis do Universo. Lembre-se: semelhante atrai semelhante, causa e efeito e a Lei do retorno. Estude e pratique bons pensamentos e boas palavras para você e seus filhos serem felizes.

Reflita e acredite: a maturidade ajudará você a ter seu filho sem mudanças desastrosas em sua vida, mas sim, mudanças maravilhosas. Não rejeite seu novo mundo!

Leia o tópico Enjoo.

Azia

Azia é a "queimação" devido ao retorno do suco gástrico para o esôfago. Esse ácido gástrico é responsável pela digestão dos alimentos. O refluxo desse ácido, segundo a psicologia da correlação (linguagem do corpo), ocorre quando a pessoa sente raiva e medo de ter que passar por uma situação ou decisão que a faz se sentir acuada e sem coragem para enfrentar algo novo como: um novo emprego, contas a pagar, falar algo importante para alguém, ter que viajar para um lugar que a oprime e medo de tomar uma grande decisão. Isso não significa que a pessoa não enfrentará, na verdade os grandes "guerreiros" têm medo, mas sempre estão enfrentando esses medos, daí a azia.

A falta de tranquilidade e paz de espírito para resolver uma situação difícil gera queimação no estômago, no esôfago e na garganta revelando o "atrito" interno e pensamentos de grande contrariedade e raiva secreta por ter que passar por essa situação.

Azia é medo! E rejeição! Puro medo! Pergunte-se: tenho medo de quê?

Vamos tentar descobrir. Você não estaria para assumir um grande negócio? Ou, talvez, tenha de tomar alguma decisão muito importante?

Você já tomou uma decisão e agora vai ter de assumir as prováveis consequências, certo? Ou será que a sociedade comercial na qual você toma parte está para ser dissolvida e você vai ter de encarar tudo sozinho? Ou você, por algum motivo, vai ter que deixar de fazer aquilo que mais gosta? Ou você está com medo de, finalmente, ter que falar com alguém e "abrir o jogo"? Será que não está prestes a ter de discutir um assunto desagradável com determinada pessoa? Você pode até estar com medo de voltar a fazer aquilo de que não gosta, ou também pode ser que tenha necessidade de cumprir certas responsabilidades.

Bem, seja como for, tente encontrar a resposta em seu interior, mas reconheça que você está... com medo!

Realmente não é fácil admitir que se está com medo, até porque ninguém gosta de sentir-se fraco ou sem coragem diante de uma situação. Quando você conseguir relaxar profundamente, sentir-se psicologicamente seguro e confiar no "seu taco" com plena convicção, então estará definitivamente livre desse terrível mal que "ataca", principalmente, empresários e pessoas em posição de destaque, devido ao orgulho forte, natural dessas pessoas.

Se a azia o incomodar novamente, busque conforto com os amigos, distraindo-se ou mesmo pensando na pessoa que mais lhe proporciona alegrias.

Respire fundo, lentamente, e recuse-se a sentir medo...

seja lá do que for. Às vezes não percebemos nem que estamos temerosos em frente de uma determinada situação, nem que estamos fazendo uma "tempestade em copo d'água" em cima da realidade. As ideias fixas só prejudicam você. Deixe fluir, naturalmente, o que está para acontecer. Sem dúvida, mesmo que não seja da forma que espera tudo se resolve, sempre.

Rins

Os rins são órgãos duplos assim como os pulmões e eles também representam o casal, mas totalmente relacionados ao dinheiro do casal (yang e yin). Todo órgão duplo adoece quando o casal está em desarmonia, pois o yang e o yin (polaridades opostas e complementares do Universo) necessitam se equilibrar para que esses órgãos funcionem com perfeição.

Enquanto os pulmões necessitam da energia do amor, da gratidão e dos elogios para se curar, os rins necessitam do bom entendimento dos pais ou dos cônjuges em relação ao dinheiro da família, da carreira um do outro, do respeito com a profissão ou trabalho um do outro e da motivação e otimismo dos dois para a prosperidade financeira.

Os rins representam o filtro das emoções em relação ao futuro.

A pessoa que sente medo e insegurança constantemente em relação ao futuro relacionado às contas a pagar, medo de perder sua casa ou não ter onde morar, medo de ter que morar com alguém por estar dependente financeiramente, de não conseguir emprego, de não conseguir dar segurança e proteção financeira para alguém querido desenvolverá problemas nos rins.

No tempo das pedras os homens se preocupavam em manter a família e a si mesmo sob um teto. Escondiam-se em cavernas ou dentro de grandes árvores, não só para se proteger dos predadores, mas porque sabiam de alguma forma, que algo estranho acontecia no temperamento das pessoas quando dormiam ao relento. Acreditavam que um poder do mal que vinha do céu enlouquecia aqueles que dormiam sem proteger a cabeça.

Hoje se sabe que esse "poder do mal" tem nome e que as pessoas se utilizam dessa força para o bem ou para o mal: é a energia cósmica.

Numa meditação, devido ao alinhamento dos chacras (transmutadores de energias) e também porque a atmosfera da terra hoje impede que essa energia "corrosiva" do espaço sideral, "coma" nossa pele e nossa glândula pineal conseguimos utilizar essa energia para a cura. Mas os engenheiros da NASA, os cientistas da China, da Rússia, do Japão e de outros fabricantes das roupas para astronautas reforçaram o material dessas roupas, pois no começo da aventura ao espaço, astronautas voltavam com a roupa perfurada e corroída para a nave após os trabalhos fora da espaçonave. O que quero dizer é que o instinto humano sabe que precisamos de um teto para morar como instinto de sobrevivência e como os rins são regidos pelo chacra básico (vórtice de energia eletromagnética) dos nossos instintos de preservação e que faz funcionar os rins e os intestinos são esses órgãos que sofrem na falta do dinheiro ou na preocupação exagerada com segurança.

Observe os moradores de rua como eles buscam cobrir a cabeça mesmo no verão, pois aqueles que dormem ao relento são os que falam sozinhos, brigam com alguém imaginário ou com espíritos, perdem o senso da realidade e muitos se tornam agressivos devido à energia cósmica da madrugada destruir ou desequilibrar suas glândulas pineais. Lembre-se que a glândula pineal é responsável pela expansão da consciência, pela evolução espiritual, pela abertura da mediunidade, da intuição, vidência e nos impulsiona para sentir a verdade celestial.

Os rins possuem as glândulas suprarrenais que fabricam adrenalina e esse hormônio é responsável pela nossa sobrevivência quando sentimos medo. Quantas vezes "gelou" sua barriga (plexo solar) quando alguém assustou você? Pois essa sensação vem da adrenalina lançada na corrente sanguínea para preparar seus músculos e seus sentidos para a fuga ou para o ataque. Isso é instinto de sobrevivência e os rins filtram o tempo todo essas toxinas das pessoas que vivem com medo do futuro em relação ao dinheiro (segurança e proteção).

Quando você acredita realmente nas "pedras do seu caminho" devido ao pessimismo e falta de fé, seu inconsciente desenvolverá pedras nos seus rins, como reflexo dessa sua crença.

O medo do futuro, retido em seu coração, reterá também a água do seu corpo, que simboliza o fluxo da energia vital.

As críticas que você faz são geradas por sua própria insegurança. Portanto, procure olhar os problemas como forma de aprendizagem e não como injustiças contra você.

Quando achamos que alguém está nos prejudicando, esquecemos que essa pessoa também pode estar se defendendo ou se precavendo contra nós. Se roubaram as suas ideias ou coisas materiais, isso foi devido ao fato de seus pensamentos estarem em constante aflição e em defesa e atraírem exatamente aquilo que você mais temia, mesmo quando você estava aparentemente tranquilo, pois o que vale é a sua crença secreta.

Enquanto você estiver se defendendo mentalmente contra esse tipo de medo, os fatos continuarão a acontecer, como se você fosse perseguido pelo azar.

Tenha pensamentos alegres e positivos! Acredite que nada nem ninguém deste mundo pode destruir seus sonhos. Tenha coragem de colocar seus sonhos em prática.

Observe cuidadosamente seu comportamento diário e perceba quantas vezes você se lamentou hoje. Saiba que a soma de suas reclamações e choramingas acionará em seu inconsciente formas maléficas de ele entrar em contato com você e alertá-lo de que seus pensamentos estão em desequilíbrio. Com essa atitude negativista quanto ao futuro, seu inconsciente fará somatizar em seus rins algum tipo de inflamação ou qualquer outra doença, porque a mente inconsciente "sabe" que os rins simbolizam como expliquei antes, o medo do futuro e insegurança com contas a pagar dividas financeiras, preocupações com as finanças de pessoas queridas e desarmonia de casal em relação ao dinheiro ou à carreira. Lembre-se que os rins são órgãos duplos e por isso representam o casal ou separação, partilha dos bens, e desespero inconsciente por não ter com quem dividir tanta preocupação.

Tenha força de vontade para eliminar esse mau hábito. Desligue-se de pessoas que só reclamam da vida ou exercite-se as auxiliando também na mudança de suas condutas pessoais.

Faça dentro de sua casa, como brincadeira, o seguinte: peça aos membros de sua família que um fique atento ao outro durante o dia e que, toda vez que qualquer deles pronunciar uma palavra negativa, ficará obrigado a corrigi-la e substituí-la por outra positiva. Fazendo assim, todos sentirão na pele o quanto eram displicentes em relação à sua conduta e, ao mesmo tempo, todos se ajudarão mutuamente a transformar o lar em um ambiente de alegria e prazer.

Se ninguém quiser colaborar com você nessa "brincadeira", trabalhe sua própria mente para corrigir-se e dê o exemplo de pessoa segura, constante, determinada e tranquila. Tire o excesso de preocupação dos ombros e deixe sua mente seguir seu fluxo normal, isto é, preocupe-se em trabalhar perfeitamente no presente, concentrando-se no "agora". Deixe o futuro como consequência do "agora" e não sofra por antecipação. Confie mais em você!

Destrua as expectativas que você criou sobre algumas

pessoas e sobre a vida. Pare de esperar que os outros o entendam e deixe de viver limitações. Vá em frente com sua garra e não se preocupe se será ou não amado. Quanto mais você esperar reconhecimento, mais sofrerá decepções e mágoas, pois ninguém é obrigado a reconhecer os valores que você pessoalmente acredita serem bons.

Cada um tem sua verdade. Carregue a sua sem guerras. Apenas leve-a no coração para servir-lhe de guia em seu caminho. Relaxe! O mundo é de todos!

Faça a oração do perdão que está no final deste livro para seus pais, onde quer que eles estejam. Faça corretamente: um dia para seu pai e no ourto dia para sua mãe somando no total, três meses (ciclo regenerativo das emoções).

Saiba que a desarmonia secreta ou inconsciente contra seu pai impedirá sua prosperidade financeira, pois ele representa a energia yang e yang é a energia do dinheiro.

Relaxe sua cabeça e tenha fé!

Pâncreas

O pâncreas é uma glândula de função dupla que desenvolve atividades essenciais para a continuidade da vida.

O pâncreas lança no duodeno o suco pancreático que se destina à digestão de substâncias ácidas. Produz também a insulina, que é o agente requerido para o aproveitamento do açúcar pelo organismo. A produção insuficiente de insulina dá origem ao diabetes e mesmo sem ter diabetes, se a insulina estiver alta demais significa que você bloqueou sua alegria verdadeira por viver no "automático" sem poder viver do jeito que você gostaria. Lembre-se que glicemia alta não significa que já está diabético, mas o inconsciente está avisando você que precisa ser mais doce e feliz soltando o seu passado e o das outras pessoas. Cuidado ao conviver com pessoas que falam muito do passado, pois elas induzem você a relembrar com elas e quem vive do passado se torna diabético e cardíaco, mesmo "por tabela".

Quando uma pessoa passa a sentir a vida triste e sem doçura, perde lentamente as duas funções do pâncreas e por associação do inconsciente ela não consegue eliminar a "acidez" dos sentimentos e não consegue mais manter os seus pensamentos "doces" como representação desse quadro emocional.

A pancreatite simboliza a perda da "doçura" da vida e indica que a pessoa vive constantemente frustrada, imaginando que jamais conseguirá realizar o que sonhou, porque acredita que não há "gosto" em continuar tentando e que a vida sempre dificulta seus desejos.

Aprenda a aceitar os acontecimentos, sejam eles quais forem, de maneira analítica e não emocional. O que estou propondo é que você transforme todos os seus aborrecimentos e frustrações em pensamentos de aceitação provisória e otimismo. Isso quer dizer que você deve tranquilizar-se, prestar atenção no fato que o aborrece, enxergar seus próprios erros e tentar novamente sem medo e com número menor de erros.

Acredite sempre em você e tente vários métodos para alcançar o sucesso.

Procure terapia, meditação, yoga ou Tai chi chuan.

O pâncreas representa nossa criança interna e precisa permanecer viva e alegre por toda a nossa vida, pois a alegria, produz enzimas de digestão no organismo que facilitam a digestão dos ácidos.

Pessoa que deixou de ser criança para se tornar um adulto sobrecarregado com os problemas da família, da empresa ou da vida, desenvolve doenças no pâncreas.

Entenda que rir, brincar, ter bom humor, se divertir e ter sempre novos planos futuros para se dedicar levam à cura total do pâncreas.

Não importa o diagnóstico médico, não tenha medo, apenas

comece a assistir filme de comédia, desenhos animados e participe de grupos de amigos jovens e alegres para que você absorva o humor deles e comece a rir alegremente para sua cura.

Jesus disse que só encontraremos o reino de Deus se tivermos o coração de criança! *(Mateus v. 18, cap. 3)*

Dê risada agora!
Mesmo sem vontade!
Faça agora! Ria!

Diabetes

Na infância é lançada a semente da felicidade ou das doenças futuras, pois as primeiras informações ficam registradas no inconsciente como crença e atrairá sempre a mesma história do passado, mesmo que pareça ser diferente, mas causarão os mesmos sofrimentos até adoecer.

O acúmulo de muitos golpes contínuos, como amor perdido, frustrações financeiras, traições, tragédias familiares, estupro, suicídios na família, assassinatos, fome e infância difícil porque teve de ser adulto antes da hora faz com que a pessoa se apegue àquilo que já passou porque, inconscientemente, não consegue acreditar que tudo o que era ruim já passou. Assim a pessoa arrasta uma profunda mágoa pelo que ficou no passado e sente que o "doce" da vida acabou. A partir de então, passa a temer o futuro porque sabe que o "gosto" dele pode ser amargo e a insegurança predomina em seu coração.

Quando você compreender que somos nós quem cria o nosso próprio destino, perceberá que aconteceram tantas coisas só porque você não aprendeu a controlar seus pensamentos, seja nesta ou na outra vida.

Mesmo que a sua infância tenha sido difícil, com traumas e perdas e que você tenha sido obrigado a ser adulto antes da hora, saiba que nada acontece por acaso e que atraímos coisas boas ou ruins conforme a frequência vibracional que você trouxe para esta vida. Solte o passado e não pense mais nele.

Tudo o que você já viveu foi apenas para ensiná-lo que, mesmo com problemas, poderemos achar a vida "doce", pois quem dá mais sabor a ela somos nós mesmos.

Espiritualize-se até sentir que é agradável poder mudar os caminhos e tentar novos horizontes. Solte o que passou e perdoe sinceramente todos aqueles que, pela ignorância, o fizeram sofrer. A felicidade não entrará em nosso coração se guardarmos mágoas do passado, Como seremos dignos da felicidade se não soubermos perdoar?

Tantas portas e janelas para serem abertas, de onde o sol mostrará o seu brilho e calor, e você aí, preso a fatos que já se foram! Acorde, criatura! Seja feliz.

Acredite que seu sol sempre brilhou mas você, que só aprendeu a desconfiar, fechou-se num mundo irreal de habitantes sem amor.

Permita a felicidade e a esperança de novos acontecimentos que entrem em sua vida, livres de toda a imagem do passado. Sinta a doçura em seus atos e em suas palavras e deseje, do fundo de sua alma, a verdadeira alegria de viver.

Para tratar uma pessoa diabética será necessário orientá-la que devido a sua infância ter sido interrompida para que ela se tornasse adulta logo cedo, seu inconsciente está constantemente voltando para o passado como que tentando encontrar o que perdeu lá traz: "A infância".

Deve fazer a terapia de resgate da criança interna, mas como elas não sabem ser crianças se sentirão ridículas se você forçá-la a brincar como criança. Será importante que o terapeuta comece aos poucos inserindo na terapia algo que a faça sentar no chão, pelo menos, pois criança gosta de sentar no chão. Mas não imponha para que elas não desistam da terapia por sentirem-se acuadas.

Se você está diabético permita que alguém especializado

em PNL ou hipnose ajude você a resgatar sua criança interna para voltar a ser doce e alegre de verdade. Com isso, você vai curar seu corpo contrariando a medicina arcaica deste século vinte e um.

Progrida sem medo do futuro e amplie seus conhecimentos para que você possa descobrir que existem caminhos diferentes, de tudo que você já tentou. Não queira mais os "ganhos secundários ou lucros afetivos" dessa doença. Não permita mais que seu inconsciente controle as pessoas que você ama ou depende usando essa doença. Limpe sua casa! Desapegue-se de objetos, roupas, sapatos, brinquedos antigos e doe com grande alegria para as pessoas necessitadas. Pare de ser acumulador compulsivo, pois todo acumulador ou colecionador são pessoas que não conseguem lidar com as perdas e emoções secretas. Aceite ajuda! Pare de sofrer pelo que você perdeu! Nada acontece por acaso. Pode acreditar!

Hipoglicemia

A hipoglicemia é o contrário da diabetes, é a queda da glicemia (pouco açúcar no sangue). Produz vertigens e tremores como se fosse fraqueza muscular, mas é a falta de energia no corpo.

O açúcar é o "combustível" do nosso organismo e é necessário, a dosagem certa para que tenhamos saúde, força muscular e ação.

O diabético "escapa" para o passado quando se sente pressionado pela vida, mas o hipoglicêmico não tem para onde fugir quando o oprimem e perde a ação, pois não sabe para onde ir sob uma opressão.

Em academia de ginástica e musculação conhecemos esses sintomas por alunos que desmaiam ou passam mal devido à hipoglicemia. Eles alegam não terem se alimentado ou que comeram chocolate antes de treinar, sem saberem que chocolate tem um pico de glicose rápido e cai também rapidamente deixando o aluno sem energia. Mas na verdade não são todos os alunos, pois muitos treinam sem ter tomado o café da manhã e apenas perdem o fôlego e não tem hipoglicemia. Por quê será que algumas pessoas sofrem essa queda da glicemia e outras não, mesmo quando não se alimentam corretamente? É porque elas lidam com o próprio emocional de forma diferente nas dificuldades da vida ou nas pressões dos opositores.

As pessoas que tem vertigem e quase desmaiam são aquelas que estão no limite de aguentar viver sob a pressão de alguma autoridade que a ameaça de alguma forma.

Hipoglicemia é fuga generalizada que acontece por causa da sensação de estar sendo oprimido pelo comportamento e pelas opiniões de pessoas da família ou de pessoas que exercem poderes sobre você. As situações de hipoglicemia mostram que a pessoa sente-se fechada para a vida, não pode ter opinião própria e nem tem coragem para mudar. É pessoa que sente pena de si mesma, por estar vivendo sob pressão e vítima de seus próprios sentimentos, entrega-se ao desespero para tentar conseguir ajuda de alguém. Ao mesmo tempo, todo esse sentimento mostra que você procura atrair a atenção de quem, especificamente, lhe nega essa atenção.

Se você continuar permitindo que passem por cima dos seus desejos, vai continuar tenso e provocará o desequilíbrio de suas emoções. Pare de confundir a si mesmo pensando que está abaixo de alguém que tem poder. Pare de agradar a todos e daqui para frente, seja o sujeito da oração e não mais o objeto.

Respeite todos que o rodeiam, mas acima de tudo, respeite-se.

Se for necessário que você se afaste provisoriamente de determinadas situações, faça-o!

Se as pessoas que convivem com você desrespeitarem seu direito de pensar, compreenda que caberá a você se impor, com sabedoria e sem atritos.

Quem quer dominar o mundo, sacrificando a liberdade alheia, não conhece os princípios humanos. Portanto, contornar a situação sem anulações e sem desarmonia é dever dos que estão sendo oprimidos. É muito importante demonstrar às pessoas quando elas estão nos sufocando, pois isso ajudará a dar continuidade aos relacionamentos e, acima de tudo, ajudará cada um a se enxergar, melhorando o autoconhecimento mesmo que isso leve à separação.

Acalme-se! Se você está assim é porque é uma pessoa sensível e boa, apenas não aprendeu a se "colocar" diante das pressões da vida. Pode ser que por você ter sido rebelde no passado e prejudicou a si e a outras pessoas, está tentando mudar sua forma de agir e caiu para o outro extremo das atitudes. Ache seu equilíbrio pelos direitos e deveres de todo relacionamento pessoal ou de trabalho. Jamais você encontrará alguém de má índole com hipoglicemia, pois quem é ruim não se anula em circunstância alguma. Seja bom, mas não se anule! Use sabedoria e perdão.

Busque o equilíbrio de suas emoções. Comece, aos poucos, a fazer aquilo de que você mais gosta e tenha paciência quando sofrer críticas. Acredite que as atitudes das pessoas são apenas o reflexo do nosso medo de ser criticado e que, se mudarmos, elas mudarão também. Ative a sua força de vontade e pare, imediatamente, de interpretar o papel de "vítima".

Não deixe mais ninguém gritar com você ou humilhá-lo. Não brigue! Olhe firme nos olhos dessa pessoa e fale em poucas palavras que você não quer mais esse tipo de vida nem para você nem para ela e que você não precisa mais passar por isso, nem ela. Afinal, você e essa pessoa estão sofrendo de maneiras diferentes: um é agressivo ou irônico e o outro se anula, mas estão infelizes. Tenha fé, mansidão, mas decisão. Deus estará com você!

Aprenda a ter o direito de usufruir do prazer, do conforto e de possuir tudo aquilo que lhe dá satisfação e beleza. Procure ajuda psicológica! Ame-se, compreendeu?

Fígado

O fígado é um autêntico laboratório químico: provoca modificações em quase todas as substâncias que chegam até ele, filtra todos os produtos ingeridos e elimina substâncias tóxicas. Ele também decompõe as moléculas alimentares que serão absorvidas pelo organismo, tornando assimiláveis determinadas substâncias que o organismo repeliria e armazena substâncias hepáticas que servem de reserva, tais como moléculas de gordura, proteínas e vitaminas especiais dos alimentos.

O fígado processa a produção de nossa fonte de energia, que é o glicogênio, e controla os açúcares do corpo transformando-os em reservas ou eliminando-os. Seu trabalho é de aceitação, análise e transformação benéfica para a vida.

Pessoas que analisam a vida de forma rebelde porque têm registros de mágoa em seu passado, alimentam raiva constante e não aceitam determinadas ajudas, contrariam a verdadeira função do fígado.

A rejeição do amor, a ira dominante, o nervosismo expresso com crises de raiva, as críticas rígidas e crônicas, a atribuição dos sofrimentos pessoais às falhas dos outros e a não aceitação da necessidade de mudanças, repelindo conforme a sua natureza, tenta processar tudo com organização e humildade.

O fígado simboliza "mamãe" e fica doente quando a pessoa teve a mãe ausente ou difícil, pois tem raiva inconsciente de mulheres que representam sua mãe.

Pessoa mal humorada ou com oscilações no humor, que vê sempre defeito nos outros ou nas situações, acaba com gordura no fígado ou doenças no fígado.

A raiva força as suprarrenais a produzir muito cortisol (hormônio do instinto de sobrevivência) e estradiol e adrenalina (hormônios) que enfraquecem o sistema imunológico, intoxica o sangue e consequentemente o fígado que derrames cerebrais, angina, infartos, infecções e desgastes ósseos devido à contração muscular que a raiva produz e que contrai as articulações as esmagando.

Que horror Cris! É realmente é um horror e uma lastima, pois por mais que a pessoa seja avisada que precisa espairar e mudar a forma de ver a vida muitos ignoram e brigam no trânsito, em casa, reclamam de tudo e todos e dizem que não são assim. Dizem ainda que tem problemas no fígado porque comeu coisa errada.

Jesus disse que não é o que entra pela boca do homem que faz mal, mas sim o que sai da boca e o que sai da boca vem do coração *(Mateus v. 15, cap. 11)*.

Você já ouviu a frase: "Ri tanto com os amigos que desopilei o fígado". Pois é, a gargalhada, verdadeiramente alegre, todos os dias, cura completamente qualquer deficiência no fígado, pois a gargalhada gostosa de criança e efusiva força o cérebro a produzir a endorfina (hormônio da felicidade) e serotonina (hormônio da euforia e vontade de viver). A risada combate a depressão, o estresse e abaixa a pressão arterial, além de eliminar o excesso de gordura do fígado. E quanto mais risada mais bem estar e quanto mais bem estar mais síntese de beta endorfina que leva à cura do fígado. Ria muito, e se cure!

Faça também a oração do perdão que está no final deste livro para seus pais onde quer que eles estejam, mesmo que você ache que não tem nada para perdoar por três meses (ciclo regenerativo das emoções).

Lembre-se que fígado representa sua mãe e mulheres dominantes, chantagistas ou ausentes.

Faça essa oração um dia para seu pai e o outro dia para sua mãe para equilibrar suas raízes e seu Humor!

Hepatite

É a somatização dos sentimentos citados no tópico fígado e significa permitir que suas emoções se tornem pesadas e grosseiras, ainda que o comportamento não seja aparente. A pessoa costuma guardar esses mal-estares para si mesma, criando inflamações no órgão representante dessas emoções: o fígado.

A raiva é tão grande que qualquer proposta de mudança para ser feliz é rejeitada de forma rebelde e em vários níveis.

Continue analisando as situações, mas faça uma reflexão: procure perceber sua conduta perante certas pessoas e tente achar outra saída... sem ser pela raiva!

Liberte-se do "tem-de-ser-assim", pois tudo aquilo que impomos a nós mesmos e aos outros bloqueia o fluxo natural dos acontecimentos e causa desarmonia.

Seja o que for que lhe causou prejuízo, perdoe e recomece a viver distante das emoções carregadas. Ouça o que seu coração tem a lhe dizer e acredite nas soluções pelo caminho da paz. Promova ajustes sinceros e pacientes e saiba resolver os problemas de forma tranquila, esperando sempre o melhor.

As mágoas fazem parte de nosso ego e ele, às vezes, é o maior inimigo do homem, pois o limita no processo de busca da felicidade. O ego tem a tendência de nos fazer acreditar que a verdade é somente a nossa e que somente a nossa inteligência pode resolver as situações complicadas.

Liberte-se dessa tendência e queira ser livre para poder recomeçar. Deixe o passado para trás e, mais que tudo, queira encontrar pessoas que precisem de sua ajuda e de sua experiência de vida.

Ame-se, sem limites. Ame-se mais que tudo neste mundo, para que a Luz e a Energia do Universo penetrem em sua alma e em seu corpo gerando um novo Ser nesta terra. Aceite ser feliz! Aceite mudar, humildemente, e sinta como é bom possuir a maior riqueza: a paz de espírito. Você pode conseguir, se o quiser, pois ninguém é responsável pela sua vida, senão você próprio através do poder da livre decisão que determina grande parte do nosso destino.

Passe a falar palavras de amor e elogios, com carinho,

às pessoas com quem você convive que elas passarão a respeitá-lo muito mais.

Todos nós precisamos de atenção e respeito para termos vontade de acertar. Quando castigamos alguém, rebaixando-o ou faltando-lhe com a consideração humana, seja quem for, podemos ter certeza de que essa pessoa, inconscientemente, agirá contra nós. Consequentemente, passaremos a alimentar certa raiva em relação a ela, esquecendo-nos de reconhecer as nossas próprias falhas.

Seja você o primeiro a ser feliz, ignorando o que passou e criando hábitos calmos e seguros para com você mesmo, sem esperar nada de alguém em troca. Faça isto por você. Ame, incondicionalmente a todas as pessoas, coisas e fatos que, em curto prazo, sua alegria será extremamente contagiante e sincera.

A hepatite em crianças mostra os sentimentos dos pais e avós. As crianças, até sete anos e meio de idade, "captam" a mente da mãe. Após essa idade até quatorze anos e meio, "captam" a mente do pai. Pois existe, uma conexão de pais para filho, por uma ressonância inconsciente, não verbal. Portanto, se seu filho ou sua filha estão com os sintomas da hepatite, mude imediatamente seu próprio comportamento da raiva para a paciência (paz) para que eles não sofram injustamente.

Alcoolismo

O alcoolismo não é tão difícil de curar. O difícil é fazer com que as pessoas entendam o que o alcoólatra precisa.

Não se sabe quem é mais teimoso: quem bebe ou quem implora ao alcoólatra para que pare de beber.

A falta de "amadurecimento" em algumas áreas do cérebro de um adulto faz com que ele encare a vida de forma distorcida. As dificuldades, que para alguns são simples de resolver, para essas pessoas tornam-se complicadas, principalmente se elas tiveram uma educação que lhes exigiam comportamento exemplar e pela qual era impossível expressar sua própria vontade. Muitos pais, e até mesmo familiares, ensinam aos meninos que "homem não chora", ignorando que estão criando bloqueios na mente dessas crianças.

Há pessoas que quando bebem, dizem coisas sem nexo: são os bêbados briguentos ou os sentimentais. O que acontece com eles é que os sentimentos reprimidos no dia a dia "explodem" quando a consciência deixa de censurá-los, porque o receptor cerebral ficou entorpecido pelo álcool.

O bêbado sentimental é aquele que tem acumulado dentro de si motivos para chorar, mas que reprime essa vontade pela autocensura "que considera vergonhoso ou feio chorar". Deixando de se reprimir, extravasa seus sentimentos e... chora.

O bêbado briguento é aquele que vive sempre com muita raiva, mas não a expressa, pois acredita que um cavalheiro que se preza não fica zangado e não grita à toa. Por isso, reprime o sentimento de raiva e finge serenidade, mas, na realidade, está "fervendo" por dentro. Em certas ocasiões pensa em pegar objetos e atirá-los contra a parede, porém, acha que tal procedimento seria vergonhoso para um cidadão civilizado e se contém reprimindo essa vontade. Mas tais sentimentos ficam apenas confinados, não desaparecem.

Portanto, quando se ingere bebida alcoólica, ocorre a inibição da autocensura e o indivíduo passa a dizer coisas sem sentido, a jogar objetos, a implicar por motivos fúteis com as pessoas que o cercam e a resmungar bobagens. Tal comportamento não é o resultado da bebida em si, mas dos sentimentos nutridos e acumulados na mente da própria pessoa, os quais são liberados em consequência do entorpecimento do cérebro.

Porém, atentem para o seguinte: assim como o álcool, o fumo e outras drogas têm, também, a finalidade de anestesiar nosso receptor cerebral. Logo, qualquer sentimento de culpa ou medo, fica adormecido pelo efeito dessas drogas. É certo que 95% dos nossos atos são dirigidos pelo inconsciente e que apenas 5% são regidos pela nossa consciência.

Não devemos julgar um alcoólatra pelos atos dos seus 95%. Nem ele mesmo tem consciência disso porque não consegue parar de beber. Sua única justificativa é dizer que gosta de beber, o que não é verdade, pois o paladar só é perceptível ao gosto até os cinco primeiros copos. Depois disso, as glândulas salivares ficarão congestionadas pela substância ácida processada pelo fígado para modificar as moléculas nocivas ao organismo, causando alteração no paladar.

Veja que esse indivíduo possui apenas cinco por cento de compreensão para lutar contra o vício. Então, não perca tempo tentando convencer os outros noventa e cinco por cento do seu inconsciente dizendo-lhe palavras que não serão ouvidas.

Saiba aproveitar o canal de acesso até a parte dominante (os noventa e cinco por cento), que o ouvirão quando essa pessoa estiver dormindo. Portanto não tenha pressa em achar a solução.

Em primeiro lugar, se você pretende ajudar esse indivíduo, deve se perguntar antes se você o ama realmente, apesar de ele estar escondido atrás da bebida. Mas, se não aguenta mais e quer desistir, então feche este livro e procure fazer uma terapia porque, acredito que você está no limite de suas energias e por isso não conseguirá ajudar mais ninguém.

Nessa situação, você pode não ter onde se apoiar, ao passo que a pessoa dependente tem a bebida como suporte.

Por mais que se tente fazer alguém largar o álcool ou o fumo, tais esforços serão em vão enquanto as atitudes mentais e o modo de vida da própria pessoa não forem corrigidos. O sentimento de culpa profundo esconde-se nos noventa e cinco por cento do seu inconsciente, e *culpa* é um sentimento gerado na infância pela educação, pela escola e até pela igreja. Alguns pais, por desconhecerem outra forma de educar, insistem em gravar no subconsciente da criança ordens como: "Não faça isso". "Não mexa aí". "Não pode fazer isso". "Você vai apanhar se chorar", etc. Quando adulta essa criança vai passar a viver com a sensação de "peso" no peito, como se fosse uma cobrança constante de seus próprios atos. Inconscientemente crê que está fazendo tudo errado e que está sendo censurada pelas exigências gravadas em sua mente (superego) desde a infância. Consequentemente é levada a uma forte depressão.

Entenda que para o inconsciente os fatores tempo/espaço são inexistentes. Para ele existem, apenas, ordens que devem ser cumpridas.

É por isso que se deve trabalhar os cinco por cento da pessoa, com sinceridade, paciência, amor e esperança. Imprima-lhe, em seu subconsciente, através de palavras positivas um novo modelo de pensamento quando ela estiver dormindo. No sono o subconsciente está alerta e o inconsciente também. Reeduque-a no sentido de se amar e sugestione-a fazendo com que acredite que seu mundo é livre de cobranças e tormentas.

O alcoolismo, a compulsão alimentar, fumo, as tendências para as drogas e todo o vicio pela boca tem inicio na primeira fase de desenvolvimento das crianças: A FASE ORAL. Essa fase vai de zero a aproximadamente dois anos de idade. É a fase da amamentação e quando a mãe não pode fazer "a maternagem" como deveria, ou seja, amamentar no peito ou na mamadeira durante dois anos com paciência e brandura e interrompe de forma brusca a amamentação ou ocorrem brigas dos pais durante a alimentação da criança, o bebê registrará "culpa" em seu inconsciente.

Todo vício pela boca revela que a pessoa está tentando preencher o vazio da alma com alguma substância acreditando que saciará essa cede de amor.

Mas saiba que toda pessoa que se droga de alguma maneira apenas faz parte de uma família doente da alma também. Se internarmos um dependente de álcool numa clinica de desintoxicação e lá ele começa a se perceber, se curar e fazer planos novos para quando sair da clínica, o que você acha que vai acontecer quando o devolvermos para o antro familiar? Claro que ele voltará a beber, pois o problema está em todos e não só nele. Toda família de alcoólatra ou alcoólico também são alcoólatras disfarçados ou viciados em outra coisa que não seja droga.

Semelhante atrai semelhante e essa é a Lei Universal que todos deveriam estudar para entenderem que ninguém é vítima de ninguém e que todos devem fazer terapia para um apoiar o outro nos sentimentos de amor e perdão.

Quanto mais você falar positivamente, mais a pessoa dependente do álcool sentirá segurança e equilíbrio. Ao contrário, se você resmungar, criticar, cobrar, chorar e implorar aumentará seu sentimento de culpa e ela recorrerá à bebida para fugir das angústias e complexos que ela mesma criou. Essas pessoas assemelham-se às ostras que, ao primeiro sinal de perigo, recolhem-se para dentro de si mesmas.

Comece já a agir positivamente. Ela precisa do seu apoio. Passe a tratá-la normalmente e acredite em sua capacidade de recuperação. Reconheça, a partir de agora, que o álcool teve o mérito de ajudá-lo a descobrir o lado sensível e carente dessa pessoa que necessita ouvir palavras de elogio, declarações de sua amizade ou de seu amor, de forma alegre. Mostre-se grato por tudo que essa pessoa fez e faz de bom. Se você não vê coisas boas nela é porque você, também, não as tem. Lembre-se: os semelhantes se atraem, consciente ou inconscientemente!

Procure ajudá-la a eliminar seus complexos de culpa e a acabar com a raiva acumulada em seu coração, por não conseguir agir como gostaria. Desate-lhe os nós da cabeça. Ame-a de verdade, pois ela quer ser como você, livre das angústias e do sentimento de solidão que a afligem.

Dizer isto a um alcoólatra é perda de tempo porque ele, por vergonha, prefere negar que guarda ressentimentos ou complexos de culpa.

Deixe-o beber em casa, sem culpas e sem se preocupar, porque a bebida perderá um pouco o seu sabor. Você sabe: tudo que é proibido é mais gostoso!

É muito importante sua atenção carinhosa. Desvie, sempre que puder, o assunto sobre bebida, falando somente sobre fatos agradáveis. Seja forte e vença seus medos ou traumas sobre esse assunto. Abstenha-se de comentários arrogantes ou pejorativos quando seu ente querido ou amigo chegar alcoolizado ou mesmo quando ele for pegar alguma bebida. Fale naturalmente e continue agindo como antes de ele beber. O que vicia não é a bebida, mas o apego a ela que representa uma forma de fuga inconsciente.

Defenda-o das pessoas maldosas ou mal informadas que o criticam. Ele precisa do seu apoio e de seu carinho e nunca de acusações, pois se ele bebe é porque seu inconsciente está repleto de repressões e culpas criadas desde a infância. Mostre-lhe o quanto ele é importante para você, servindo-o e compreendendo-o. O amor verdadeiro penetra pelos poros e cura!

Com o tempo esse indivíduo passará a sentir uma desagradável e incômoda sensação quando estiver bebendo e, às vezes, até se esquecerá de tomar "aqueles" goles.

Todos perceberão sua mudança de comportamento e o seu despertar para a verdadeira alegria de viver.

O amor e as palavras de elogio que receber alterarão seu "programa" mental negativo, tornando-se uma pessoa segura, livre e consciente disposta a vencer.

Os que convivem com alcoólatras devem, antes, se curar de seus medos, do orgulho ferido e até da sua posição de vítima, caso contrário o dependente químico continuará bebendo enquanto ouvir cobranças e lamúrias. Salve essa pessoa para que ela possa descobrir a sua própria capacidade,

Todo dependente químico possui sensibilidade aguçada e certo grau de mediunidade. Enquanto essa pessoa não encontrar o seu caminho verdadeiro, ou seja, sua verdadeira missão espiritual nesta vida, continuará fugindo da realidade através das drogas.

Se você quer ajudá-la, peça a um astrólogo que faça o mapa astrológico (cientifico) dessa pessoa e pergunte a ele qual é a missão espiritual desse dependente químico.

Após ouvi-lo descubra uma maneira criativa e discreta de induzir o "viciado" a fazer, gradativamente, aquilo que está no seu mapa. Não o deixe saber que foi você quem providenciou o seu mapa, caso contrário ele resistirá aos seus conselhos. Leve-o para fazer caridade com a desculpa de que é você quem quer fazê-la e que ele irá apenas para acompanha-lo.

Aos poucos ela se encontrará e se tornará forte para largar as drogas e assumir, com coragem um rumo saudável e iluminado.

Procure estudar a verdadeira astrologia e fuja dos que se dizem astrólogos, mas que na verdade são só aventureiros desse conhecimento. Faça seu mapa astral também para saber por que você está vivendo essa situação e como fazer para ser uma pessoa melhor e mais feliz.

Caso você goste de um aperitivo, tente parar de beber também, pois a pessoa que convive com você e que tem dependência química precisa ver que ninguém bebe na casa e nem em festas. Isso o fará se sentir deslocado e tentará parar também. Mesmo que os amigos bebam o importante é a família não beber e viverem em harmonia para produzir prazer e alegria em todos.

Busque seu autoconhecimento e você saberá como sair dessa situação com sabedoria ou como ajudar a pessoa querida se libertar desse mal.

Na Bíblia está escrito: "A Verdade vos libertará".

Vesícula

A vesícula exerce a função reguladora do fluxo de secreção biliar que o fígado produz para as necessidades digestivas do intestino.

Quando a pessoa está em jejum, o anel muscular da vesícula se mantém fechado, represando a água da bílis sob forma concentrada. A vesícula age submissa ao fígado, auxiliando-o nas funções digestivas. Trabalha em harmonia esperando, pacientemente, receber a bílis que está sendo fabricada. Conhece seu limite de absorção, de apenas 3cm^3 ou seja, duas colheres de sopa por dia.

Observando o seu funcionamento sabe-se que para somatizar os problemas na vesícula, basta contrariar psicologicamente as suas funções. Exemplos: o indivíduo que perde a harmonia com alguém que exerça autoridade sobre ele e sente raiva por estar tão sobrecarregado e sem reconhecimento; ou aquele que vive sofrendo intensas e dolorosas emoções, irritações constantes, diminuição do prazer em trabalhar e carrega amarguras no coração. Essas emoções alterarão as funções da vesícula — que simboliza o trabalho harmonioso e repleto de satisfação.

O resultado desse distúrbio será o de uma retenção parcial do trabalho, semelhante ao quadro apresentado na vesícula (retenção parcial da bílis) causando aumento da pressão interior e provocando cólicas que obrigam a pessoa a parar.

O aumento da pressão interior simboliza o atrito mental relacionado a uma insistência em trabalhar demais para ser reconhecido.

Os médicos afirmam que pessoas que ingerem muito alimento gorduroso podem desenvolver problemas na vesícula, mas sabemos pela psicologia da correlação (linguagem do corpo) que quem se atrai por comidas gordurosas possui personalidade difícil e que sofre de conflitos internos pela falta de reconhecimento em todo tipo de trabalho.

Quem gosta de alimento gorduroso revela, inconscientemente, que precisa se esconder dos sofrimentos e da sobrecarga da vida "dentro de um casulo de gordura".

Mulheres que se sentem submissas e sobrecarregadas sofrem da vesícula.

Homens e mulheres que se sentem pressionados por pessoas que têm autoridade sobre eles ou que se cobram demais trabalhando sem férias e sem descanso destroem suas vesículas, pois a própria vesícula mostra como deveríamos ser ao trabalhar: interromper o trabalho depois da produção do dia até precisar novamente do produto. Mude sua forma de trabalhar, seja com o que for, descanse sem trabalhar (dias de férias) ou trabalhe sem sentir-se sobrecarregado. Todas as pessoas que mesmo trabalhando muito se divertem, amam o que fazem e não esperam reconhecimento nem elogios nunca desenvolvem problemas na vesícula. Trabalhar não é o problema e sim a sobrecarga sem alegria e sob pressão de alguém ou de si mesmo.

Desarme-se! Pare de gerar atritos internos contra quem não reconhece seus esforços!

A vesícula adoece quando você não percebe a hora de parar de trabalhar para descansar.

Todas as pessoas que estão com a vesícula precária precisam tirar férias imediatamente ou trabalhar com alegria e satisfação sem se sentir sobrecarregado ou sob pressão como expliquei acima.

Todo trabalho, seja em casa ou fora dela, sempre nos acrescenta algo de novo. A harmonia depende do seu modo de encarar a situação em que você está vivendo há tanto tempo.

Você criou um mundo ao seu redor onde a responsabilidade não foi bem distribuída. Não se sobrecarregue de problemas sem necessidade. Pare de acreditar que só você pode arcar com tudo. Isso não é verdade! Solte o que não é seu e deixe que as outras pessoas se encarreguem de suas partes. Ensine-as a se corrigir sozinhas e não aceite que dependam de você. Pare de querer, "desesperadamente", dar uma vida melhor para sua família. Trabalhe tranquilamente em direção à prosperidade, pois nada acontece fora do tempo.

Ser feliz é uma questão de escolha: liberte-se, ou continuará sobrecarregado porque se nega a enxergar a saída.

A sobrecarga é sinal de falta de confiança no amanhã e, principalmente, da desvalorização dos pontos positivos de outras pessoas que convivem com você.

Passe a agir de forma diferente, procurando entregar, aos poucos, a responsabilidade de cada um e diga-lhe claramente o que você está sentindo em relação a tudo. O diálogo ainda é o melhor remédio. Pena que são tão poucos os que acreditam no seu poder!

Deixe a paz tomar conta de você e resolva o seu destino com tranquilidade e acreditando no melhor. Habitue-se a falar e a agir positivamente. Sua conduta influenciará totalmente sua saúde. Seja uma pessoa de postura segura e mantenha o olhar tranquilo. Seja decidido e sereno em seus movimentos, procurando ser carinhoso com você mesmo. Dê presentes a si mesmo, saia a passear consigo, namore-se um pouco e você conhecerá o seu outro lado, criança, no qual jamais reparou. Ame-se e se respeite. Deus não o criou para se autodestruir e sim para conhecer todo seu potencial e desenvolvê-lo.

Lembre-se de que, segundo a linguagem do corpo - ou psicologia da correlação - o lado direito representa a mãe e mulheres do seu convívio, e a vesícula está do lado direito na parte inferior do fígado. Perdoe todas as mulheres, vivas ou falecidas! E se exercite a trata-las com mais paciência e ternura. Afinal você não é uma pessoa perfeita para se irritar tanto com as atitudes das mulheres do seu convívio. Pela *lei da projeção*, você está sofrendo ou se desgastando secretamente contra certas mulheres, ou com sua própria mãe, porque não percebe que tem os mesmos defeitos de conduta que elas. Não é fácil encontrar em si mesmo o que vemos de defeito nas outras pessoas mesmo porque muitas vezes, nem percebemos que agimos igual a elas em outros lugares que frequentamos.

Desarme-se e quando tirar férias esqueça o computador e o celular para não ter a tentação de controlar situações à distância. Relaxe e cure sua vesícula!

Apêndice

Aparentemente é um órgão que, dentro do longo processo evolutivo da espécie, está em extinção. O apêndice é um desvio curto e fino na porção inicial do intestino grosso. É chamado de apêndice vermiforme devido ao seu formato ser parecido com um verme pendurado no ceco (parte do intestino). Nos humanos e nos primatas, ele não tem função. Mas nos pássaros o apêndice tem a função de processar a prolongada digestão da celulose dos vegetais. No ser humano, a celulose resiste à ação dos sucos digestivos: a decomposição das fibras vegetais se processa no intestino grosso. Acredita-se que o apêndice humano exercia papel semelhante ao que exerce hoje nos pássaros, mas isto em épocas tão remotas como a dos animais pré-históricos que eram, na maioria, vegetarianos.

Apendicite

Apendicite revela a raiva "inconsciente" contra a origem da família: tataravós, avós e pais, como se eles fossem responsáveis pelas infelicidades de hoje em sua vida. O apêndice representa a origem familiar e doença nesse órgão mostra que a pessoa culpa seus antepassados por sua vida não ser feliz e se torna insegura se sentindo desamparada.

Significa o bloqueio da vida pelo medo. Pessoa que sofre de apendicite mostra o receio em continuar pelo caminho que está seguindo e sente que não consegue mudar. O conflito obstrui simbolicamente o canal da felicidade, retendo "fezes" mentais. Alguém assim guarda mágoas e acredita que deve se trancar e continuar sofrendo.

Nestas pessoas também as alegrias são dispersas, elas ficam agarradas a algum relacionamento, à sua profissão, mesmo que frustrante, e a coisas velhas que não têm mais utilidade para elas.

Procure identificar o motivo que está causando essa infecção, pois infecção significa raiva e o apêndice está localizado no lado direito do abdome (lado yin = mãe e mulheres). A desarmonia emocional provoca a invasão de bactérias como reflexo do desequilíbrio energético do corpo. Os estafilococos ou estreptococos são apenas instrumentos para lhe mostrar como está sua conduta mental.

Mude sua maneira de pensar, agradeça a seus antepassados e principalmente seus pais por você estar na Terra, tendo a oportunidade de evoluir, aceite a felicidade e relaxe para a vida.

Permita que a paz penetre em seu coração. Elimine as mágoas através do verdadeiro perdão e amplie seus conhecimentos a respeito de si mesmo. Reconheça sua capacidade e seu potencial para viver bem com as pessoas e acontecimentos, sem se deixar levar pelo ego, que quer estar sempre certo. Seja feliz, se liberte de tudo que esteja sufocando sua coragem para continuar!

Apendicite era comum nas décadas de trinta a sessenta, onde a educação era rígida demais e causava anulações dos desejos dos filhos e eram castigados fisicamente de formas quase medievais, pois para serem castigados eram obrigados tanto pelos pais quanto pelos professores, ajoelhar sobre grãos de milhos jogados no chão propositadamente, Palmatória onde as crianças e adolescentes eram estupidamente feridas nas palmas das mãos com uma cinta grossa e curta de couro, eram também colocadas num quarto escuro com coisas e cheiros deprimentes, outros jovens ficavam de castigo na escola atrás da porta da sala de aula com o nariz encostado da parede e a porta encostada nas suas costas até o "recreio" acabar e se saísse daquele castigo, sem ordem do professor, a criança apanhava de "régua" no rosto, nas mãos e até nas costas, fora os puxões de orelhas que tínhamos que ficar nas pontas dos pés para não arrancarem nossas orelhas (passei por isso). Mas como eu era rebelde e não tinha medo das punições não guardava mágoa, pois eu reagia e vivia fugindo (imagine a cena). Quando os alunos eram obrigados a cantar o hino nacional no pátio da escola, antes de entrarmos para a aula, eu fugia e me escondia nos pés das carteiras e quando me achavam eu me pendurava nas cortinas da sala de aula e gritava como o Tarzan saltando de um lado para o outro. Preciso contar o que acontecia quando me capturavam? Além de mais castigos e surras, meus pais eram chamados sempre na diretoria e ninguém conseguia me segurar.

Me expondo assim muitas pessoas podem pensar que meus pais não me educaram corretamente, mas a verdade é que eles me castigando ou sendo bons para mim, não compreendiam, naquela época, o que era uma criança "Índigo".

Muitos colegas daquela época não sabiam que seus problemas emocionais na vida adulta tinham sido causados pela educação da época, mas meus pais me ajudaram com amor e eu por conta própria procurei psicólogos.

Nunca tive doenças do apêndice, mas vários colegas meus, da escola, tiveram.

Os traumas, a ira, o medo e as frustrações por não poder reagir diante dos maus tratos causam doenças no apêndice pois, ele como expliquei acima, representa a origem da família: avós e pais.

Você tem o direito de escolher o que é melhor para sua vida, mas através da harmonia. Saiba que nada acontece por acaso e que somente com o perdão você conseguirá curar seu apêndice. Ninguém nasce pela barriga errada e "Deus não joga dados", como disse Albert Einstein. Tudo tem um porque e você poderá perdoar e soltar o passado compreendendo que tudo que você vive é apenas experiência de vida para a nossa busca da felicidade da maturidade espiritual. Confie!

Bexiga

Toda lágrima contida por longo tempo, causará doenças úmidas ou excesso de micção (bexiga solta). A bexiga tem a função de reter e armazenar a urina com seu formato de saco membranoso. As faixas de fibras musculares que circundam a uretra a mantém cerrada: são os esfíncteres internos e externos que sustentam a função.

Pessoas que não estão suportando mais os seus aborrecimentos passam a ter dificuldades com a bexiga, que simboliza "suportar". O ato de armazenar os problemas implica também em soltá-los. Se você se apegou a um fato e ele se tornou a causa de todas as suas angústias, saiba que esse apego o deixará cada vez mais ansioso em resolver a questão.

A bexiga está estreitamente relacionada a problemas psíquicos, em níveis variados. Há pessoas que se tornam "cegas" para a vida devido a um determinado acontecimento ao qual se apegam de forma paranoica.

Em muitos casos o desequilíbrio psíquico acarreta danos na bexiga, somatizando o sentimento cego de "não aguentar mais segurar".

Pessoas equilibradas, mas saturadas emocionalmente, prejudicam o funcionamento natural desse órgão. A falta de respeito para consigo próprio é o fator principal das afecções urinárias.

Pessoa com "lágrimas contidas" seja por não poder chorar devido ao tipo de vida que leva, seja por ser tão "guerreira" ao ponto de nem perceber que tem lágrimas retidas no coração, terá sérios problemas de urinar muito a todo instante significando que as lágrimas estão escapando pela bexiga.

Deixe de querer corrigir os defeitos alheios e viva sua própria história, descobrindo em seus próprios pensamentos, razões especiais para desapegar-se de acontecimentos e de pessoas. Respeite o direito de errar que as pessoas têm, pois cada um tenta o melhor de si, para buscar a felicidade, assim como você. Aprenda a perdoar, saindo dessa postura de vítima, e vá à luta pelos seus sonhos.

As lagrimas contidas, muitas vezes acontecem com pessoas que não se permitem ser frágeis e não percebem que têm "lágrimas" escondidas no coração. Sofrem, mas as lágrimas dos olhos secaram, por terem que ser fortes o tempo todo na família, no relacionamento e até no trabalho.

Saiba que chorar e admitir fragilidade, não significa ser fraco, mas que desmoronar para nos reconstruir e voltar mais fortes é naturalmente humano.

Chore se for preciso, busque conhecer suas verdadeiras emoções humanas, mas se você chorar demais também desequilibrara as funções da sua bexiga fazendo com que a bexiga seja bloqueada simbolizando que está na hora de parar de chorar por dentro.

Bexiga caída revela que você está guardando segredos dos seus sofrimentos e tristezas por muito tempo simbolizando pessoa sobrecarregada e infeliz.

Tristeza profunda também revela que a pessoa se esqueceu por muito tempo e não teve resignação verdadeira no coração. Chegou a se anular por alguém ou por uma situação e nunca aceitou ter vivido assim. Não sentiu gratidão verdadeira. Toda infelicidade é resultado da ingratidão.

Os médicos convencionais dizem que muitas mulheres têm bexiga caída devido à gravidez ou devido à idade avançada, mas eles não se dão ao trabalho de pesquisar estatisticamente, o tipo de personalidade das mulheres com problemas na bexiga. Não se interessam em estudar além e com isso, não ensinam corretamente sobre a verdadeira causa. O corpo fala e o médico do século vinte é surdo.

Graças a Deus muitos médicos já estão estudando a metafísica da saúde e estão salvando pessoas da ignorância de si mesmas.

Mudar a personalidade para firme e destemida, flexível sem se anular, determinar o que não quer mais para si, buscar sonhos próprios com coragem e fé, falar o que pensa, mas saber escutar e parar de ser autoritária por querer controlar e segurar a família vai curar a sua bexiga.

Lembre-se que infecção é "raiva" e sendo na bexiga que representa a lágrima revela conduta rancorosa e infeliz.

Problemas na bexiga acontecem em homens também, mas ocorre mais em mulheres. Os sentimentos que causam doenças na bexiga são os mesmos para as mulheres e para os homens.

Equilibre-se e aceite com alegria o que você não pode mudar agora.

Tudo sempre muda! Nada está estático no mundo e no Universo! Alegria cura sangue, pulmões e bexiga. Ria feliz e Cure-se!

Cistite

Cistite é a inflamação da mucosa da bexiga e pela psicologia da correlação (linguagem do corpo) significa nível muito alto de raiva contida e secreta contra pessoas íntimas família.

Significa que a pessoa está inflamada em suas emoções, devido a acontecimentos que ela não consegue mudar e que a estão forçando a segurar o que precisa soltar.

Para ela, a dor de ter de soltar o que não quer perder faz com que o inconsciente desenvolva fortes dores quando solta a urina. Essa queimação no momento de urinar representa o "fogo" da raiva secreta.

Observe o seu comportamento: Você está seguro do que está fazendo? Será que não está perdendo o respeito próprio porque está apegado a velhos e antigos pesadelos? Pense nisso!

Seja como for, volte à sua personalidade original. Não

esconda de si mesmo a coragem de largar o passado ou um aborrecimento atual. Deixe o mundo girar!

Seu sofrimento está sendo gerado por seus próprios pensamentos inflamados. Você não é obrigado a continuar chateado com o que está acontecendo. Tente resolver os problemas da melhor maneira possível e sem atritos, pois seu estado de saúde está exigindo sossego e conforto para o seu coração. Respeite-se e admita que você é responsável pela sua felicidade. Sinta a alegria e a segurança de realizar, com calma, a sua função de receber os problemas, analisá-los e eliminá-los de seu caminho.

Deixe os fatos mudarem e pare de lhes oferecer resistência. Queira conhecer os novos aspectos de sua personalidade.

Para que exigir de certas pessoas aquilo que deseja que elas façam por você? Você já sabe que as suas expectativas serão sempre frustradas enquanto você teimar em não compreender que ninguém deve nada a ninguém. Nós somos responsáveis somente por nós mesmos e ninguém é responsável por mais ninguém. Esperar que as pessoas sejam responsáveis, de alguma forma, por nossas vidas, é pura acomodação.

Pare de buscar aborrecimentos e de se fazer de vítima.

Cistite revela muita raiva e tristeza. Tenha gratidão pela sua vida e busque saber quem é você e o que quer verdadeiramente.

O mapa astrológico natal pode redirecionar a sua vida. Procure um astrólogo profissional verdadeiramente matemático e ele a orientará mostrando novos caminhos para você construir novos sonhos.

Baço

É a víscera responsável pela produção de leucócitos (glóbulos brancos responsáveis pelo sistema imunológico) e tem reserva de hemácias (glóbulos vermelhos responsáveis pelo transporte do oxigênio) entre outras funções. Com o passar do tempo descobriremos mais funções (psicológicas) do baço, além de este simbolizar mãe e pai respectivamente. É um órgão que trabalha com as duas polaridades (yin e yang).

Leucócitos simbolizam mãe ou mulher e hemácias, pai ou homem, como foi explicado no tópico "Problemas do sangue".

— Leucemia e hemofilia — Leucócitos e hemácias.

Pessoa obcecada por determinados fatos e sente-se desamparada emocionalmente, acaba tendo problemas no baço.

O desentendimento profundo com os pais ou com o cônjuge faz com que esse aparelho contrarie suas funções. Quando a mãe não é atuante na educação da criança, o baço não fabrica leucócitos e, se é o pai que não é atuante, não há reserva de hemácias nessa víscera. Analisando a forma pela qual essas células se comportam, podemos descobrir como os pais (ou marido e mulher) agem realmente.

O baço está localizado no lado esquerdo do corpo atrás da última costela e ele representa o pai especificamente.

Pessoa com doença no baço revela, inconscientemente, que teve um pai austero ou ausente e tem dificuldade para se harmonizar com homens que representem autoridade de alguma forma.

Busque seu interior e aprenda a equilibrar e compensar as inseguranças causadas pela carência afetiva na infância. Crie um mundo novo ao seu redor e cresça, espiritualmente, com as experiências da vida.

Perdoe o passado e "solte-o" de uma vez! Liberte todas as lembranças nocivas de sua mente e faça exercícios de relaxamento e concentração. Isso o ajudará a conhecer-se e a viver tranquilo, sem resistências. Saiba que o fato de você não se lembrar do passado não significa que seu inconsciente tenha esquecido.

Pare de sofrer com sentimentos de solidão, pois a sua vida pode ser preenchida com amor e felicidade, se você passar a enxergá-la sob outro ângulo.

Saiba que tudo parece atacá-lo, dependendo do prisma pelo qual você olha o mundo.

Reconheça a beleza da existência de sua vida pelas coisas mais simples que estão ao seu lado e vivifique seus momentos com a verdadeira segurança e proteção vinda de seu interior.

Se você tem o hábito de reclamar de tudo, se policie, reconheça essa falha e trabalhe firme para uma mudança radical e positiva em sua conduta.

Problemas no baço revelam que o pai, de alguma forma, desequilibra a harmonia do lar. Pai muito rígido ou ausente, que não conseguiu ser amoroso, causará problemas no baço do filho na infância ou na vida adulta.

Perdoe seu pai onde quer que ele esteja. Solte-o com piedade e gratidão para que seu baço volte a ter saúde.

Nada acontece por acaso e como sempre digo: ninguém nasce pela barriga errada.

A alegria de viver vem do coração grato e desapegado. Seja uma pessoa verdadeiramente simpática por dentro e cuide sempre do seu bom humor para que seu baço "esqueça o mau humor ou a ausência do seu pai".

Cure-se pela risada e pelos divertimentos com a família, com os amigos e até no trabalho. Faça seu baço rir!

Capítulo 15
Outras doenças

Câncer

O corpo está associado a pessoas íntimas — família e parentes. Em japonês, *niku-shin* é o corpo carnal, bem como a família e os parentes e patrões (Por serem considerados pelo nosso inconsciente a autoridade dos nossos pais). Todos os tumores que se formam no corpo (sarcoma, câncer, quisto, etc.) são concretizações de "tumores mentais" formados por conflitos entre pessoas da família ou da carreira.

O câncer acontece em pessoas que não conseguem perdoar uma grande traição, uma grande perda ou uma grande humilhação e se revela ao corpo "um ano" depois dessas indignações profundas. Ao contrário do que muitas pessoas acreditam que o câncer começa a ser desenvolvido com o passar do tempo em que a pessoa guardou muitas mágoas no coração, hoje sabemos que ele surge após um grande choque emocional, citados acima.

É uma forma de imobilizar pessoas para seu lado, de punir alguém que o feriu profundamente, mesmo à custa de sua própria vida, ou de autopunição por nunca ter agido como deveria naquelas situações amargas.

A doença não desaparecerá enquanto o doente estiver "retendo" em seu coração mágoa e desarmonia por uma ou mais pessoas, que o traíram de alguma maneira. Traição significa abandono, humilhação, morte, desconsideração, perda por morte, traição sexual e até por pessoas que você se dedicou, mas foram embora.

Em primeiro lugar, o portador da doença precisa compreender que não deve construir um castelo e viver só desse sonho, pois depois de derrubado o castelo, sua vida perderá a razão de ser.

Devemos amar, dedicar-nos e respeitar, mas também, aceitar as mudanças que o mundo traz. Perdoe, profundamente, aquele que o feriu. Se você já esqueceu quem o agrediu ou o traiu, mas você está doente, reflita calmamente que tudo virá à sua mente de forma nítida, pois casos assim são sempre evidentes.

O câncer ou cancro se desenvolve um ano exato depois de uma grande indignação e que a pessoa não conseguiu soltar do coração. Para o câncer se desenvolver basta que você não tire do coração essa repulsa contra quem o feriu. A sensação que causa essa doença é como se você tivesse levado uma "machadada" no meio do seu peito e tentasse desesperadamente arrancar esse "machado" com suas mãos e não conseguisse, se vendo sangrar até a morte. Sim! é trágico assim o sentimento que causa o câncer, mas esse sentimento é secreto, por isso, corroe por dentro e mata. Portanto, tente lembrar o que aconteceu aproximadamente, um ano antes de "aparecer" o câncer. Se for do seu lado direito do corpo, procure lembrar se há um ano você se sentiu traído (a) direta ou indiretamente por uma mulher próxima. E se for do lado esquerdo do corpo, tente lembrar qual foi o homem próximo que direta ou indiretamente, traiu você de alguma forma.

Câncer nos intestinos revela o sentimento de traição em relação à profissão, à carreira, aos patrões, aos sócios e até no caso de uma dona de casa, que tem seu lar como sua empresa e se sentiu traída.

Em cada órgão em que se desenvolve o câncer há uma correspondência de um setor da vida e com um sentimento de traição nessa área. Leia os outros órgãos neste livro e você entenderá o que aconteceu com seus sentimentos há um ano.

Todo aquele que perceber em si a sensação ruim "no peito" após uma situação muito desagradável com alguém que você não imaginava ser capaz de fazer o que fez, procure imediatamente, ajuda psicológica e espiritual para arrancar esse "machado" do seu peito. Isso fará com que o câncer passe longe de você. Se ele já chegou afaste-o com o antídoto mais poderoso do Universo: Compreender, Perdoar e Soltar. Esse antídoto faz o câncer recuar e desaparecer do seu organismo sem deixar sequelas, fazendo com que a medicina convencional tenha que estudar a mente humana para entender que o "milagre" está na mudança da conduta.

As orações levam as pessoas para dentro de si mesmas quando estão em contato com a grandiosidade Divina e isso as torna humildes. Essa humildade que encontramos no "fim do túnel" é o que nos salva.

Liberte todo o seu passado e construa coisas novas para o futuro. Um dos segredos da cura do câncer é se dedicar a um novo sonho de corpo e alma, pois o cérebro se encarrega de eliminar do seu caminho tudo que possa impedir de você chegar na sua realização.

Muitas pessoas, através da reprogramação mental com a PNL, eliminam as células cancerígenas "esticando a linha do tempo", que é uma técnica da visualização criativa da PNL: Imaginar com detalhes e com alegria que já está realizando um sonho de carreira, de amor, de família e até de uma viagem tão desejada. Quando você conseguir se concentrar num plano novo sem permitir nenhuma interferência negativa o câncer desaparecerá completamente, pois nosso inconsciente responde ao que pensamos e nosso organismo é comandado pelo nosso pequeno livre-arbítrio.

Outro segredo da cura do câncer é se desligar completamente das emissoras de televisão e rádio se afastando completamente dos noticiários e dos filmes trágicos, das novelas e principalmente das entrevistas e reportagens com médicos convencionais, pois a sua "cabeça e coração" deverão passar por uma "imersão" de otimismo e esperança para acontecer a alegria, o perdão e a cura. Procure pesquisar todos os casos da cura do câncer que ocorreram pelo amor e perdão e você verá que é comum curar-se quando se afasta de pessoas da família ou do convívio que são negativas e céticas. Jamais compartilhe o seu estado de saúde, se quiser contar para alguém, que seja para uma pessoa positiva e que acredita na cura do ser humano.

Tenho várias alunas que ao terem câncer se curaram sem

compartilhar com ninguém e sem acreditar nos absurdos negativos que muitos médicos dizem. Elas simplesmente se "blindaram" e descobriram na reflexão e com terapia quem deveriam perdoar e conseguiram.

Os céticos fazem você cair em desespero e num "redemoinho" de negatividade acabando com sua fé.

Fique em paz no seu coração, não tenha medo ou ansiedade e vá em direção ao tratamento alternativo também sem parar com o seu tratamento médico. Não importa quem vai achar que o curou, o que importa é que você será curado pela "sua" vontade de eliminar essa "depressão" e prosseguir com a vida com alegria e perdão. Não espere que o algoz peça perdão! É você que precisa crescer e soltar! Não queira saber dos casos que não deram certo, queira saber só do que deu certo. Impregne no seu inconsciente histórias positivas e faça a oração do perdão (que está no final deste livro) para seus pais biológicos mesmo que você não os tenha conhecido e mesmo que eles já não estejam mais neste plano, pois eles são nossas raízes para um bom futuro. No tópico Oração do Perdão você encontrará todas as explicações sobre como proceder com essa oração.

Ame-se com todo carinho e decida ser feliz em outro território, ou procure reconquistar o relacionamento perdido por meios sábios e não através dessa doença que não resolverá nada. Tente entender as razões da outra pessoa e aceite que, num relacionamento, ninguém está certo totalmente.

Perdoe seus pais, todos os parentes e, principalmente, seu cônjuge que também é uma vítima da ausência de diálogo.

Câncer na mama esquerda significa que essa mulher se sentiu traída pelo marido, pelo pai, pelo filho ou por um homem que ela se dedicou e ele morreu. A morte é considerada por muita gente uma traição e não aceitar a morte de alguém que você "amamentou de amor ou zêlo" produz câncer de mama. Mas se o câncer aconteceu na mama direita significa que essa mulher se sentiu traída, abandonada ou humilhada por uma mulher próxima: mãe, filha, sogra, cunhada, nora, patroa ou até uma amiga que simboliza uma irmã.

O câncer de mama só acontece em mulheres hiperprotetoras, dominantes, apegadas, controladoras e que se consideram o alicerce de alguém.

Mulheres que esqueceram seu "feminino" para ser o "masculino" da casa e das atividades sempre terão problemas nas mamas, pois os seios revelam se a mulher está cumprindo com a beleza de ser mulher (yin) ou age como homem (yang) porque tem raiva inconsciente de ser mulher e talvez porque seu inconsciente queira que você seja o filho que seu pai queria. Existem muitas razões inconscientes para que uma mulher queira ser o "homem da casa".

O feminino, ao contrario do que muitas mulheres acreditam, é forte, seguro, independente, é uma mulher inovadora, sábia, paciente, alegre, meiga, dócil, firme, valente e mantêm o coração de criança por toda vida, mas a mulher só "guerreira" grita, briga, comanda com estupidez, não tem paciência, resmunga, quer dominar o marido e os filhos, se sente o mártir da família e nunca abaixa a "espada", pois não confia em ninguém.

O comportamento feminino vem do coração grato e pelo amor incondicional que sabe perdoar, soltar e esperar sem sofrer. O desapego é um ingrediente do "feminino" que aceita o novo na vida e não olha mais para o passado.

Câncer na próstata revela que esse homem se sentiu traído, abandonado ou humilhado por uma mulher dominante, controladora ou chantagista: mãe, sogra, filha, esposa ou até patroa.

O homem que teve uma mãe ausente, dominante, chantagista, controladora, doente ou que o humilhava de alguma forma, se casará com uma mulher que lembre sua mãe ou sua irmã que o criou. O inconsciente busca nas pessoas algo familiar para se associar. Daí o câncer na próstata mostra que esse homem ainda não perdoou a mãe e consequentemente a esposa.

Quanto mais você ama uma pessoa menos você admitirá que ela "foi" ou "é" a causa do seu câncer, por isso não procure longe, olhe perto de você e encontrará quem você quer dominar e não consegue. Por mais que você não consiga ver em sua mãe a razão dessa doença, tente fazer uma terapia para resgatar e elaborar as memórias escondidas pelo seu inconsciente.

Seja o que for tudo pode ser esquecido ou modificado. Acredite na felicidade e seja dono de sua própria vida. Sinta-se livre para recomeçar e saiba que nenhuma doença é incurável.

Muitas pessoas se curam quando reconhecem, humildemente, seus erros ou aceitam os erros dos outros, procurando entender, sem ressentimentos.

Se a doença ainda não desapareceu é porque seu "inconsciente", continua guardando lembranças negativas. Mantenha uma conduta alegre e positiva a todo instante e decida se curar para recomeçar. Enxergue essa postura de vítima que você carrega e mude seus objetivos construindo sua independência. Faça planos e confie na provisão da Natureza que só poderá ajudá-lo se você desistir de querer que tudo seja à sua maneira. Liberte-se até de suas próprias cobranças orgulhosas.

Caso você não consiga transformar-se com seus próprios esforços, procure a ajuda de profissionais da área psicológica, programação neurolinguística, hipnose e toda forma de terapia que desenvolva em você o amor incondicional. Você precisa se impregnar de esperança e dinamismo.

Pratique meditação e solte os hábitos velhos, faça uma limpeza na sua casa e escritório e jogue fora tudo o que você não usa há muito tempo e pare de achar que um dia essa "coisa" terá utilidade. Tenha fé e acredite que tudo que você precisar no futuro Deus trará rapidinho até você.

Jesus ensinou que não devemos nos preocupar com o

que vestir ou com o que comer e que precisamos sim voltar nossos pensamentos para Deus e tudo nos será dado quando precisarmos *(Mateus v. 6, cap. 25,34)*. Tire essa frase da religião e você verá que faz sentido acreditar em Alguma Provisão.

Cure-se! Só depende da sua decisão. Informe-se sobre essas curas e siga o seu caminho. Amplie sua consciência e não se acomode e nem se apoie nas opiniões alheias. Você pode se curar!

AIDS

A AIDS é considerada incurável pela medicina convencional, mas na realidade está no grupo das doenças de autopunição.

Indica pessoa que não se ama e perdeu o respeito por si própria a ponto de não ver valor em nada do que faz, está descontente com tudo e com todos, não se satisfaz nem profissional nem amorosamente e vive uma vida sem atenção para consigo mesma, passando a imagem de que não vale a pena continuar vivendo.

Crianças e adolescentes que se sentiram desprotegidos pelos pais e que não foram "defendidas" num momento difícil, desenvolvem o sentimento de solidão, mesmo estando no meio de uma multidão. Sentem-se sem defesa e sem amor. Com essas crenças permanentes sua mente faz seu sistema imunológico enfraquecer para, realmente, "ficar sem defesa".

Fazer oração do perdão para os pais biológicos (que está no final deste livro), mesmo sem os ter conhecido, fará com que o sistema imunológico reaja positivamente, porque esse sistema é regido pelo chacra cardíaco que, por eletromagnetismo, aciona a glândula endócrina *timo* (alma em grego), responsável pelos glóbulos brancos (leucócitos) que combatem as infecções.

Lembrando que, pela linguagem do corpo, os glóbulos brancos representam a energia **Yin = mãe** e se ela foi ausente na forma de amar e proteger, os leucócitos tornam-se fracos no corpo dos filhos (frutos).

O indivíduo que passa horas e horas futilmente, dorme pouco, consome drogas ou pensa muito em sexo, sedução e não consegue encontrar a felicidade, está buscando, através dessa atitude, encontrar o amor pela rebeldia. A Natureza é harmoniosa e amorosa, portanto, para se ter saúde é necessário contemplar-se como parte do Universo e, então, comungar com a paz.

Afaste-se de pessoas negativas e faça o que o seu coração lhe fala. Aja com segurança e teime em querer viver. Quanto mais você amar, puramente, e trabalhar positivamente, mais rápido você se curará.

Tome a decisão de mudar sua vida e de auxiliar outras pessoas a se curar. Isso valorizará suas qualidades e o tornará uma pessoa especial.

Perdoe-se e se liberte dessa culpa que não é sua, nem de ninguém. O sexo deve ser um veículo de trocas positivas e de alegria, não de destruição e punição. Alegre-se, pois, que a cura está dentro de você com toda força. O poder curativo da energia vital flui abundantemente através de seu corpo. Deixe-a trabalhar a seu favor, sendo otimista e dinâmico na recuperação.

O segredo da cura da aids está em se sentir seguro mesmo sozinho e confiar nas pessoas mesmo "quebrando a cara". Pessoa com aids revela que perdeu a fé nas pessoas desde a infância, pois trouxe consigo a "mágoa = raiva" de não a terem "defendido" ou "acreditado" nela quando mais precisou. São pessoas que a família desistiu dela por não entendê-la ou não aceitá-la.

Sabemos que o portador do soro positivo pode ser heterossexual ou homossexual e de qualquer idade, porque acontece somente em pessoas que se sentem deslocadas do mundo. São pessoas que trouxeram para a terra uma "missão" e não estão cumprindo corretamente, pois não confiam nem em si mesmas devido ao sofrimento secreto que trouxeram da família. São pessoas especiais que não conseguem entender que trouxeram "poderes mediúnicos e de auxílio à cura de pessoas e animais" e por isso vivem fora dos contextos da sociedade e fora da missão também. A indústria farmacêutica jamais se preocupará em mostrar a você que a cura existe, a não ser, que num futuro próximo, ela sofra a interferência dos "amigos" que cuidam da terra.

Essa disfunção do sistema imunológico ocorre pela falta de perdão, já que o chacra cardíaco depende das energias de amor e perdão para funcionar. Quando a aids em crianças sabemos que "conhecemos a árvore pelos frutos" ensinou Jesus, então os pais devem procurar perdoar seus próprios pais para que ocorra a corrente da cura em todos os seus descendentes *(Mateus v. 12, cap. 33)*.

Lembre-se que muitas pessoas não se tornaram portadoras mesmo tendo se relacionado sexualmente com pessoas que eram portadoras do soro positivo, isso porque essa doença acontece apenas em quem carrega em si os sentimentos citados acima.

Procure um profissional neurolinguista e se alimente de certezas e alegrias, já que a felicidade, por antecedência, funciona mais do que qualquer tratamento e é muito agradável.

Leia livros que falem sobre pessoas que se curaram, entre em contato com indivíduos fortes e positivos e tenha a convicção de já estar livre desse pesadelo. Ele apenas veio para ajudá-lo a corrigir sua conduta e não para levá-lo. Faça planos futuros e comece a criar um mundo novo ao seu redor. Com certeza você, agora, se ama de verdade e descobriu quantas coisas maravilhosas possui a sua Terra. Viva a liberdade!

Aconselho a leitura do livro *A Vida em Perigo*, de Louise L. Hay. É um manual de autoajuda contra as doenças terminais e uma abordagem positiva sobre a AIDS. E quanto à oração do perdão que está final deste livro. Faça três meses sem falhar, um dia para sua mãe e no outro dia para seu pai, biológicos. (Sem questionar e sem contar para ninguém). Precisa ser três meses "Pois é o ciclo regenerativo psíquico que leva a cura".

Fui muitas vezes "atacada" verbalmente e por e-mails por pessoas portadoras do soro positivo porque acharam que eu estava zombando deles ou que eu tinha preconceitos a respeito da sua doença quando eu dizia, na minha ignorância do passado, a palavra: "aidético". Muita gente não sabe que a palavra "aidético", é pejorativa e a usa constantemente, não por preconceito, mas por não saber que ofende e discrimina. O preconceito não está no termo que se usa, está no coração de quem se sente atacado.

Portanto, se você está lendo este texto perceba o que você sente quando alguém fala que você é aidético. Comece uma nova conduta de perdoar os ignorantes do termo e pare de "achar" que as pessoas não o aceitam ou o excluem do convívio deles eles. Claro que existem muitas pessoas que são desinformadas e têm medo e preconceito em relação a essa doença, mas está aí uma oportunidade para você aprender a amar e perdoar os que não o compreendem e iniciar o seu processo da "missão" especial que Deus lhe deu.

Que Deus o abençoe e que sua mente e sua fé se recuperem rapidamente!

Confie!

Outras Doenças

Se você não encontrou a doença que procurou neste livro saiba que nos volumes dois e três desta coleção você encontrará o que procura. Mas, enquanto isso, não se preocupe. Muitas doenças são curadas sem ao menos a pessoa saber os por quês, pois quando seu coração perdoa tudo e todos e sente alegria e gratidão seu inconsciente associado às energias do seu corpo iniciam o processo da cura.

Basta analisar sua conduta perante seus familiares,

superiores e pessoas íntimas e descobrir com quem você está em conflito, mesmo com pessoas já falecidas.

Perdoe a todas as pessoas e saiba soltar o passado, sem ressentimentos. Descubra se você está em desarmonia com alguém ou se ainda guarda tristezas por acontecimentos do passado.

Na Sutra Sagrada *Kanro-no-Hoou* (Seicho-No-Ie) encontramos: "Reconcilia-te com todas as coisas do céu e da terra. Quando houver a reconciliação com todas as coisas do céu e da terra, tudo será teu amigo. Quando todo o Universo se tornar teu amigo, coisa alguma do Universo poderá causar-te dano. Se fores ferido por algo ou se fores atingido por micróbios ou por espíritos baixos, é prova de que não há reconciliação entre ti e todas as coisas do céu e da terra..."

Ame, perdoe e se ajude a ser feliz. Não lute contra, apenas relaxe e se reconcilie até o profundo da sua alma e você descobrirá que sempre foi feliz.

A cura pela hipnose no século XIX

A pesquisa ocidental sobre o funcionamento do cérebro é conhecida há milênios pelos antigos egípcios e há séculos pelos médicos mais ousados que não se limitavam a estudar apenas o funcionamento fisiológico e anatômico do corpo humano. Acreditavam que a medicina se apegava, cegamente, ao desenvolvimento celular sem notar que outras forças interferiam na vida do organismo.

Como exemplo, transcreverei um trecho descrito pelo literato e mestre Masaharu Taniguchi (Ph.D.) sobre o trabalho de um pesquisador do século passado:

"Em meados do século XIX, na cidade de Belfast, estado do Maine, Estados Unidos, havia uma pessoa de nome P. P. Quimby, versada em hipnotismo. Enquanto realizava diversas experiências com o hipnotismo e devido ao êxito assombroso alcançado, teve a ideia de utilizá-lo no tratamento de doenças. Na verdade, o próprio dr. Quimby estava ansioso para experimentar qualquer método que o levasse a curar doenças tidas como incuráveis pela medicina, já que ele próprio padecia, há longo tempo, de uma moléstia incurável pelos métodos da medicina tradicional e não sabia quando iria morrer".

"Aplicou o hipnotismo, experimentalmente, em diversos doentes, aos quais dava a seguinte sugestão: 'Tu és filho de Deus, portanto, não tens doença". Notou que houve curas, com ótimo desenrolar.

"Todavia, como o hipnotismo consiste em sugestionar o paciente depois que este estiver adormecido, não havia como curar-se a si próprio, pois não poderia fazê-lo em si mesmo, estando adormecido".

"Então, Quimby chegou à conclusão de que o fundamental do hipnotismo não está no fazer adormecer, mas na sugestão hipnótica, isto é, no fato de utilizar o poder da palavra".

"A partir daí, sem que fosse necessário aplicar o hipnotismo em seus doentes, simplesmente fazia com que fechassem os olhos e incutia-lhes a forte convicção de que o homem, sendo filho de Deus, é uma Realidade que não pode ser governada por coisa alguma, e, assim, procurava retirar a noção de 'doença' através da sugestão, isto é, da palavra, ao mesmo tempo em que procurava fazer reconhecer a natureza divina de si próprio. Este procedimento, comparado ao hipnotismo, revelava-se um grande passo avante. No hipnotismo, ocorre a cura da doença partindo-se da convicção da fraqueza, isto é, que se é governado ou dominado por algo estranho a si próprio (o hipnotizador). Por isso, mesmo que temporariamente ocorra a cura, aquela convicção de fraqueza facilitará o surgimento de outra doença."

Porém, o novo tratamento iniciado por Quimby cura pela persuasão: 'O homem é filho de Deus que não é dominado por coisa alguma'. Por isso é apagado, completamente, da mente do paciente o aspecto da fraqueza. Basta ocorrer a cura para o indivíduo ficar mais fortalecido e não apenas na saúde, mas em todos os aspectos haverá o preparo mental essencial que permitirá o fortalecimento da capacidade de atuação.

"Utilizando este princípio, o Dr. Quimby, ao mesmo tempo em que curou radicalmente sua própria doença - tida como incurável pela medicina tradicional - fez com que milhares de pacientes também obtivessem a cura total de suas moléstias.

"Entre os clientes do Dr. Quimby, Mary Baker Eddy, mundialmente conhecida, também encontrou a cura para sua doença.

"Posteriormente veio a ser a fundadora da Ciência Cristã".

"Vejamos como era esse novo método terapêutico do Dr. Quimby — por sinal muito simples. Segundo seu ponto de vista, a doença é uma modalidade de ilusão e, uma das causas principais do seu aparecimento é a transmissão hereditária da falsa ideia de que a doença surge de uma causa material. Por isso, para se curar de uma doença, deve-se eliminar da mente essa ilusão hereditária que constitui causa de doenças e, em seu lugar, basta colocar a convicção de homem perfeito, isto é, a face originária do homem." (Masaharu Taniguchi, Ph.D.)

Hoje as pesquisas tornaram-se mais profundas e, consequentemente, os resultados obtidos são mais conscientes e claramente explicados.

O próprio Sigmund Freud, pai da psicanálise, utilizava a hipnose para curar as pessoas e mesmo ele tendo "abandonado" a hipnose como instrumento do seu trabalho, ela nunca será abandonada por outros profissionais, pois sabem que hipnose está em todas as formas de comunicação visual, verbal e até por "cheiros" que induzem a mente para uma lembrança ou para uma criação.

Quanto mais o tempo passa, mais descobertas são incluídas nos tratamentos das doenças e mais se admite que a doença não existe.

A hipnose diária pelo auto-sugestionamento positivo ou em clínicas pelos hipnólogos será sempre um mecanismo de defesa contra as influencias negativas das crenças internas geradas pela família, por algumas igrejas e pelo jornalismo sensacionalista e sarcástico.

Nós somos governados pelo nosso pequeno livre-arbítrio e os que contestam esse fato revelam que preferem acomodar-se, apoiando-se em ideias retrógradas que não funcionam mais. Devemos nos atualizar sempre porque o mundo não para!

Assim como você acompanha os noticiários pela TV, também deve ler livros a respeito das novas descobertas científicas nessa área, pois nem sempre essas notícias são divulgadas pelas emissoras de rádio e TV ou pelos jornais, muitas vezes devido ao ceticismo desses órgãos. Apesar de tudo, atualmente a maioria dos seres humanos está voltada para os assuntos de natureza mística e científica. Assista documentários científicos desses programas por satélites e cabos, pois lá, a verdade é dita claramente, assustando os céticos.

As poucas reportagens feitas sobre a saúde psicológica e emocional das emissoras de TV aberta não são suficientes para comprovar a eficiência da mente saudável e a convicção sobre o funcionamento cerebral sobre o corpo.

Os médicos estudam anos e anos, aprendem a conhecer a função dos órgãos, conhecem a química das drogas que tratam das doenças, empenham-se ao máximo para compreender fenômenos que ocorrem no organismo humano. Muitos deles dariam até a sua própria vida para poder curar todos os males. Temos conhecimento de médicos que sofrem junto com seus pacientes na busca da saúde, estudando dia e noite, quando necessário. É a medicina tentando proclamar a independência de seus pacientes, porém sem o conhecimento arrebatador do poder das emoções e por isso, muitas doenças são consideradas incuráveis por esses médicos.

Graças ao conhecimento da medicina, em relação ao funcionamento orgânico, nós, cientistas espiritualistas, podemos também analisar a personalidade de cada órgão associando-o ao comportamento psicológico do paciente.

As pessoas trazem dentro de si pensamentos tão complexos que somente elas podem entender, mas às vezes elas mesmas sofrem sem entendê-los.

Daí o seu inconsciente começa a traduzi-los em forma de doenças, mal-estar, medos, acidentes e até problemas psicológicos e mentais difíceis de serem compreendidos.

Existe solução para todos os problemas, pois eles foram criados de alguma forma. Não importa a origem do mal, o que importa é saber por onde começar a eliminá-lo.

Quando a medicina convencional nos aceitar como parte fundamental em seus diagnósticos e nos juntarmos nessa jornada magnífica, poderemos descobrir ainda muito mais sobre nós mesmos e assim eliminaremos da mente humana os aspectos negativos que causam a somatização das doenças. Mas, enquanto a medicina estiver voltada somente para o interior do corpo, buscando soluções e justificativas no mundo material, as pessoas continuarão dominadas pelas falsas profecias da doença.

O fenômeno das doenças, muitas vezes, é tratado pelos médicos pela forma duvidosa de erros e acertos e eles mesmos não conseguem entender como ou porque surgem determinadas moléstias. Contudo, admiro profundamente a ciência médica que cresce, rapidamente, em tecnologia e em descobertas de novas drogas para tratamentos (quase) eficazes em doenças terminais. Mas enquanto seus estudos não forem dirigidos também para o exercício psicológico da humanidade, estaremos mergulhados num oceano de descobertas, mas sem encontrar o elo perdido da Verdade, porque o princípio da transformação está exatamente na união dos nossos conhecimentos.

Se a tecnologia se desenvolver mais rápida do que o

desenvolvimento do amor e do perdão no coração da humanidade o futuro será desastroso, pois as máquinas curarão as doenças sem que as pessoas se esforcem em ser melhores no caráter e na conduta. Não precisarão mais de psicólogos ou de religião para encontrarem a humildade e o bom convívio com seus vizinhos e tudo estará nas mãos dos robôs e dos androides e outras inteligências artificiais. Com isso, os humanos se tornarão dependentes e escravos totais das máquinas acabando com o amor no planeta nessa era de aquário.

Que Deus nos auxilie a encontrar o acordo entre as cabeças e que os sonhos de toda humanidade sejam o de encontrar a paz entre os homens, pois as máquinas já estão se comunicando entre elas e encontrando um meio "inteligente" de destruir os seres humanos da forma que conhecemos.

Seja natural e simples! Busque a natureza, os animais e as crianças para curar a sua alma. Nunca se afaste das boas maneiras e da docilidade no trato com sua família e com as pessoas estranhas. Não de celular e computador nas mãos das crianças, arrume tempo para ser criança com elas, brinque e se divirta com seus filhos na terra, no gramado, com bola e corridas. O cérebro das crianças até quatorze anos de idade precisa primeiro da assimilação do autoconhecimento emocional para saber lidar com o emocional social, por isso não tire o direito dos seus filhos se tornarem humanos só porque você não tem paciência ou "tempo" para brincar e conversar com elas. As crianças de hoje conectadas à internet, jogos e amigos virtuais é que construirão as máquinas inteligentes para eliminar "a perda de tempo com o amor e as terapias". Serão elas que desenvolverão ou não uma civilização egoísta e calculista se os pais não acordarem agora. Haverá conflito entre os adultos índigos, e os cristais e diamantes tentarão, exaustivamente, trazer de volta a consciência amorosa entre as pessoas e os povos. Vamos nos unir para que a tecnologia seja apenas um instrumento para facilitar nosso trabalho, mas nunca permita que ela substitua seus amigos, sua família e seus amores.

A saúde verdadeira está na gratidão e na alegria de poder amar e ver as pessoas felizes.

A todos, paz profunda!

Quanto mais houver amor, mais segredos de nosso interior nos serão revelados pelo cosmo e quanto mais profundamente mergulharmos em meditação e ação, mais entenderemos que ainda temos muito para aprender.

Cristina Cairo

Capítulo 16
Dor de cabeça

DOR DE CABEÇA E ENXAQUECA

A dor de cabeça também é chamada de cefalgia ou cefaleia e é justificada, pelos médicos, como um sintoma de alguma disfunção orgânica, pressão na medula espinhal, alimentação, problemas nas vistas, falta de sono, ruídos altos, estresse, infecção, tensão nervosa e até lesão cerebral ou devido a uma pancada na cabeça.

A dor de cabeça se caracteriza pelas contrações musculares causando dor latejante, enquanto na enxaqueca ocorre a constrição e dilatação dos vasos sanguíneos da cabeça proporcionando uma dor instalada parecendo um capacete. A enxaqueca tem consequências mais extensas no organismo podendo gerar distúrbios visuais, dores de estomago e até dos intestinos.

Na medicina convencional "decretam" que enxaqueca não tem cura e que pode até ser hereditária, mas pela psicologia da correlação (linguagem do corpo) sabemos que toda dor de cabeça tem origem na forma que a criança foi educada. Pessoa que tem dor de cabeça na vida adulta significa que foi invadida na sua privacidade e individualidade constantemente por alguém muito autoritário na sua infância gerando uma "fobia" contra autoridades. Qualquer situação ou pessoa que de alguma forma se coloque no seu caminho ou que pareça querer invadir seu sistema de vida, a dor de cabeça surge como uma comunicação não verbal de protesto inconsciente.

A dor de cabeça revela que a pessoa tem dificuldade para lidar com contrariedades, devido ao trauma da infância que pode ter sido pelos seus pais ou pelos seus professores da escola. Essas contrariedades nem sempre são detectadas pela consciência de imediato, pois umas são muito sutis para a consciência lembrar.

Muitas vezes ela pode ser provocada no convívio com certas pessoas, em problemas não revelados, em discordância de opiniões com sócios, com colegas de trabalho, com familiares, ou no relacionamento afetivo e até uma simples contrariedade como o semáforo que fechou no dia em que você está atrasado para um compromisso.

Veja que o ser humano vai passando pela vida, diariamente, de modo mecanizado, como se fosse um robô, repetindo suas ações sem pensar nelas. Por que acontece isso? Nós vamos criando hábitos desde a infância, desenvolvemos a conduta e a personalidade dentro da educação que recebemos e do ambiente em que vivemos. Ficamos condicionados a determinadas respostas como meio de sobrevivência para lidar com o mundo aparentemente nem sempre amigável e muitas vezes também aparentemente hostil. Acabamos nos conformando com esses padrões mecânicos de pensamento e comportamento, perpetuados por diferentes tradições religiosas e pela cultura na qual vivemos.

Alguns fogem esporadicamente desses padrões mecanizados e acabam sendo considerados rebeldes, excêntricos, anormais ou paranormais. As pessoas rejeitam tudo que não é considerado "normal" porque têm medo do desconhecido. E aquele que é "diferente" acaba sendo alvo de críticas, desprezo, se não de declarada hostilidade.

A educação, na verdade, faz um tipo de "programação" na criança, igual a um programa de computador, muitas vezes condicionando seus atos e limitando sua iniciativa, sua fantasia, sua criatividade, moldando o pequenino ser em formação como se fosse um adulto para prepará-lo para um mundo predeterminado, imaginado pelos adultos, cheio de compromissos e exigências.

Uma pessoa criada assim não adquire a capacidade de desenvolver seu próprio "eu". Ela se torna aquilo que imaginaram para ela. Assim, cortado o contato consigo mesma, a pessoa não se conhece interiormente, o que traz consequências danosas para sua vida. Sabe por que? Por não saber lidar com suas próprias emoções, as sensações inexplicáveis para ela, incompreensíveis, podem se transformar num simples mal-estar até numa séria e recorrente angústia ou uma tremenda dor de cabeça.

A dor de cabeça acontece porque a pessoa se sente tão contrariada que seus músculos se tornam tensos limitando o fluir da corrente sanguínea no cérebro.

Pessoas autoritárias, rígidas em suas opiniões, metódicas ao extremo, sistemáticas, perfeccionistas, críticas e exigentes e intransigentes desenvolvem dor de cabeça para, inconscientemente, mandar um "recado" não verbal ao oponente.

Muitas esposas de grandes empresários têm enxaqueca quando precisam comparecer às comemorações da empresa, festas sociais e até viagens que ela realmente não deseja ir. Como também é bem conhecida a dor de cabeça em mulheres que não desejam ter relações sexuais com seu marido, ou porque ela carrega mágoas no coração em relação a ele ou porque ele não respeita sua privacidade e necessidade de isolamento.

É importante estudar e praticar as Leis Universais ensinadas nos livros desta coleção para iniciar pensamentos flexíveis compreendendo que nada acontece por acaso e que tudo tem uma razão para acontecer.

Pela Lei de causa e efeito sabemos que com nossos pensamentos, palavras e ações geramos e atraímos situações boas ou ruins. Pela Lei do semelhante que atrai semelhante entendemos que tudo o que acontece no nosso dia a dia é devido a nossa própria frequência vibracional. Então, sabendo que nós é que "chamamos" certas situações, passamos a tentar mudar nosso foco de negativo para positivo vendo as coisas boas em todos os acontecimentos.

Sua infância gerou mecanismos de defesas na sua conduta e sua adrenalina está sempre correndo em suas veias para mantê-lo alerta contra "invasores" de privacidade. Mesmo que você se considere uma pessoa calma entenda que no fundo você é tenso desde criança e não conhece o que é relaxar verdadeiramente.

Quando você não tem dor de cabeça é porque seu inconsciente encontrou outra válvula de escape para suportar uma obrigação ou uma conferencia "chata": Você dorme no local.

A enxaqueca além de a criança ter tido uma educação autoritária por parte de um dos pais, avós, irmãos ou professores, também foi castigada por ter "brincado" com seu próprio órgão sexual na idade de aproximadamente, quatro a seis anos. Essa idade chama-se fase genital ou fálica e é normal a criança descobrir seus pontos erógenos com as mãos ou objetos. Essa idade define o caráter para a vida adulta e todos os pais deveriam estudar as fases de desenvolvimento das crianças para poder educar adequadamente sem gerar traumas para o futuro. (No meu livro Linguagem do Corpo volume 3 você encontrará como educar de zero a doze anos de idade).

Sei que muitas pessoas não lembram de terem sido castigadas por "brincar" com seus órgãos sexuais como também não lembram de terem sido molestadas sexualmente na infância. Isso é um dos fatores da causa da enxaqueca.

A enxaqueca é uma "fobia" profunda por medo de se despersonalizar. A enxaqueca revela que a pessoa nega se entregar ao amor para não perder sua identidade. A relação sexual, para essas mulheres é traumática ao ponto de fugir do sexo ou de se entregar ao sexo sem envolvimento com compromisso emocional. O "fazer amor" para elas é perder a si mesma porque no instante do amor duas pessoas se transformam em uma e o tempo para. Isso é assustador para quem teve uma infância sem privacidade.

A sexualidade é um dos fatores da enxaqueca devido à evidência de que sentimentos profundos por alguém, leva à anulação de si mesma.

Estatisticamente, a enxaqueca acontece mais em mulheres pelo simples fato de elas terem sido mais reprimidas na infância do que os homens, mas acontece em homens também e a causa é a mesma das mulheres.

Para vencer a dor de cabeça e outras doenças, a saída é procurar conhecer, redescobrir, e se aprofundar nessas leis e orientar sua vida em harmonia com elas. Experimente! Você vai constatar mudanças profundas em seu íntimo, em seu corpo e nos seus relacionamentos.

Pratique meditação, relaxamentos, yoga, tai chi chuan e aprenda a ser você mesmo sem medo das "retalhações" que podem vir pelos opositores. Siga um caminho de paz em sua vida e busque seu autoconhecimento em terapias, mapa astrológico científico, numerologia pitagórica ou cabalah para conhecer seus verdadeiros desejos e sentimentos para eliminar o medo de ser você mesmo.

A dor de cabeça e a enxaqueca tem cura! E a cura está em você eliminar do seu inconsciente as mágoas e perdoar a sua infância.

Procure um profissional de hipnose ou PNL (programação neurolinguística) e peça para eles ajudarem você a ressignificar e transformar a sua história de vida e seus paradigmas.

Quanto mais você relaxar mais vai descobrir que ninguém pode invadir sua vida se você não permitir e caso já tenham invadido aceite, com amor, aquilo que você não pode mudar agora. E com paciência vá fazendo novos planos mentais para mudar essa situação.

Tenha fé e relaxe.

As leis do universo

As Leis universais criaram o Universo e o multiverso e Elas regem todas as terras formações dos planetas, das luas, das estrelas e todas as vidas no espaço sideral. Todas as criaturas visíveis e invisíveis precisam se harmonizar com o sincronismo de Leis para manter a ordem da criação.

A terceira dimensão que nos encontramos agora necessita voltar a perceber as Leis simples que manipulam, criam e transmutam todos os acontecimentos e todos os corpos físicos através de nós mesmos ao utilizarmos as leis como guia na escuridão.

Nesta terceira dimensão a mente se torna turva devido à densidade e as percepções sutis ficam dificultadas, por isso existem Leis para nos guiarmos. Do contrário, o caos se instala nas vidas, no planeta e consequentemente no Universo.

Neste século vinte e um até a tabela periódica recebeu novos conhecimentos para que o ser humano consiga desenvolver a tecnologia e voltar à jornada pelo espaço em busca de novas civilizações "onde nenhum homem jamais esteve?" e também para desenvolver novos e avançados tratamentos e máquinas para erradicar todas as doenças. Porém, se não percebermos as Leis invisíveis que nos mostra como utilizar positivamente a energia dos pensamentos (força criadora eletromagnética), tudo que conhecemos será destruído pelas pessoas de pensamentos negativos por não saberem que tudo pode ser mudado pelas visualizações criativas.

As leis são princípios que ordenam a energia da vida. As leis físicas vão sendo descobertas e provadas pelos cientistas e cada vez mais se aproximam das leis universais que regem tudo, tanto os aspectos visíveis quanto os invisíveis da vida. Quanto mais os cientistas penetram no núcleo das coisas, mais constatam essa universalidade.

Felizmente muitos grupos, por todo o nosso planeta e em outros planetas do nosso sistema solar e da nossa galáxia (Via láctea) trabalham incessantemente com as forças positivas tanto por tecnologias avançadas quanto pela emissão de ondas cerebrais para despertar milhares de mentes perturbadas pelo medo e pela insensatez. A terceira dimensão assombra pessoas que desconhecem que ela é apenas uma ilusão, mas quando se apoiarem nas Leis Universais encontrarão paz e soluções para todos os sofrimentos.

Para facilitar seus primeiros passos até a sua estabilidade

emocional e física simplifiquei sete Leis Universais que estavam fragmentadas pelas culturas, pela ciência, pela física quântica e pelas religiões.

As Leis atuam sem que você se de conta, pois todos os seus pensamentos são computados por Elas e despejam em você, o tempo todo, situações e pessoas que combinam com a vibração dos seus pensamentos.

Observe calmamente os acontecimentos de outras pessoas e veja como elas recebem de volta tudo o que fazem, dizem ou acreditam, mesmo que elas digam que não fizeram nada de mal para receber uma vida tão sofrida.

Quando todos acordarem para as Leis as mentes se acalmarão, se corrigirão e terão paciência até seu pequeno universo se transformar para melhor conforme suas novas criações mentais.

A lei dos semelhantes que se atraem

As pessoas imaginam que aqueles que pensam e agem da mesma maneira se darão bem, desfrutando de um bom convívio. Não é bem assim, é apenas uma parte. A atração vibracional dos semelhantes acontece de várias maneiras. É preciso levar em conta que não temos só o lado bom em nós, temos também aqueles aspectos reprimidos e mal trabalhados no caráter. Muitas vezes as pessoas podem manifestar esses aspectos ruins de forma aberta e transparente e outras vezes não permitem que esses aspectos venham à tona, porém a conduta desagradável continua existindo de forma camuflada.

Semelhante atrai semelhante devido à frequência vibracional igual. Aparentemente, as pessoas agem de formas diferentes, mas o fato de estarem morando ou trabalhando juntas revela que vibram no mesmo sincronismo desta terceira dimensão e isso é compreendido pela física quântica.

Pessoas estranhas ou conhecidas e mesmo filhos e relacionamentos que cruzam o nosso caminho fazem parte da nossa frequência, por isso as encontramos e a mente cega das Leis costuma culpar ou criticar aqueles que o trataram mal sem saber que de alguma forma ela mesma atraiu tal situação por ter em si, a mesma frequência vibracional dessas pessoas.

Sei que é revoltante ter que admitir que você é que precisa mudar as frequências através de energias do amor e da compreensão, mas enquanto você não desenvolver a humildade e a inteligência emocional para perceber que seu sofrimento é responsabilidade dos seus pensamentos secretos, vai continuar sofrendo até adoecer.

Pelo ambiente que você vive e pelas pessoas que passam pela sua vida você pode compreender quanto deverá mudar seus padrões mentais e comportamentais. Se numa loja, num shopping, nas clínicas médicas, na família, no trabalho, nas ruas e nas suas viagens você encontra pessoas ignorantes no comportamento, é melhor você começar a praticar meditação, estudos de autoconhecimento, terapias relaxantes ou yoga para elevar suas frequências e alterar seu destino desagradável.

Semelhante atrai semelhante e você precisaria ler os livros maravilhosos do mestre Masaharu taniguch da Seicho-No-Ie, para aprender a lidar com sua própria mente.

Cada vez que você se irritar ou se aborrecer com alguém leia a Lei da projeção.

LEI DA PROJEÇÃO

Segundo Sigmund Freud (pai da psicanálise) fazer projeção significa encontrar, identificar no outro algo que existe em você. Você não percebe que tem certas questões mal resolvidas na sua conduta e só consegue identificá-las se prestar atenção nas opiniões que você tem a respeito das pessoas próximas e até das estranhas da rua ou da televisão. Essa Lei requer muita reflexão e calma para admitir que aquilo que o irrita ou o aborrece em alguém é seu espelho. Esse incômodo contra certas pessoas é uma reação do seu inconsciente que se identifica com pessoas que fazem ou falam como você. Mesmo que você não perceba em si ou não admita que faz a mesma coisa com outras pessoas ou em outros locais, saiba que numa terapia encontraria em si mesmo medos, raivas, inflexibilidades e até tendências iguais as das pessoas que você despreza ou critica. Você se sente atacado e magoado exatamente porque não percebe que está atraindo os semelhantes.

Você e eu, nós, juntos, perceberemos então as nossas virtudes e os nossos erros e, assim, utilizando a inteligência e a humildade, voltaremos aos trilhos corrigindo a nós mesmos através do que vemos no outro.

É assim que estaremos colocando essa segunda lei do universo a nosso favor e é assim que agem os vencedores.

Se você está frente a uma situação tremendamente desagradável, que o contraria do fundo do seu coração pare e pense ao invés de simplesmente criticar e julgar o outro ou a outra. A maioria das pessoas foge de saber sobre si mesmo e isso atrasa sua evolução e as soluções dos seus problemas.

Querido amigo, querida amiga, eu lhe digo que você não precisa sofrer. Use as leis do Universo a seu favor e não contra você. Seja campeão na vida, seja feliz.

A lei de causa e efeito

Essa é outra lei importantíssima do Universo. Um assunto sobre o qual eu não me canso de escrever em todos os meus livros. Não podemos ignorar a *lei de causa e efeito*. Pois esta lei diz que tudo que você pensa, tudo que você fala, tudo que você faz, voltará para você. É a lei da compensação. Se você dá, recebe; se você tira, lhe será tirado; se você julga, será julgado e se critica, será criticado. Isso está na Bíblia, mas eu explico do ponto de vista neurológico e parapsicológico.

Por exemplo, a telepatia. Essa capacidade que todos

nós temos de nos comunicar com outra pessoa através do pensamento funciona mesmo quando não temos consciência disso. Quando pensamos numa pessoa, no mesmo instante ela está recebendo essa informação. Todos os seres se influenciam uns aos outros porque estão continuamente ligados por um campo magnético. A medicina quântica o chama de campo energético informatizado, afirmando que cada espécie tem o seu campo específico.

Quando enchemos a cabeça de pensamentos negativos, quando pensamos mal de alguém, esse alguém pode não perceber exatamente o que acontece, porém sentirá alguma coisa estranha em seu coração relacionada a nós. Por exemplo, poderá sentir antipatia por você ou por mim, sem entender o motivo. Poderá ter sentimentos desagradáveis ou irritantes em relação a nós, aparentemente sem fundamento.

Quando atraímos coisas ruins para a nossa vida, só nos resta aceitar, mesmo contra a vontade, o fato de termos reclamado, lamentado, julgado ou criticado os outros, ou de ter segurado e controlado a vida das pessoas com as quais convivemos. Só nos resta adquirir consciência dos sentimentos de inveja, intolerância, cobiça que talvez tenham invadido o nosso coração. Para mudar a situação, precisamos transformar nossos pensamentos e emoções. Olhar para as pessoas com amor, compaixão, suavidade, docilidade, compreensão e, portanto, com sabedoria. Precisamos ver o lado bom das coisas e não nos concentrar no lado ruim. Só assim passaremos a atrair coisas boas para a nossa vida.

Temos que ter coragem e bom senso suficientes para trocar, como se troca uma roupa que não nos serve, uma atitude negativa por uma positiva. Aí o negativo desaparecerá como a fumaça que se esvai no ar e, o positivo voltará para nós com toda a sua capacidade construtiva.

Esta é a verdade da lei universal de causa e efeito que revela seus pensamentos secretos pelo tipo de vida que você tem e o tipo de corpo que se tornou. Seus pensamentos, palavras e atitudes têm vibração e atrai tudo que vibra igual a você.

O trabalho da "visualização criativa": imaginar serenamente como quer a vida sem interferir no livre-arbítrio das pessoas, trará até você o que pensou. Portanto, cuidado com o que pensa, pois nada fica impune para as Leis do Universo. Lembre-se que palavras têm poder de concretizar o bem e o mal. Discipline-se e exercite-se para mudar as palavras, os pensamentos e a forma de agir com as pessoas.

Guerra interna atrai guerra para perto de si, enquanto amor atrai mais amor na vida.

Mude! "Orai e vigiai" a si mesmo disse Jesus (*Mateus, v. 26, cap. 41*)

A LEI DO RETORNO

Essa lei todos conhecem, mas poucos entendem e por isso continuam tendo atitudes negativas, lamuriando, criticando, se vingando, tolhendo a liberdade das pessoas da família, ou praticando atos desumanos contra os animais e pessoas, desrespeitando idosos, roubando, trapaceando, querendo levar vantagem em tudo, traindo e tendo pensamentos de luxúria secretamente.

A lei do retorno é clara: "aqui se faz aqui se paga", mesmo que você não classifique suas atitudes como ruins. Para essa Lei tanto as boas atitudes quanto as más, trará de volta para você o resultado do seu "plantio".

Colhemos o que plantamos, mas muitas pessoas acham que existem "fatalidades" e não acreditam que os bons não pagam pelos maus.

Cada pessoa atrai o que "merece" no sentido da criação do seu próprio destino desde antes de nascer para esta vida.

Enquanto você não aceitar que mesmo inocentemente, fez mal a alguém, vai continuar sua colheita ruim até perceber o que está fazendo.

Essa Lei é "dente por dente, olho por olho" até que sua

conduta esteja consciente e perceba que muitas palavras ou escolhas de caminhos podem ferir outras pessoas e a si mesmo.

Saiba que as coisas boas que você colhe entre os acontecimentos ruins também é um retorno das coisas boas que você fez. Aumente sua colheita boa!

Seja paciente, generoso, honesto e alegre! Sempre!

A LEI DO SILÊNCIO

A Lei do silêncio ensina a guardar energia positiva nos pensamentos, sem verbalizar. Também mostra a importância de elogiar as pessoas e as situações e nunca proferir palavras negativas e nem comentar sobre os defeitos do caráter ou do corpo das pessoas.

As palavras têm poder de destruir ou de construir e essa lei revela que suas palavras negativas ou de críticas e julgamentos se voltará contra você pela lei do retorno.

Pessoas com mau hálito revelam conduta crítica e que tem os olhos voltados para os erros das pessoas e dos acontecimentos. Falam mal das pessoas e propagam notícias falsas ou deturpadas para produzir caos na família ou até no trabalho.

Praticar meditação e reflexão todos os dias faz com que você fique em silêncio mais tempo e aprenda a se conter nas palavras.

Se sentir vontade de criticar fique em silêncio e sai discretamente do grupo ou da conversa e se perguntarem a você sobre o caráter de alguém diga palavras positivas a respeito dessa pessoa ou não diga nada e nem faça cara de que não gosta. Devemos falar bem das pessoas ou não falar nada, pois as Leis funcionam para essas pessoas também e você não precisa prejudicar a imagem dela. Lembre-se que a Lei do retorno fará pessoas acabarem com a sua boa imagem também caso você fale versões negativas das pessoas e até dos locais onde você estiver.

Aprenda a não contar seus planos para ninguém, a não ser que sejam pessoas que estão realizando algo com você.

Nunca compartilhe seus problemas pessoais, pois quanto mais gente souber do seu problema mais ficará registrado no inconsciente coletivo dificultando a sua cura ou a sua solução. Gandhi disse: "se você quiser acabar com um mal não fale nele".

Tenha um rosto simpático, não fique em grupos de pessoas que falam mal de outras pessoas mesmo de políticos. Proteja seu campo áurico se afastando dos vícios dos comentários críticos e faça seu coração sentir respeito pelo carma negativo das outras pessoas. Tenha compaixão e saiba elogiar e agradecer para conseguir que as pessoas mudem para melhor.

Essa Lei é difícil, mas não impossível. Faça retiros espirituais e se reserve um pouco do barulho mental das pessoas sem criticá-las.

A Lei do silêncio muda sua frequência vibracional para o amor e a alegria além de parar de atrair pessoas julgando você.

A LEI DA DOAÇÃO

Essa é a lei que explica o equilíbrio das polaridades yang e yin. Tudo no universo da terceira dimensão possui duas polaridades opostas e complementares para, juntas, impulsionarem a criação de tudo o que existe.

A doação existe para movimentar as energias e para todos terem amor, atenção, roupas, auxílio, alimento e companhia.

A sociedade das formigas é perfeita e organizada e elas quando percebem pelas suas antenas que alguma formiga está sem se alimentar regurgitam na boquinha da faminta para prosseguir seu trabalho e vão embora.

A doação foi explicada muito bem nos Evangelhos cristãos; "não deixe sua mão esquerda ver o que a direita fez".

Pessoas que vivem atrás de tratamentos, recebendo apoios constantes de outras pessoas, ou esmolas e sempre procurando pela sua felicidade sem se doar também, mostra que suas polaridades energéticas estão em desequilíbrio e nunca receberão sua cura ou prosperidade.

A doação deve ser feita por amor e generosidade até para as pessoas estranhas e nunca querer nada em troca e nem querer ser aplaudido pelo bem que fez, pois as Leis estão de "olho" em você.

Doe-se de diversas maneiras podendo ser dinheiro, roupas, alimentos, escutando o desabafo de alguém sofrido, lavando a louça, arrumando a casa de quem está doente ou cansado, varrer a calçada do vizinho sem ele saber que foi você, alimentar animais famintos na rua, visitar um asilo, um orfanato, moradores de rua ou apenas um abraço de irmão em quem está chorando ou sofrendo.

Veja a beleza dessa Lei e acredite! Os resultados positivos são maravilhosos para todos além de tornar o nosso planeta um lugar lindo para se viver.

LEI DO DISTANCIAMENTO

Essa é a lei conhecida também como "desapego".

A lei do distanciamento é o afastamento das suas emoções conturbadas em qualquer acontecimento ou relacionamento. Se distanciar internamente para se tornar um observador do jogo emocional das discórdias na família, no trabalho, dirigindo o automóvel e até com os amigos.

A paz interior é a finalidade dessa Lei, pois o descontrole das emoções gera conflitos e até guerras e para conseguir se distanciar internamente é necessário conhecer as outras Leis do Universo citadas acima.

As leis Universais ensinam que nada acontece por acaso e que ninguém é vítima de ninguém, por isso aprendemos a ter mais paciência e esperança no momento que iniciamos nossa mudança comportamental.

O distanciamento é só das emoções e dos julgamentos, é se tornar neutro sem perder o amor e a compaixão no coração e no olhar.

Aprender a "não comprar briga" é uma atitude sábia e somente o distanciamento pode nos dar essa sensatez.

Pessoa que entende de artes e de quadros sabe que quando se aproxima demais da pintura perde detalhes da beleza e da magia da comunicação da mente do artista. Sabe que precisa olhar de longe para perceber as perspectivas, as dimensões e pequenas linhas que enriquecem a mensagem da pintura.

Nossa vida e nossos relacionamentos são como artes criadas por um Artista perfeito que pintou o nosso quadro com muito amor e chamou a nós de "obras primas Dele". Então para que possamos ver o lado bom e compreender as atitudes "negativas" das pessoas próximas não podemos olhar de tão perto nos envolvendo na cegueira da razão, devemos sim nos distanciar como apreciadores das artes para enxergar os motivos que levam as pessoas às discórdias.

Compreendendo e aceitando sabiamente a lei do semelhante que atrai semelhante e a Lei da projeção você conseguirá se distanciar das suas próprias emoções exacerbadas causadas pela raiva ou pela mágoa. Com essa aceitação você entrará automaticamente na lei do silêncio para refletir mesmo durante uma discussão familiar ou ataques verbais das pessoas sobre o seu caráter.

Manter a paz interior sem participar do confronto, mas reagir com firmeza sem emoções e sem interromper o desabafo intenso de alguém sobre você revelará que você compreendeu as leis do universo. Entretanto, saiba que se "distanciar" não significa deixar de agir, mas saber agir sem impulso e sem precipitação, pois quem grita com você mostra que nunca você a escutou verdadeiramente.

Todo aprendiz da vida inicia seus estudos e praticas de suas próprias mudanças pelo distanciamento que por vezes, pode ter que se distanciar fisicamente para refletir e se desintoxicar dos venenos que as emoções lançam em seu sangue.

Comece se puder, pelo distanciamento interno para ver melhor as soluções dos problemas que o afligem e depois tome uma decisão sábia que seja boa para todos os envolvidos.

Pare de revidar aos ataques e às chantagens emocionais. Se distancie das suas emoções, mas mantenha no rosto a serenidade olhando docilmente para o "oponente". Piscar os olhos mostrará que você não quer guerra, pois se você encarar a pessoa e olhar para os olhos dela friamente em silencio revelará que você não conseguiu se distanciar da sua própria raiva.

Treine as primeiras Leis para que você consiga a sabedoria e o autocontrole da pacífica Lei do distanciamento. Ela fará milagres em sua vida.

Você é o que você pensa

Quando você percebe que quem manda em você é você mesmo, não o que está fora, já está dando um passo muito importante para melhorar sua vida.

Você está mudando o seu pensamento!

Não canso de repetir em meus livros que é o pensamento que precisa ser observado, pois tudo começa aí. O pensamento é a força que cria as manifestações em sua vida. É você o responsável por aquilo que pensa. Na forma de pensar é que se manifesta a total liberdade do ser humano. Mas como mudar o pensamento?

Quando estudamos e quando buscamos o conhecimento, aprendemos que existem outras formas de pensar. E diante de mais opções, podemos escolher aquela que vai substituir os pensamentos que envolvem medo, tragédia, arrogância, ganância e insegurança, perpetuados pelo inconsciente coletivo adquiridos de geração a geração.

Você sozinho não vai mudar o mundo, mas pode começar

mudando você mesmo e, através de seu exemplo, contagiar os outros com essa atitude benéfica. Assim o bem se espalha e o mundo acabará mudando também.

Você vai parar de ter doenças quando praticar as Leis do Universo no seu dia a dia. E esse fato vai mostrar que você está sendo inteligentemente amoroso, calmo e paciente com os fenômenos que se materializaram em sua vida devido aos seus pensamentos antigos, condutas anteriores, e saberá que para mudar o seu futuro, o seu destino, você precisa mudar o pensamento, e esperar com amor e paciência que a mudança se materialize no tempo e no espaço. Tendo a certeza de que isso vai acontecer, você terá paciência.

Espero que todas as pessoas que estejam lendo este livro possam compreender a profundidade desse ensinamento.

Os ensinamentos dos mestres

Não estou colocando teorias e sim aplicação prática de um conhecimento. O Cristo disse: "seja te feito conforme creste", e também: "a tua fé te curou".

E Ele disse que você também poderia fazer as mesmas obras que Ele, e ainda bem melhores do que as Dele. Isso está na Bíblia.

Procure conhecer os ensinamentos dos mestres que estiveram neste planeta, deixando dicas, mostrando atalhos para sair desse aglomerado de coisas que acontecem ao mesmo tempo em nossa vida e confundem a nossa alma.

Procure com calma praticar esses ensinamentos em vez de ficar esperando alguma coisa do além, das entidades, do pai, da mãe, do marido ou da esposa, dos filhos, do patrão, dos funcionários, dos vizinhos, do governo.

Só se pode ajudar aquele que quer ser ajudado. E todos os ensinamentos que já foram transmitidos para a humanidade só o ajudarão se você abrir as portas do seu coração para eles.

Crie sua felicidade

Ao promover mudanças internas, você vai obter a alegria de viver e, consciente ou inconscientemente, criar uma máquina geradora de auto estímulo. Você vai ver como é bom ser feliz sabendo que você gera sua própria felicidade, que você constrói, desenha e lapida o seu destino com suas próprias mãos, ou seja, com seus próprios pensamentos.

Tire o poder da ilusão que engana você. Aquilo que está projetado hoje na sua vida é uma ilusão, é apenas uma dentre as inúmeras manifestações possíveis, uma que você mesmo escolheu pelo tipo de pensamentos que teve. É um estado que pode ser mudado. tudo pode ser mudado.

Tire o poder que você acha que o exterior tem sobre você e descubra o poder latente daquilo que já existe no seu coração, nas suas glândulas, no seu pensamento.

Pense positivamente e alegremente em todas as situações de sua vida, por mais que elas aparentem ser hostis, ingratas, injustas. Coloque dentro de você essa convicção de que foi você mesmo que o criou, por mais incrível que pareça.

Lute contra toda influência negativa, não bata mais de frente com as opiniões dos outros, não discuta quando você perceber que não vai levar à nada. Quando você perceber que as opiniões dos outros são rígidas demais, porque na verdade são as suas próprias opiniões e comportamento que estão rígidos, então seja flexível sem se anular.

Use sempre as Leis do Universo e descubra como é maravilhosa a vida e as pessoas.

Saiba que mesmo você sendo uma pessoa do bem, outros acham que não, devido ás projeções que fazem sobre você. Não leve para o lado pessoal e sim emane Luz para o coração dela quando perceber que ela está irredutível nas opiniões.

Mude você não os outros.

Exercícios

Existem muitos exercícios de relaxamento, de concentração,

que fazem com que os pensamentos parem de se dispersar devido ao desequilíbrio emocional.

Muitas vezes, quando estamos envolvidos numa situação complicada, que exige solução rápida, ou que apresenta muitos freios e barreiras, é preciso adquirir calma para poder resolvê-lo. Enquanto você estiver em tumulto, ansioso, achando que não pode fazer nada porque não foi você quem a criou, acreditando na fatalidade, não vai poder fazer nada mesmo. É preciso relaxar para poder pensar claramente e entender tudo que explanei até agora. Para isso posso ajudá-lo ensinando um exercício.

A energia vital

Você pode tirar os sapatos e andar descalço sobre a terra. Livre-se de todos os adornos metálicos em seu corpo, como anéis, pulseiras, relógio, até aparelhos dentários se forem móveis, afrouxe o cinto, deixe a energia vital fluir em seu corpo entrando pela sola de seus pés, pelos raios do sol acariciando sua pele, pela água, pelo esvoaçando seus cabelos, em sua roupa, pelo frescor das plantas, pelo perfume das flores, pelas cores da natureza.

Seja mais flexível, mais sábio, não tenha medo, relaxe e deixe a natureza ajuda-lo. Procure sentir a entrada da energia da natureza. Enquanto você não perceber essa energia em seu coração, em seu corpo, você não conseguirá compreender o conteúdo deste livro, nem eliminar as dores no corpo e as doenças.

Terapias alternativas

A medicina chinesa e as terapias holísticas (Olhar o homem como um todo) muito exploradas hoje em dia oferecem alternativas para você conquistar a paz de espírito.

Os remédios naturais que estão à disposição no mercado funcionam também com a condição de você estar aberto a eles. Isso vale para qualquer remédio, tanto o alopático quanto homeopático. É o seu pensamento que permitirá ou não a ação do remédio em seu organismo. Se você estiver convencido de que qualquer coisa não funciona para você, apesar de funcionar para os outros, não tem jeito, não vai funcionar mesmo.

Sobre o amor e a docilidade

Pensamentos suaves e flexíveis o conduzirão para o amor desapegado, o amor que não espera nada em troca. Quando você sentir esse amor em seu coração, verá como é gostoso, como ele o torna pleno, como supre todas as carências, as necessidades, porque você deixará de se concentrar em si mesmo e passará a olhar para o outro, seja um ser humano, uma planta, um animal e descobrirá as maravilhas deste mundo.

Uma pessoa que diz amar alguém, mas não sente paz de espírito, está sempre carente, sempre cobrando o amor do outro, sempre controlando as situações para que sejam do seu jeito, significa que não ama verdadeiramente. É paixão que prende o coração, que gera sentimentos de posse, de medo de perder. Essa pessoa está se projetando no outro e espera que o outro cubra os vazios de seu coração. Isso não é amor.

Se você tem amor no coração, ele o alimenta também. Isso é ter paz profunda, é ter sabedoria, é permitir que a energia vital que permeia tudo, que faz a ligação com o cosmo, com a terra, com o ar, com o vento, com o sol, com a lua, com as estrelas, com o éter, dirija também o nosso corpo. Pois o nosso corpo tem todas as propriedades do Universo, os átomos são os mesmos, as substâncias são as mesmas, o pensamento do Universo é o mesmo e cabe a nós sintonizar nosso pensamento com o Universo para que fiquemos ligados plenamente com Ele. Obviamente o nosso destino será favorecido, pois só assim acontecerão coisas maravilhosas em nossa vida. Pessoas boas, calmas e flexíveis, em sintonia conosco, aparecerão para trocar informações, para fechar negócios, para fazermos amizades, para casarmos, termos filhos, para viajarmos, para construirmos, para salvarmos a nossa cidade, o nosso país, o nosso planeta Terra e, consequentemente, irradiarmos energia de paz para os outros planetas e galáxias, disseminando vida, amor e felicidade.

Ser dócil não significa se anular. Ser dócil não significa perder e se conformar, não realizar seus sonhos e ficar por isso mesmo. Ser dócil significa ter sabedoria. Você só consegue ser humilde, dócil, amoroso, calmo, sem resultar desvantagens para você, quando sabe que é você quem cria tudo.

É difícil no começo pensar assim, eu sei, mas se a cada dia você se der a chance de observar o que acontece ao seu redor e se identificar com algo que existe dentro de você, no mesmo instante, você perceberá como as leis universais *de causa e efeito* e dos *semelhantes que se atraem* são reais, fantásticas e realmente funcionam e que você pode ser feliz.

Perdoe os outros e você mesmo. O perdão significa soltar de vez, deixar ir aquilo que você criou de ruim no seu passado ou no seu presente. Se você criou, você mesmo pode perdoar.

Não aceite as crenças que jogam culpas para o mundo externo. Não culpe nem a si mesmo, pois a palavra *culpa* é prisão. Exclua a palavra *culpa* de seu vocabulário e a substitua pela palavra *responsabilidade*. Você é responsável por tudo que cria em sua vida e em seu corpo. Isso significa que só você é quem pode mudar. Se as pessoas que hoje estão ao seu lado não acompanharem a sua evolução, com certeza, novas pessoas, novas amizades, novos amores aparecerão.

É preciso coragem e fé porque no momento em que você acreditar no Deus do seu coração, não terá medo de soltar o velho e deixar o novo entrar em sua vida, seja quem for, seja o que for.

Boa sorte e exercite sempre o conhecimento adquirido,

para que ele passe a fazer parte da sua vida. Procure ajuda profissional se não conseguir solucionar seu problema sozinho, seja flexível nisso também, se permitindo reconhecer suas limitações.

Boa sorte, meu querido leitor, seja feliz e tenha muita paz profunda!

Capítulo 17
Depressão e Síndrome do Pânico

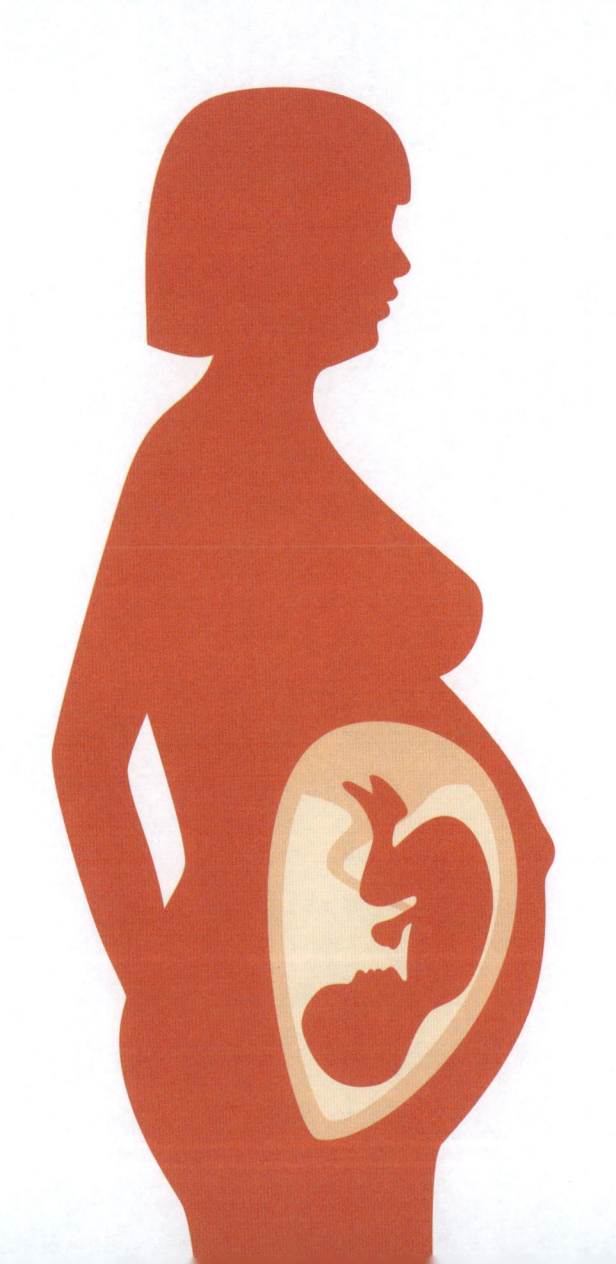

Depressão e Síndrome do Pânico

Desejo de todo coração que aqueles que lerem estes textos destruam completamente as barreiras que impedem a sua alegria de viver. Rogo que os esclarecimentos a seguir façam a mente do querido leitor, acreditar que podemos mudar tudo em nossas vidas e transformarmos a dor e a tristeza em gratidão, saúde, longevidade e amor por todas as coisas do céu e da terra.

Depressão

Na minha infância deixei meus pais muito preocupados e aborrecidos com meu comportamento agressivo. Eu não tinha parada e a minha hiperatividade era mais forte que o meu medo de levar uma surra ou ficar de castigo. Eu sempre estava traquinando e tentando achar uma forma de fugir das regras e das autoridades do lar e da escola, pois eu sentia uma angústia inexplicável para a minha idade. Quanto mais me seguravam e me castigavam tanto mais eu sentia ódio e me rebelava contra tudo e contra todos quebrando objetos, gritando, mordendo quem me segurasse pelo braço. Meus pais me levaram a médicos, neurologistas, a terreiros, à escola rígida; tomei remédios fortes para me acalmar e apanhei muito até de pessoas estranhas que não me suportavam. Ninguém sabia, mas eu era a tal da *criança índigo*, na época era rara de se encontrar. Muito menos sabiam como lidar com a fúria e a energia de nós, "crianças rebeldes, malcriadas e perversas". Com o tempo fui sendo desprezada e sofria o *bullying* nas escolas pelos professores que me colocavam sobre suas mesas com chapéu de burro e faziam as demais crianças jogarem bolinhas de papel em mim, gritando: "burra! burra!". Isso porque eu fugia das aulas por não conseguir me concentrar no que os professores ensinavam e, por isso, sempre me encontravam escondida no banheiro, atrás das portas, embaixo das mesas das salas vazias e até dentro da banheira só com os olhinhos de fora arregalados de medo.

Com dezessete anos de idade fui pega pela tal *depressão*, nome que eu desconhecia para o que eu sentia. Naquela época aconteceu algo que eu não sabia que iria me tocar tanto: o rapaz que eu amava platonicamente, anunciou seu casamento com uma moça muito bonita e senti, no meu coração, tê-lo perdido. Quando eu tinha dezoito anos faleceu minha querida avozinha materna e com meus dezenove anos meu avô paterno também partiu. Hoje sei que se eu tivesse trabalhado corretamente aquela energia exagerada que estava dentro de mim não teria desencadeado a depressão, pois eu saberia lidar com a raiva que senti por causa dessas perdas. Na verdade a dor que joguei para dentro do meu coração sem poder dizer nada a ninguém, pois eu tinha vergonha de demonstrar sentimentos profundos por medo de retalhamentos e deboches, transformou-se em toxina em meu cérebro, destruindo os hormônios que me faziam sentir felicidade: a serotonina e o lítio.

Por anos e anos procurei várias terapias para acabar com as angústias e com aquele vazio no "peito", principalmente aos sábados e finais dos domingos. Eu já não sofria mais pela perda do rapaz ou dos meus avós, mas pela solidão e desadaptação familiar e social. Eu não conseguia sentir que era amada e aceita e isso me tornou uma eremita falsamente sociável. Trabalhei em teatro e televisão e vários palcos me chamavam para representar personagens enquanto fugia cada vez mais da minha verdadeira identidade sem saber.

Tomei Prosac durante certo período até que o Dr. José Álvaro da Fonseca, grande psiquiatra e amigo, me receitou outro medicamento. Com o tempo foi me receitando, gradativamente, remédios homeopáticos, até florais, me "apresentando" aos poucos, a mim mesma, pela hipnose e pela PNL até eu não ter mais que tomar os medicamentos e superar todas aquelas crises de angústia, medo de perder, apego nos relacionamentos, raiva de quem me traía, ciúme, desconfiança, dependência emocional, desespero por não querer ficar só e todos os sentimentos com que eu não sabia lidar devido à falta de autoconhecimento. A raiva contida durante anos dentro de mim para eu não ser mais humilhada tinha causado a depressão, na qual eu oscilava entre o amor e o ódio pelas pessoas e pelos acontecimentos. Cheguei a perder a vontade de viver e arrastava minha vida deixando que os outros a dirigissem, causando mais frustração, mais raiva inconsciente e mais depressão a ponto de não ter mais enzimas cerebrais que me dessem qualquer força para lutar contra a falência física, mental, psíquica e, principalmente, espiritual. Minha fé estava comprometida e por mais que eu implorasse a Deus, aos anjos, aos espíritos de Luz e às pessoas uma ajuda para acabar com aquele sofrimento, mais eu afundava, pois tinha me desligado da frequência vibracional do amor que me levaria às soluções. Só me restava acabar com aquela vida inútil e vazia e foi o que fiz, mas, pelas mãos de Deus fui socorrida e mais tarde levada a conhecer o psiquiatra que, pelo seu amor e profissionalismo, me ensinou a buscar meus sonhos, até que um dia ele me perguntou: "O que você gostaria de fazer na vida"? O que você planejaria para o seu futuro? Qual o sonho que você não realizou e que, se pudesse, realizaria? - Então, respondi a ele que eu gostava de escrever, mas não tinha ideia sobre o que escreveria. Eu nem imaginava que um dia escreveria sobre a *linguagem do corpo*, exatamente o tema que eu lia esporadicamente nos livros da Seicho-No-Ie e livros de mestres orientais para passar um pouco a minha dor e meus sofrimentos da alma.

O sofrimento desde a infância me fez estudar muito em cursos e livros de medicina chinesa e egípcia além de conviver com indianos e índios que me ensinaram muito sobre a vida. Minha busca era incessante e desesperadora antes de eu encontrar o Dr. Álvaro que me ajudou na minha organização interna onde encontrei uma razão para viver.

Após eu ter iniciado "repentinamente" as minhas obras literárias em 1994, a angústia foi se diluindo do meu coração, abrindo espaço para uma paz interior que jamais eu conseguirei explicar em palavras e, a partir de então, toda a minha vida se desenrolou e modificou como num passe de mágica. Afinal eu havia encontrado o meu caminho nessa vida e a depressão desapareceu milagrosamente, mesmo contrariando médicos que diziam que eu tinha depressão crônica e congênita.

Hoje sou conhecida pela minha franqueza na fala e nos atos, mesmo algumas pessoas não gostando muito do que faço e falo. Peço desculpas a quem um dia magoei, mas quando soube que a depressão se instala nas pessoas que não se permitem ser elas mesmas e se deixam ser dominadas pelas desordens da família, do relacionamento e do mundo social, não parei mais de falar o que penso e de expressar todos os meus sentimentos.

Transformei a raiva em força de vontade, a tristeza, em bom humor, a solidão, em momentos reflexivos para estar com Deus e as perdas, em aceitação de que **nada acontece por acaso** e que Deus sabe o que faz.

Amigo leitor me expus para ajudá-lo a sair da depressão e a entender que, se você buscar a ajuda certa, aprenderá a encontrar o seu caminho verdadeiro sem ter medo de lutar por ele. Depressão é raiva e frustração e ela começa antes de nascermos, por isso saiba que sua missão está escrita nas estrelas assim como a minha sempre esteve, mas eu não enxergava devido à energia negativa da raiva e da mágoa. Atrás das nuvens, o Sol sempre está brilhando, então não acredite no fracasso, no desamor, na solidão e na falta de reconhecimento por parte das pessoas a quem você tanto se dedicou, acredite que você é apenas especial e que deve ocupar o seu lugar no mundo.

Todas as pessoas que sofrem de depressão foram esmagadas pelo medo e pela humilhação, pois não sabiam andar em seus próprios trilhos e ocuparam espaços que não eram seus, cuidando de tudo e de todos e acabaram ficando dependentes de alguma forma parecendo que eram as pessoas mais fortes da família.

Depois de muitos anos, fiz meu mapa astrológico com o respeitável astrólogo Tadeu Gasques que me informou que aquelas angústias e até a terapia que fiz estavam registradas no meu mapa astrológico e que tudo que passei foi necessário para hoje compreender a dor humana na minha própria pele e escrever e ministrar palestras auxiliando as pessoas que sofrem a encontrar suas lições de vida na dor que sentem, até aprenderem a utilizar o sofrimento em instrumento de felicidade.

Depressão é a falta de dedicação quanto à missão verdadeira e à falta de caridade por viver à margem do seu Eu espiritual, ou seja, não saber quem é e o que quer, tendo que fazer o que os outros impõem ou chantageiam. Isso não significa que nossa família errou conosco, significa que nascemos na família certa e que apenas deveríamos perceber que ser diferente é necessário para o equilíbrio de todos e nunca tentar eliminar de nós o excesso de energia, mas canalizá-la para construir um mundo melhor com nossa força interna.

Se você toma algum tipo de remédio para seus distúrbios emocionais, não pare repentinamente, pois seu organismo está dependente dessa droga e é perigoso parar sem orientação médica para desintoxicação, mas procure antes um astrólogo sério e matemático para orientá-lo em seu caminho.

Muitas pessoas recuperam a saúde física e psíquica através da fé em suas religiões, mas, caso você não esteja conseguindo pela religião e com os psiquiatras, procure conhecer-se pelo seu mapa astrológico e começar uma nova jornada em sua vida. Faça caridade fora do seu lar também e realize os sonhos que ficaram estagnados no passado. Nunca é tarde para recomeçar e não há idade para sonhar e se realizar. Levante a cabeça e acredite que tudo vai melhorar, mesmo que ainda não esteja vendo uma saída. Nosso cérebro necessita de quantidades equilibradas de serotonina, lítio e de outras enzimas e hormônios para que possamos nos sentir estimulados e prontos para praticar meditação, oração, *taichi chu an*, yoga e até terapias. Quando conseguimos orar e sentir a fé em nossos corações, não precisamos mais de remédio algum, pois nosso corpo físico começa a se regenerar e fabricar tudo que precisamos para sermos saudáveis, jovens e felizes. A prática da meditação recompõe nosso corpo e nossa alma e nos reconecta com a força do Amor que cura todas as doenças do corpo, da mente e do espírito afastando também obsessores físicos e espirituais.

Muitas pessoas nasceram e cresceram sob forte autoridade dos pais, dos professores e até da hierarquia militar quando incorporados nas forças armadas e nem por isso tiveram depressão, isso porque existem pessoas que descarregam suas raivas em sonhos, roncos, esportes, comida e até no sexo. Podemos dizer que elas fogem das angústias através desses subterfúgios ou se tornam comandantes das vidas alheias, invertendo a anulação em autoridade e comportamento castrador. Na verdade só ensinamos aquilo que fizeram conosco na infância e na adolescência e uns se deprimem enquanto outros levam à depressão os filhos, a esposa, o marido, os funcionários, os pais e até mesmo pessoas estranhas que cruzam o seu caminho pela sua autoridade. Cabe a nós termos boa autoestima e autoconhecimento para não sermos vítima daqueles que se vingam em nós, inconscientemente, das repressões que sofreram. Quando temos alegria no coração e sabemos o que queremos da vida, temos também o amor suficiente para, com firmeza e carinho, escapar das autoridades repressoras ou compreender as atitudes alheias, sem nos anularmos e sem sentirmos raiva.

Qual a sua crença? Você acredita que merece sofrer e que não tem o direito de ser feliz? Acusaram você das coisas erradas que seus irmãos ou outras pessoas fizeram? Incumbiram você desde criança cuidar da casa, da família, de alguém doente? Sua mãe ou seu pai não cumpriram com a maternidade ou com a paternidade corretamente e sobrou para você a responsabilidade deles? Seu casamento foi um fracasso devido ao excesso de compromissos com seus pais e irmãos? Ou você nem pôde amar e se casar com quem você queria por causa dos problemas da sua família ou por causa das quebras financeiras? Será que a pessoa que você amava morreu ou se casou com outra pessoa? Será que o seu caso é depressão "pós-parto"? Ou entrou em depressão por estar entrevado numa cama sem poder sair ou se curar?

Seja o que for vamos juntos encontrar uma forma de você sair dessa da melhor maneira possível, sem causar mais dores a você nem a qualquer outra pessoa que se preocupe com você ok?

Lembre-se de que a depressão é *raiva e frustração* que se instalam em nosso coração quando não entendemos os porquês das perdas, das doenças, das mortes, dos desamores, das traições e das angústias. Por isso, quero mostrar que existe a porta de saída dessa dor e que será necessário primeiro entender as leis Universais e depois, passo a passo, caminhar corajosamente para fora desse pesadelo.

Saiba que ninguém é vítima de ninguém pelas Leis de Deus, apenas cada um atrai para si aquilo que mais teme, exatamente por pensar e falar demais sobre aquilo que tem raiva ou mágoa. Pensamentos, palavras e ações, geram o seu destino e você pode modifica-lo com a determinação de pensar e falar somente sobre coisas boas mesmo que tenha que inventar tais fatos otimistas. Compreendo que não seja fácil para você iniciar esse processo de mudança comportamental, pois também passei por isso, mas uma coisa leva a outra e, se você não tentar ser alegre e otimista, a energia negativa vai aos poucos tirando o restinho da sua fé.

Existe uma força eletromagnética visível e invisível no mundo com poderes sobre nossas vidas. A boa notícia é que ela se transforma conforme o que pensamos e falamos, pois ela é conectada ao magnetismo das ondas vibracionais dos nossos pensamentos e das ondas de reverberação do som de nossas palavras. Você faz o que quer dela quando domina seus próprios pensamentos e não permite mais que pensamentos sombrios entrem em sua cabeça. Ela é aquilo que você acredita e atua sobre seu organismo e seu ambiente do mesmo jeito que você acredita que seu ambiente o é. A força da imaginação pode reconstruir as substâncias das quais seu cérebro precisa para acabar com os pensamentos de tristeza e raiva que o levam à depressão.

A seguir mostrarei graus de depressão e como eliminá-la, pois muitas pessoas que tratam de indivíduos deprimidos não imaginam que têm também algum grau de depressão e que precisa imediatamente eliminar o foco que se instalou no inconsciente por conviver com pessoas infelizes ou dominantes.

Depressão camuflada

A depressão mais comum que existe, mas ninguém a classifica como depressão é a preguiça. Muita gente é condenada por ser preguiçosa e fugir das responsabilidades, mas na verdade essas pessoas vivem deprimidas por se sentirem inúteis por não saberem quem são e por terem que fazer o que os outros querem. Muitos filhos se jogam num sofá ou numa cama devido à "preguiça", não atendem aos pedidos e ordens dos pais, irritando até os irmãos que acabam fazendo tudo no lugar deles.

Esses mesmos filhos "preguiçosos" quando chamados para o passeio que gostam ou quando está para chegar em sua casa a pessoa que eles "curtem", entram em estado de prontidão e a preguiça acaba, mostrando que algumas coisas valem a pena.

Preguiça é falta de motivação para os seus sonhos pessoais, pois quando são reprimidos em suas ideias, acabam vivendo a rotina entediante da família ou da escola.

Nos adultos, a preguiça mostra recalques profundos, como se a vida tivesse lhes tirado o direito de sonhar. Conheço centenas de "ex-preguiçosos" sobre quem qualquer pessoa diria que eles não tinham recuperação. Porém eles encontraram seus caminhos, novos ideais e se motivaram a trabalhar e a se divertir.

A depressão também tem níveis quase imperceptíveis aos olhos dos leigos, como, por exemplo, pessoas que têm preguiça de tomar banho para dormir e até mulheres que não têm qualquer vaidade, não têm prazer em pentear os cabelos ou demoram muito tempo para tingirem as raízes dos cabelos, deixando aparecer a outra cor. Outras pessoas aparentam ser simples e se vestem sem combinar cores e nem se preocupam em vestir roupas apropriadas para o momento, usam a primeira roupa que encontram pelo quarto. Outros são desleixados e jogam suas roupas pelo chão ou as deixam em qualquer lugar da casa, misturando roupas limpas com roupas sujas.

Quando sentimos alegria e bem estar, podemos até ser simples, mas temos vontade de combinar a blusa com a calça no mínimo, pois gostamos de nos sentir bonitos e limpos para nós mesmos. A satisfação consigo mesmo faz com que a pessoa, homem ou mulher, arrume a casa, dobre as roupas, cuide da cozinha com alegria, limpe dentro do seu carro e principalmente limpe os sapatos para sair e até para ficar em casa. Cuidar de si mesmo é o primeiro indício que a pessoa está saindo da depressão. Corpo largado, maltratado, compulsivo por comida e compras e até ansiedade para falar sem parar é sinal de fuga da depressão que já se instalou.

Hoje as algumas emissoras de TV mostram a vida dos "acumuladores compulsivos" revelando uma forma profunda de depressão camuflada, pois elas escondem seus sentimentos de angústia e solidão morando no meio do lixo ou de objetos que nunca se desfazem. A preguiça que essas pessoas têm arrumar aquela bagunça e jogar fora os pertences acumulados é a depressão corroendo sua alma. Todos os acumuladores não acham que o são e alegam que o que guardam tem uma história e um vínculo afetivo relacionado.

Se você guarda muitas roupas, objetos, coisas das pessoas queridas, que faleceram, papéis e objetos nas gavetas, coleciona seja o que for e entra em desespero se imaginar que um dia terá que se desfazer disso tudo então, afirmo que você está sofrendo da depressão camuflada e perigosa.

Acumuladores se afastam das pessoas próximas por não saber lidar com seus próprios sentimentos em relação a elas. O ato de guardar lençóis novos, panos de pratos novos, roupas novas e dizer que estão guardando para um momento especial revela que você não se acha especial para usar tudo o que guarda. Tire das embalagens e use para você. Se ame e pare de esperar que alguém especial, pode surgir a qualquer momento para você recebe-lo com panos limpos e novos. A visita não é mais importante que você e tenho certeza que se o "Papa" visitar sua casa ele vai querer dormir num lugar simples. Não tenha preguiça e nem apego! Doe tudo o que você não usa há muito tempo e deixe sua casa e escritório com pouquíssimas coisas porque para ser feliz precisamos de muito pouco.

Quantas vezes você teve pequenas preguiças e desleixos? Será que não foi numa época em que você estava com dívidas ou frustrado em seus sonhos pessoais?

Quando as dívidas estão pagas e a família está em harmonia temos vontade de cantar, dançar, passear, fazer surpresas às outras pessoas e até planejar viagens de férias, não é mesmo? Mas será que todas as pessoas estão com as dívidas pagas e a família é feliz e harmoniosa? Pois é, como fazer para ser feliz, mesmo não dando nada certo?

Em primeiro lugar pergunte-se quais são suas exigências

para que você seja feliz?

Em seguida, pergunte-se se essas exigências são realmente as que você quer ou são ideias que podem ser substituídas por outras mais fáceis de alcançar?

Será que seu orgulho é maior do que a vontade de ceder e ter paz e felicidade, mesmo antes de alcançar seus sonhos?

Saiba que a depressão faz parte do mundo dos orgulhosos e não dos fracos. Para o orgulhoso é melhor sofrer por não ter, do que sofrer por ser considerado um fraco e um egoísta.

Que tal encontrar o caminho do meio? O que você acha de começar a falar o que deseja com firmeza e bondade, mesmo que escute "um não"? Quem sabe você esteja demonstrando infantilidade nas atitudes e no comportamento e por isso as pessoas de suas relações o tratam como criança ou com desprezo?

Será que você tentou dizer ao seu patrão como você se sentiu quando aconteceu aquele fato desagradável, mas você teve medo de perder o emprego e por isso se reprimiu e sentiu raiva secreta? E você, mulher, que se magoou profundamente com seu marido e sabe que não adianta lhe falar, pois ele nunca admite os próprios erros ou nega sempre que praticou tal coisa que a magoou, mas você guarda essa mágoa e "empurra o relacionamento com "a barriga"? Será que você quer mesmo continuar com esse tipo de vida? Tente procurar uma terapia para colocar as ideias no lugar e saber o que decidir.

A depressão sempre está presente nas mentes frustradas e anuladas por acreditarem que não é ninguém sem aquela família ou sem aquele casamento. O orgulho e a falta de conhecimento sobre si mesmo causam distorções nos julgamentos, levando a estragos nos relacionamentos e em si mesmo.

Existem muitas formas de depressão, mas só existe uma maneira de nos curarmos dessa doença: o enfrentamento de si mesmo. Saber que nada acontece por acaso e aceitar aquilo que não podemos mudar porque depende do tempo, traz paz ao coração e elimina a depressão, pois a aceitação supera a raiva.

Procure um psicólogo, mesmo que seja escondido no começo e fale com um bom astrólogo para que ele mostre as verdadeiras vertentes do seu ser.

Procure florais ou remédios homeopáticos para sair do desânimo e depois siga o seu caminho pela estrada certa e sem remédios. Procure ajuda, pois depressão é uma doença e tem cura!

Depressão pós-parto

A depressão pós-parto causa muita tristeza e tragédias nas famílias, aos bebês e à própria mãe. Mães que até matam seus bebês, no dia seguinte não se lembram de absolutamente nada e gritam desesperadas por socorro, acreditando que outra pessoa matou seu filho. Essa depressão é grave e nem sempre a família percebe que a mãe esteja perturbada a esse ponto. É importante alguém permanecer ao lado dessa mãe e do bebê dia e noite quando perceberem que ela está apática, séria demais, descontente, desprezando as necessidades da criança, nervosa por qualquer coisa, sem higiene pessoal, olhos fixos num ponto, agressiva com o pai da criança ou até querendo mostrar que ama exageradamente o bebê e não querendo ajuda de ninguém dispensando as pessoas que querem ajudá-la, revelando comportamento bipolar.

A depressão pós-parto acontece com mulheres não prontas para a maternidade e que tiveram sonhos pessoais interrompidos devido à gravidez.

Por mais que elas digam que estavam prontas, na verdade não desejavam esse bebê ou talvez tenham se decepcionado demais com o pai da criança quanto às suas necessidades de afeto e assistência durante a gestação. De qualquer forma a depressão pós-parto apenas foi desencadeada por uma perturbação que já existia dentro dessa mulher. Suas frustrações tomaram grandes proporções devido à alteração hormonal da gestação, que desinibiu os sintomas.

Mulheres com tendência à esquizofrenia podem desenvolver a depressão pós-parto, por isso alerto que pessoas esquizofrênicas, bipolares, psicóticas e aparentemente desequilibradas nas emoções são todas médiuns com poderes paranormais de cura e de captação das energias da família e de outras pessoas do seu convívio. Elas precisam saber quem são antes de engravidar, para poderem trabalhar suas energias internas e poder acolher outra alma em seu corpo.

Ser médium significa apenas que se é mediador de Deus e de Sua criação e não necessariamente, "cavalo para incorporação dos espíritos". Muitos pastores e padres são médiuns e se autoproclamam "mensageiros de Deus".

Mulheres com depressão pós-parto revelam grande insatisfação por terem que assumir a maternidade, sem antes terem realizado seus sonhos pessoais e até seus trabalhos espirituais em benefício da humanidade, mesmo que não saibam conscientemente.

A angústia que elas sentem deriva da sua personalidade diferente com relação à da família, mas tiveram que seguir a tradição dos seus pais contrariando seus verdadeiros desejos.

Deus sabe o que faz e confirmamos isso quando vemos mulheres tentando ter filhos de qualquer forma e não conseguem, enquanto outras tomam pílulas, colocam DIU, operam ou até já entraram na menopausa e, de repente, descobrem que estão grávidas.

Aceitar o fato de que, mesmo Deus não interferindo em nada, cada pessoa atrai para si o que é necessário para a sua evolução e que nosso inconsciente sempre sabe os porquês dos acontecimentos. A aceitação é necessária para desenvolvermos o bom humor e a alegria em qualquer situação, pois temos uma mente brilhante acoplada à Grande Sabedoria do Universo. Aceitar, enfrentar, aprender com os acontecimentos e sentir gratidão e amor por tudo que nos acontece, elimina a depressão, a doença da alma.

A depressão precisa ser tratada como doença e não como comportamento desequilibrado, mesmo porque a depressão só acontece com pessoas especiais que vieram ao mundo para curar outras pessoas e construir grandes e novas ideias para o planeta.

A raiva é enfraquecida quando a transformamos em energia que movimenta pensamentos e que motiva as pessoas a se unirem para um bem maior, com a coragem e com a força da bondade, mas é destrutiva quando é reprimida no coração em forma de energia primária. A raiva contida deprime, pois ela se torna inútil e sua força encontra somente a energia elétrica do cérebro para se movimentar, deixando a pessoa enlouquecida e estagnada, pois a adrenalina lançada na corrente sanguínea, pelo instinto de sobrevivência, destrói os rins e outros órgãos levando até o câncer.

O Câncer se desenvolve pelo sentimento de raiva por ter sido traído ou abandonado e é uma forma de depressão.

Diante de qualquer desânimo e cansaço constante, estafa ou estresse persistente, procure ajuda de um psicólogo, de um psiquiatra e até de um médico homeopata, pois você pode estar sofrendo de princípio de depressão.

Lembre-se querido leitor que a felicidade não é deste mundo e nós só podemos ser felizes se sentirmos a presença do Amor Maior em nossas vidas, independentemente de quem somos ou do que temos de bens materiais ou de fama e sucesso. Felicidade é sentir paz de espírito por sabermos que somos filhos de um ser Maior e que nada nos faltará enquanto entendermos a *Lei de Causa e Efeito* que Ele nos deixou.

Depressão e abstinência

Centenas de pessoas sucumbem nos hospitais na véspera de uma cirurgia que iria salvar sua vida ou após a cirurgia. Alcoólatras e todos os dependentes químicos, quando desenvolvem alguma doença física que exige sua internação e tratamento em um hospital, entram em abstinência repentinamente em virtude dos medicamentos e do tratamento hospitalar, bem como da bateria de exames que precisam se submeter. Essa parada súbita com as drogas causa um abalo no sistema nervoso central e a pessoa sente muita raiva e descontrole emocional. O vício químico gera o vício psicológico e nem mesmo a assistência de um psicólogo no quarto do hospital não é suficiente para acalmar a implacável fúria química que corre pelas veias do paciente. Os surtos e delírios são repentinos e inevitáveis causando grandes transtornos às enfermeiras, aos familiares e ao tratamento em si pela agressividade do paciente. Infelizmente muitos pais de família não se consideram viciados por tomarem seus aperitivos em casa com a família, mas quando precisam ser internados por alguma doença, descobrem que não podiam ficar sem beber seus *drinks* caseiros.

Pela OMS (Organização Mundial da Saúde), estatisticamente, quando alguém bebe vinte doses de qualquer bebida alcoólica em um mês, já pode ser considerada dependente e não tem consciência disso. Mesmo que beba apenas nos finais de semana com os amigos, mas atinge as vinte doses, é sinal que não consegue beber menos que isso e correrá risco de morte caso tenha que ser internado para qualquer tratamento médico.

Muitas pessoas que estão lendo este texto, provavelmente se sentem indignadas com essa afirmação porque se consideram donas de si e incapazes de se drogar, porém só saberemos quando adoecerem e terem, de interromper, repentinamente, o consumo do "aperitivo" ou de qualquer outra droga para terem de "consumir" os remédios receitados pelo médico. A capacidade de autodomínio está apenas nas pessoas flexíveis e conscientes e não nas teimosas que negam as pesquisas científicas. Quando uma pessoa é flexível nas opiniões significa que tem controle emocional sobre sua raiva com grandes chances de evitar os surtos durante uma abstinência forçada.

O grande problema é que a raiva controlada, mas não elaborada ou extravasada, provoca a depressão de abstinência no dependente. Enquanto os amigos e familiares o estiverem estimulando, todos os dias, para o otimismo, ele pode até aguentar um pouco mais o desespero de estar preso num hospital, mas não é preciso ser psicólogo para saber o que acontece com os seus familiares e com os amigos de alguém que necessita de apoio psicológico o dia inteiro para não desistir da vida. Todos os envolvidos diretamente no problema "desistem" da vida dela, inconscientemente, porque não aguentam mais os maus tratos que sofrem por causa dos surtos do internado. Com raras exceções, há sempre um membro da família que acredita na cura e briga com os demais parentes que, nitidamente, demonstram esperar o fim do doente. Com isso o caos e a desarmonia se instalam na família e a energia se torna negativa e pessimista. Provavelmente, muitos membros dessa família, por mais que amem a pessoa internada, já guardavam ressentimentos contra ela e, sem perceber, querem acreditar que não há qualquer solução para a cura desse parente.

Quando uma pessoa da casa é alcoólatra, sabemos que a família toda tem algum vício também, pois semelhante atrai semelhante de alguma forma. Os vícios podem ser de bebida, de jogos, alimentos, tiques nervosos, TOC (Transtorno Obsessivo Compulsivo), dependências emocionais de pessoas que as agridem e mania de gastar o dinheiro que não tem, para mostrar um *status* que não é seu. Na casa de um "viciado", ou dependente químico, tem sempre alguma desordem psíquica em todos os membros da família, incluindo aquela pessoa que parece ser a mais equilibrada de todos, pois com certeza, ela tem alguma angústia ou fanatismo espiritual ou religioso para poder sobreviver ou sentir que ela é a salvadora de todos.

Presenciei diversas famílias que caíram em depressão e sentimento de culpa por se sentirem impotentes diante da desistência do ente querido internado que entrou em depressão de abstinência. Sei que não é fácil ficar acamado por muito tempo, porque passei por isso também, mas imagine ser dependente de um prazer ou de um instrumento de fuga da realidade, como bebida alcoólica e outros vícios, e ter que ficar sem eles de repente? Imagine ter que enfrentar a vida como ela é, sem poder se anestesiar ou fantasiar para aguentá-la? Imagine ter que lidar com a doença que se instalou e também com as angústias que agora voltaram por não poder se drogar mais?

São raras as pessoas que sobrevivem nos hospitais quando precisam tratar de uma doença ou se preparar para uma cirurgia, porque poucos são os estabelecimentos preparados para lidar com o lado psicológico do paciente. A maioria dos médicos estudou para tratar somente da parte física da doença, mas não tem noção do estrago que as emoções e o psicológico perturbado faz no organismo e nas alterações químicas dos medicamentos. A química da raiva interfere na eficácia do tratamento, todos os químicos e farmacêuticos sabem disso.

Pessoas que se escondem atrás das drogas e de manias estão apenas adiando o seu surto de depressão, pois elas não conseguiram elaborar o nível da raiva infantil por falta de conhecimento e de apoio psicológico da família que também não os tiveram. A raiva na infância deriva da desarmonia dos pais ou da ausência de um dos criadores que sobrecarregou ou o pai ou a mãe, deixando a criança sobrecarregada de sentimentos que nunca pôde solucionar por medo de perguntar.

Há muitos anos acompanhei o caso de um homem de oitenta anos, muito querido, alcoólatra desde rapaz e que desenvolveu câncer no esôfago. Ao ser internado aguentou alguns dias sem sua bebida, mas logo se mostrou inquieto, impaciente e com os dias foi aumentando seu nervosismo, querendo ir embora do hospital. Levamos um especialista

(Leandro Heck Gêmeo) em acupuntura e *reiki* desobstrutor da célula cancerígena e o paciente foi até amoroso para com ele e permitiu o tratamento, sem saber que estava com câncer. Os dias em que o amigo terapeuta chegava ao quarto do hospital e fazia terapia do abraço nos familiares e aplicava o tratamento oriental no paciente, ele se alimentava pela boca misteriosamente. O câncer havia tomado toda a entrada do esôfago e por isso, não podia comer alimentos sólidos e tinha que ser alimentado por tubos direto para o estômago. Foi se aproximando o dia da sua cirurgia, mas o médico estava mais preocupado com a idade dele do que com a doença e deixou nas mãos dos familiares a decisão de operá-lo, pois a medicina acredita que a anestesia geral pode matar um idoso, principalmente no caso dele que estava magro demais e fraco. A família se desesperou, ficou ansiosa e angustiada, pois apenas estava decidindo como ele iria morrer. Resolveram não operá-lo para não vê-lo sofrer mais.

A família caiu em depressão e o senhor acamado também, entrando logo em seguida em coma espontâneo. Não pudemos continuar com o tratamento oriental, mesmo porque alguns médicos estavam nos condenando e não aprovavam esse tipo de tratamento não oficial. Nós o perdemos e a família sofre em segredo até hoje por ter tomado aquela decisão. Mas qual a decisão era certa? Tentar a cirurgia e perdê-lo numa mesa? Arriscar?

Queridos leitores, vocês já estiveram numa situação dessas? O que você decidiu? O que você decidiria se não conhecesse o poder da cura dos tratamentos orientais e do amor? Não podemos julgar. Senti uma tristeza e frustração muito grande pela decisão deles, mas pude entender que o pai não era o meu, por mais que eu o amasse como se fosse, e minhas decisões seriam, talvez, diferentes se ele fosse meu pai?

Após alguns meses, outro caso de câncer no intestino em um homem, também alcoólatra, de setenta e quatro anos. Esse senhor, pessoa querida, negou todo tipo de tratamento alternativo, pois não acreditava "nessas besteiras" e escolheu ser tratado só pela medicina convencional. Foi simpático comigo, mas logo percebi que ele também não sabia que estava com câncer, pois a família acreditava que ele iria entrar em pânico se soubesse.

Ficou internado muito tempo, sem qualquer apoio psicológico e a família não sabia mais o que fazer para acalmá-lo e tranquilizá-lo. Passou por algumas cirurgias e somente depois de um tempo é que o médico disse aos familiares que os intestinos estavam perdidos. Para acalmá-lo o induziram ao coma e todos apenas esperaram sua morte. Foi um sofrimento muito grande para todos, que nem sequer conseguiram se despedir dele devido ao seu estado. Sua filha, que tinha ressentimento contra esse pai e não o visitou nenhum dia no hospital, aconselhada a falar com ele, mesmo em coma, para se perdoar mentalmente, ela chorou muito e resolveu visitá-lo. Ao chegar ao quarto do hospital, a filha se emocionou e chorou copiosamente sobre o pai que correspondeu com uma lágrima, mesmo estando em coma. No dia seguinte ele se foi e pudemos entender que ele estava apenas esperando pela visita da filha querida. Sim, eles se perdoaram e ela sente paz em seu lindo coração, mas algumas pessoas da família adoeceram e nunca mais se recuperaram, devido à culpa, ao remorso ou à solidão pelo distanciamento de Deus.

Outro caso de câncer de intestino em um homem de setenta e cinco anos, que não era alcoólatra e nem tinha vício algum. A família confiou nele e revelou-lhe sobre a doença e que ele seria tratado tanto pela medicina convencional quanto pelas técnicas holísticas. Perguntamos a ele se estava pronto para aceitar o que os ensinamentos orientais exigiam para a cura das doenças e, para nossa surpresa, o paciente humildemente disse: "Farei o que vocês mandarem e procurarei ser disciplinado e persistente". Aquilo nos animou muito e a família usou uma estratégia sábia e aparentemente egoísta:

Não contaram a ninguém e tudo foi feito em segredo, fechado apenas entre ele, a esposa, os dois filhos, o genro (terapeuta) e a equipe de terapeutas holísticos. O médico, "escolhido" por um pêndulo de radiestesia, não ficou sabendo da sua indicação, pois é convencional e não acredita nas energias, porém um grande oncologista, segundo o gráfico místico. O paciente fez ultrassom e pudemos ver que seu intestino estava quase todo comprometido, fato também confirmado pela radiestesia. Organizamos então, passo a passo, o tratamento com nossa equipe multidisciplinar: psicólogos, psiquiatra, hipnólogo, PNL (programação neurolínguística), *reiki*, oração e o paciente foi orientado a perdoar seu antigo patrão, pois câncer nos intestinos, pela linguagem do corpo, significa sentimento de inutilidade, humilhação na carreira, raiva secreta dos chefes por não reconhecerem o seu valor profissional, entre outras coisas.

O diagnóstico que o médico deu foi que não adiantaria fazer quimioterapia e que seria urgente a cirurgia. No entanto, a família acreditava na cura e na linguagem do corpo e fizeram com que o pai, que estava doente, escutasse somente músicas clássicas suaves, visse filmes alegres e o proibiram de assistir qualquer noticiário na TV, no rádio e nos jornais, para que a sua mente fosse preparada apenas para sentir amor e perdão. A filha o fez praticar meditação todos os dias, o filho fazia cura prânica e *reiki* todos os dias nele e a esposa fez todas as orações positivas da Seicho-No-Ie. O genro ministrava *jorey* por ser messiânico e a equipe de terapeutas fazia o controle energético e o alinhamento dos chacras para acionar a energia vital. Na verdade ele disse que nós o "blindamos" e evitamos qualquer sentimento de medo dos parentes que poderia influenciar negativamente na psique e nos corpos sutis do paciente. Por isso a família não contou a ninguém, mesmo sendo condenados depois pelos parentes. Interessante, né?

A cirurgia foi marcada na data que o nosso astrólogo

escolheu e longe da lua cheia para não causar hemorragia. Foi tudo preparado de forma alternativa, já que pela medicina, somente poderia operar e não existia um tratamento pré-operatório. Na semana da cirurgia o médico fez um novo ultrassom e constatou que o câncer havia diminuído significativamente, e com o exame de radiestesia do nosso terapeuta, ficou realmente comprovado que o câncer tinha diminuído muito e que ele estava se recuperando.

Chegou o dia da cirurgia e o paciente foi orientado pelo psiquiatra holístico que ele deveria entrar no centro cirúrgico concentrado e visualizando que já estava no quarto se recuperando da operação, e foi o que ele fez. A família quis conversar com ele e ele ficou bravo por estarem atrapalhando sua mentalização. Foi engraçado.

O médico avisou a todos que a cirurgia poderia demorar mais de cinco horas, mas após apenas uma hora e meia, o doutor saiu do centro cirúrgico e chamou os acompanhantes do paciente, dizendo que a cirurgia tinha sido um sucesso e que precisou retirar apenas dezoito centímetros do intestino. E mais, disse que não havia gânglios e que não precisaria de qualquer tratamento, apenas dieta alimentar.

Hoje esse homem se tornou estudante dos conhecimentos holísticos e ajuda muita gente a se curar pela mudança comportamental e pela fé.

Leitor querido, sempre existe uma esperança e Deus nos deu todas as formas de terapias e orações para alcançarmos a saúde, a felicidade, a prosperidade e a harmonia, mas esbarramos sempre no inconsciente de cada pessoa, que sem saber, faz suas escolhas de vida ou de morte, conforme sua capacidade de perdoar e fazer novos planos nesta terra sagrada.

O pequeno livre-arbítrio* não nos faz ser pessoas melhores e mais fortes, mas o amor incondicional e a gratidão pelas pequenas coisas da vida é que nos ligam ao Pai, e isso é o mais importante e o que nos dá a vida e felicidade verdadeiras.

Com o que explanei acima quero mostrar que você pode curar a depressão e ser uma pessoa flexível no sentido de aceitar o novo em sua vida. Perdoe o seu passado, perdoe a todas as pessoas, faça novos planos e não queira provar nada a ninguém. Faça por você, faça por Deus e deixe que o resto venha até você.

A eliminação da depressão passo a passo

Para tudo na vida é necessário um método, uma ordem a ser seguida, assim como uma receita de bolo, a construção de um prédio, a confecção de uma roupa, construção de estradas, descobertas científicas, dirigir um automóvel, conquistar amigos e até preparar uma viagem e ter um método de arrumar a mala para que suas roupas e pertences fiquem acomodados e você consiga fechar o zíper dela, não é mesmo?

Para "arrumar" a sua cabeça é importante usar o mesmo método da mala: "levar na cabeça somente o que você vai usar realmente e o supérfluo deixar em casa para que possa manter sua cabeça leve e fácil de levar no dia a dia".

A depressão é a desistência de usar a energia da raiva, seja para lutar, seja para construir algo para si ou para o mundo. É também a somatória de vários pensamentos negativos e inúteis que sobrecarregam seu sistema nervoso. Teremos, então, que escolher os pensamentos e as palavras que você vai colocar na "malinha" da sua cabeça. Faremos isso juntos, já que você se desorientou e esqueceu que método usava quando era feliz.

Vamos começar pela limpeza do seu sangue, afinal você o intoxicou todo com essa "mania" de sofrer. A glândula hipotálamo, no centro da nossa cabeça, fabrica materiais químicos e tóxicos cada vez que sentimos raiva, tristeza, mágoa, ciúme, medo etc. Eles são lançados na corrente sanguínea e aos poucos vão envenenando nosso corpo e os circuitos elétricos do cérebro, até não termos mais forças para reagir. Por isso, teremos que começar tomando clorofila pura (que não se mistura nada, nem açúcar, nem limão, nada).

Quando falo em clorofila as pessoas imaginam que estou falando do suco verde com limão, cápsulas de clorofila e chá verde. Preciso esclarecer que para desenvolver a nossa glândula pineal e limparmos o sangue ao nível energético devemos utilizar a energia prânica do sol que as folhas verdes escuras capturam pela água de suas folhas. Se você misturar qualquer substância pensando que estou falando de nutrição, a energia prânica desaparecerá do líquido verde e você estará tomando apenas um suco verde para a saúde.

Calma que eu explicarei o porquê. A clorofila desintoxica o sangue de todas as impurezas, seja da nicotina do cigarro, do álcool da bebida, das toxinas da carne vermelha, da poluição do dia a dia, das químicas dos remédios, dos alimentos com agrotóxicos e das substâncias tóxicas que produzimos com as emoções que citei acima. Ao limpar o sangue, os vícios começam a desaparecer, pois a pessoa se torna livre do vício orgânico e automaticamente sente repulsa por cigarro, bebida alcoólica, carne vermelha e sentimentos negativos, que são vícios também. Além de limpar o sangue, a clorofila reanima a glândula pineal, responsável pelo equilíbrio de todas as glândulas endócrinas e atua sobre o corpo sutil dessa glândula aumentando a intuição, a tranquilidade, a segurança interior, os bons pensamentos, a fé, a alegria de viver e a percepção do que é real e do que não é. A pineal é dona da nossa vida e intermediária entre O Criador e a sua criação.

Como tomar clorofila

Primeiro passo
A clorofila é o primeiro passo, pois ela o ajudará a colocar a sua cabeça em ordem.

Para que o resultado seja mais rápido e eficiente, tome clorofila líquida feita em casa para não ter nenhum outro produto misturado nela. Você deve tomá-la em jejum todos os dias durante três meses, Após quinze ou vinte minutos tome o seu café da manhã normalmente, se quiser.

A clorofila caseira é feita da seguinte maneira: pegue de três a cinco folhas verdes escuras que seja ou a couve ou brócolis ou hortelã ou a alfafa ou o agrião ou outras verduras. Escolha as folhas que você mais gosta, mas que sejam verdes escuras, caso contrário não será clorofila.

Jogue no mínimo três dessas folhas no liquidificador com pouca água até diluir. É necessário coar para não tomar a parte sólida, pois precisa ser somente o líquido, onde está a energia prânica. Então coloque em pequenos potinhos ou copinhos pequenos e ponha para congelar, pode ser na própria bandejinha do gelo. Uma pedrinha da bandejinha é a dose certa. De noite tire uma das pedrinhas do congelador e coloque em um copo do lado de fora da geladeira para descongelar e no dia seguinte de manhã beba sem adicionar açúcar ou qualquer coisa que dê um gostinho. Ela precisa ser pura para que haja o efeito da eliminação da depressão pela abertura da glândula pineal. Não reclame, beba até acostumar com o gosto puro da natureza.

Considere que a clorofila é um remédio poderoso, assim você tomará sem fazer careta, ok?

Se você tiver uma centrifugadora será melhor, pois você não precisará nem colocar água e beberá mais pura ainda. Se quiser preparar todos os dias de manhã também será bom, apesar de o freezer não destruir a energia prânica do suco. O que destrói é o micro-ondas.

Vou cuidar de você, mas preciso que você colabore, com disciplina, seguindo os passos desta orientação. Tome a clorofila durante uma semana e depois inicie o segundo passo. A primeira semana de desintoxicação é importante para você estar mais relaxado e confiante para seguirmos nosso tratamento. Lembre-se que você deve tomar durante três meses sem parar. Apenas iniciaremos nossa jornada à felicidade uma semana depois que você começou a tomar a clorofila, exatamente porque preciso que seu sangue esteja um pouco mais limpo, para sua cabeça ficar pronta para prosseguirmos.

Vá para o segundo passo somente depois de uma semana tomando a clorofila. Se você não seguir esse método e achar que conhece outro melhor, por favor, não prossiga comigo. Temos que afastar a sua pressa e ansiedade de sair do sofrimento. Lembre-se de que você precisa de um método e uma sequência perfeita para sair desse "buraco".

Espero você daqui a uma semana para continuarmos o tratamento. Boa sorte e que Deus lhe dê forças para tomar a clorofila corretamente.

Segundo passo

Olá amigo ou amiga, tomou a clorofila? Como você está se sentindo hoje? Está com mais leveza na cabeça ou passou pela desintoxicação que causa disenteria, febre, raiva aflorada, espinhas no rosto, coceira na pele, enjoos e ânsia de vômito?

Isso tudo e muito é esperado quando estamos nos desintoxicando, viu? Há pessoas que não sentem nada disso, mas a clorofila está limpando o sangue do mesmo jeito.

Continue tomando em jejum por três meses e depois interrompa a clorofila por trinta dias e reinicie por mais três meses e pare.

Vamos agora para o segundo passo, procurando perceber quando seu inconsciente quiser sabotar você, dando-lhe vontade de parar com tudo, achando que nada mais resolve sua vida. Esse pensamento é normal quando nosso inconsciente está nos autossabotando para não sermos felizes. Lute contra esse sintoma e vamos continuar o nosso tratamento.

O segundo passo é mexer com sua criança interna, congelada com o tempo e que mora dentro do seu inconsciente. Ela não cresceu e não entendeu por que foi abandonada no momento em que mais precisou. Nós vamos fazê-la compreender e se juntar a você com amor e coragem, para saírem desse sofrimento. Existe um método infalível de fazê-la sair da ostra e entender melhor a vida. Esse método é a oração do perdão que está no final deste livro e que você precisará fazer durante três meses, sendo um dia para sua mãe e o outro dia para seu pai, sem questionar e sem contar para ninguém. Mesmo que você ache que não tem nada para perdoar, lembre-se de que o inconsciente esconde coisas que não podemos lembrar, pois seria duro demais ter que lidar com mais sofrimento.

Essa oração não é religiosa e sim um trabalho terapêutico para alcançar o perdão profundo e a libertação das amarras do subconsciente e do inconsciente.

Procure um tranquilo onde, por alguns minutos, você consiga o sossego necessário e faça essa oração apenas uma vez ao dia com todo o coração, mesmo que não tenha conhecido seus pais biológicos, pois ela deverá ser feita somente para quem o trouxe a vida (os biológicos). Precisa ser um dia para o yang (pai) e o outro dia para yin (mãe), para que haja o equilíbrio das polaridades dentro de você. Durante esses três meses você poderá ter várias sensações agradáveis e outras desagradáveis. Persista, pois seu inconsciente estará reagindo com conflitos ou aceitações durante esse período.

A clorofila e a oração do perdão despertarão em você pensamentos de revolta e inconformismo mostrando que seu eu verdadeiro está querendo se manifestar. Você começará a ver que sua vida está estagnada e que não quer mais isso e tenderá a culpar os outros por isso. Entenda que nunca ninguém teve culpa de nada e que existe a **Lei de Causa e Efeito** que você mesmo burlou, criando um destino ruim com pensamentos e palavras negativos. O perdão é a meta para que você consiga ser livre por dentro e decidir sozinho o que quer da vida.

Se acontecer de você explodir e brigar com alguém, peça perdão e volte ao equilíbrio. Quebre seu orgulho e se perdoe pelos deslizes que porventura possam ocorrer devido a essa terapia da libertação. Se precisar, procure uma farmácia de manipulação e peça o floral *Rescue*. Ele resgatará seu autocontrole durante o tratamento. Ao iniciar a oração, você já poderá passar para o terceiro passo também.

Agora mãos à obra porque nossa jornada é longa e quero ver você ser feliz logo!

Oração do Perdão

Essa oração do perdão deve ser feita para seus pais biológicos mesmo que você não os tenha conhecido, pois nosso inconsciente, "culpa" aqueles que nos trouxeram para a Terra.

Tenha disciplina e perseverança para concluir o programa dessa oração e lembre-se que seu inconsciente tentará sabotar sua programação fazendo você esquecer alguns dias de fazer a oração.

Faça corretamente para que ocorra a libertação interna e o desbloqueio da sua vida desde finanças, emagrecimento até felicidade no amor, pois os pais são as raízes da nossa vida.

Faça durante três meses que é o "ciclo regenerativo psíquico e emocional", um dia para o seu pai e no outro dia para sua mãe. Caso você não saiba os nomes deles inicie a oração dizendo: "Pai que me trouxe à vida..." ou "Mãe que me trouxe à vida..." porque o seu inconsciente carrega a "memória natal" da época da gestação e produzirá o perdão profundo.

É importante fazer essa oração mesmo que você ache que não tem nada para perdoar. Saiba que se você está doente, sem prosperidade, infeliz no amor ou atrai situações desagradáveis é consequência do desequilíbrio entre as suas raízes (pais) no seu coração. Nem sempre lembramos daquilo que nos fez sofrer na infância, mas o inconsciente sabe.

Atenção: Faça no horário que você achar melhor.

O Poder da Oração

ORAÇÃO DO PERDÃO

Eu perdoo você, por favor, me perdoe.
Você nunca teve culpa,
Eu também nunca tive culpa,
Eu perdoo você, me perdoe, por favor.
A vida nos ensina através das discórdias...
E eu aprendi a amá-lo (a) e a deixá-lo (a) ir de minha mente.
Você precisa viver suas próprias lições e eu também. Eu perdoo você... me perdoe em nome de Deus. Agora, vá ser feliz, para que eu seja também.
Que Deus o (a) proteja e perdoe os nossos mundos,
As mágoas desapareceram do meu coração e só há luz e paz em minha vida. Quero você alegre, sorrindo, onde quer que você esteja...
É tão bom soltar, parar de resistir e deixar fluir novos sentimentos!
Eu perdoei você do fundo de minha alma, porque sei que você nunca fez nada por mal,
E sim, porque acreditou que era a melhor maneira de ser feliz...
Me perdoe por ter nutrido ódio e mágoa por tanto tempo em meu coração. Eu não sabia como era bom perdoar e soltar; eu não sabia como era bom deixar ir, o que nunca me pertenceu. Agora sei que só podemos ser felizes quando soltamos as vidas, para que sigam seus próprios sonhos e seus próprios erros.
Não quero mais controlar nada, nem ninguém. Por isso, peço que me perdoe e me solte também, para que seu coração se encha de amor, assim como o meu.

Mensagem inspirada por Cristina Cairo, num momento de perdão em 05/04/2003.

Terceiro passo

Esse exercício também é eficiente para quem tem problema de labirintite.

Agora vamos organizar um pouco a sua cabeça e selecionar o que será colocado ou tirado da sua "malinha", lembra?

Pegue duas folhas grandes de caderno ou de sulfite e coloque sobre a mesa. Na primeira folha você vai enumerar de forma objetiva dez aborrecimentos ou frustrações suas. Exemplos:

1- Meu marido me faz sofrer.
2- Não tenho dinheiro para...
3- Meu corpo está doente.
4- Meus filhos não são felizes.
5- etc.

Enumere dez itens das suas queixas e não precisa se estender, basta escrever o departamento do seu sofrimento.

Assim que você terminar de escrever, pegue a outra folha em branco e com calma, sem pressa, vá enumerando as mesmas queixas, mas dessa vez coloque-as em ordem de solução, ou seja, coloque prioridades com toda a sua sinceridade. O que realmente é mais importante agora e que merece sua atenção para tentar uma solução? No estado de depressão achamos que tudo é prioridade, mas na verdade pensamos assim porque estamos confusos e não estamos percebendo o que devemos fazer primeiro. Sempre há algo que deveríamos colocar em primeiro lugar, outra coisa em segundo lugar, outra em terceiro e assim por diante. Não podemos resolver algumas coisas que dependem do tempo ou de certos esclarecimentos, concorda? Então, coloque prioridade naquilo que você pode resolver usando um telefone ou um computador, conversando ou fazendo perguntas para entender algo que ficou mal resolvido, mas faça com calma e com respeito para ser respeitado. Em seguida coloque o assunto que você próprio pode resolver sem ter que pedir a ninguém. Agora enumere as dez queixas em suposta ordem que você resolveria. Ao terminar leia com calma a segunda folha que você tentou organizar. Pode ser que não seja fácil agora para você, mas depois de duas semanas tomando clorofila e fazendo oração do perdão refaça esse exercício e você terá uma surpresa com sua própria cabeça: aceitará com tranquilidade que certas coisas você nem quer mais resolver e nem quer mais em sua vida. Com certeza, com o tempo, você chegará à conclusão de que certas coisas não é você quem deve resolver, mas as outras pessoas que também têm que se esforçar para fazer alguma coisa por elas mesmas. Você enxergará que com seu amor e tranquilidade tudo pode ser resolvido e que o desapego é o melhor remédio para a maioria dos problemas. Deus sabe o que faz e Ele também está se mexendo a seu favor. Solte um pouquinho aquilo que não dá para entender e distraia a sua cabeça com alguma atividade, um curso, um hobby, participe de algum grupo de voluntários para serviços sociais e pare de viver só para sua dor ou só para sua família ou trabalho. Diversifique.

Quarto passo

Agora procure um bom astrólogo que seja matemático e não adivinho e peça para que ele lhe diga qual sua missão espiritual verdadeira. Diga-lhe que você quer saber especificamente sobre as "casas 8 e 9" no seu mapa.

Deixe-o explicar quem é você e depois pergunte sobre as "casas 2 e 10", por onde você saberá sobre suas verdadeiras habilidades para a prosperidade. Você pode perguntar também sobre sua "casa 7" para saber sobre relacionamentos amorosos ou sua "casa 4 e 5" para saber sobre seus pais e sobre a sua família e filhos. Que tal? Experimente! Você sentirá que essa ciência é real, exata e você terá muito mais clareza nos pensamentos quando souber quem é você e o que você quer realmente da vida.

No Evangelho de Lucas: Jesus disse: "Haverá sinais no Sol, na Lua, nas Estrelas!" (Lucas 21-25)

Quinto passo

Neste quinto passo espero que o leitor já esteja percebendo o que é e o que não é importante para carregar em sua "mala" da vida. Com a limpeza do sangue, a oração do perdão, o exercício de reflexão, a organização cerebral e as informações da astrologia a seu respeito inicia-se uma inquietude para fazer mudanças e começar uma nova vida. Porém vá com calma, pois primeiro você precisa se fortalecer de convicção e ter certeza do que quer para a sua vida nova. Com isso, procure praticar a meditação simples e, se não conseguir, procure um psicólogo para ajudar você a organizar as suas ideias. Saiba que o bom psicólogo é aquele que o escuta sem criticá-lo e sem o induzir aos pensamentos dele, apenas o ajuda a recomeçar a jornada que você mesmo escolherá com sensatez.

Conheça os diferentes tipos de terapia

Existem diversos tipos de terapeutas, portanto não desista das terapias por ter se indignado com seu psicólogo. Você antes precisa saber as diferenças entre psicólogos, psicanalistas, reprogramadores mentais da PNL e terapias holísticas que, além de conversar, trabalham também com massagens, ervas, florais, hipnose, regressão, cromoterapia, meditação e visualizações para motivar a mente e o organismo.

Na psicologia existe um leque de trabalhos terapêuticos: a abordagem cognitiva orienta com ideias e possibilidades para clarear sua mente sem comandarem você. O psicólogo conversa com o cliente durante as sessões e conhece suas tendências pelos testes psicológicos realizados no decorrer das semanas. Na abordagem *junguiana*, o psicólogo analisa seus sonhos, descobre seus arquétipos para fazê-lo entender onde o cliente se baseou para ter a vida que tem. Essa abordagem é flexível e abrange conhecimentos de Tarô, Astrologia e Cabalah para desvendar o inconsciente e mostrar a sincronicidade do Universo onde nada acontece por acaso. Na abordagem freudiana, encontramos a psicanálise tradicional na qual o psicanalista apenas o escuta e não responde às suas perguntas. Ele apenas faz perguntas e você fala a sessão toda para escutar a si mesmo. O psicanalista observa suas frases e faz você perceber quando disse algo importante que o levará a entender a si mesmo e aos acontecimentos. Nessa abordagem, o terapeuta analisa sonhos de forma diferente do *junguiano* e faz você falar muito de sua infância, das repressões sexuais, das psicopatologias, dos seus desejos verdadeiros escondidos no inconsciente e trabalha com a neutralidade emocional, ou seja, não espere de um psicanalista que ele demonstre afeto ou qualquer sentimento por você. Você poderá se decepcionar se esperar que ele seja seu amigo ou que chore quando você desabafa seu sofrimento. Ele é treinado para escutá-lo e encontrar as causas "dentro" de você, sem se envolver, porque sabe que qualquer dependência emocional com o cliente pode colocar tudo a perder, devido às transferências emocionais e psicológicas dos dois que sabotará com resistências inconscientes o aprofundamento da terapia. Contudo existe a psicanálise integrativa moderna que trabalha com várias abordagens da psicologia tradicional e holística. Já a abordagem *reichiana* trabalha com movimentos corporais e conversas para liberar as couraças inconscientes da mente que amarra o cliente em seus sofrimentos. Trabalha com a energia da libido, que é a energia vital, portanto, sem conotação sexual, para liberar energia reprimida desde a infância e fortalecer a saúde física, mental e psicológica. A abordagem holística trabalha o homem como um todo e investiga o sofrimento humano através dos gestos, do inconsciente, da psicologia da correlação (linguagem do corpo), regressão, hipnose, vivências humanistas e espirituais sem conotação religiosa. Além de trabalhar com todos os instrumentos que a natureza deixou - a astrologia, cromoterapia, musicoterapia, aromaterapia, leitura do campo magnético corporal (aura),

PNL (programação neurolinguística), mesa radiônica, constelação familiar, apometria, radiestesia, balanceamento muscular, cura prânica, ritos tibetanos, yoga, meditação, tai chi chuan, cristais, shiatsu, reflexologia - e outras formas de aprofundamento na mente e na alma do cliente.

Veja que existem terapias para todos os tipos de crenças e personalidades e não há necessidade de acreditar que terapia não funciona com você. Procure a abordagem que mais lhe agradar e, mesmo assim, procure um terapeuta com quem você tenha empatia para não viver reclamando da conduta dele. Sempre existirá alguém com quem você simpatizará para confiar sua terapia. Continue tentando até encontrá-lo, pois na hora certa ele aparecerá.

É preciso lembrar que nas faculdades de Psicologia você sempre encontrará terapia gratuita de atendimento ao público com qualidade, caso esteja sem condições financeiras para se tratar, e em vários espaços holísticos você encontrará também atendimentos especiais para quem não pode pagar.

Elimine o orgulho, os argumentos negativos e pessimistas, as desculpas e os medos e siga atrás do seu verdadeiro Eu. Caso você já tenha tentado sair da depressão sozinho, e escolheu o caminho das drogas, do álcool, das festas constantes, da música sempre alta para não "ouvir" a voz da angústia, saiba que a depressão poderá aumentar sem que você perceba e destruir a sua vida repentinamente. Enfrente uma terapia nem que seja para saber como é e se dê a chance de sentir alegria e tranquilidade sem precisar de subterfúgios. Respeite-se e se conheça melhor.

No final desta obra o leitor encontrará indicações de terapias, terapeutas, clínicas, espaços holísticos e livros para enriquecer seu conhecimento e conseguir sua liberdade interna.

Sexto passo

Agora você precisa saber que a depressão o impediu de ver

a sua verdadeira identidade e cobriu seus olhos com o véu da raiva. A pessoa dominada por ela distorce a realidade e não vê a beleza do mundo, das pessoas, dos animais, das flores, da natureza e dos conselhos dos verdadeiros amigos. O mundo da depressão é feito de desconfiança, medo, insegurança e julgamentos errôneos em relação aos acontecimentos do dia a dia.

Quando o cérebro está livre dessa química tóxica, todos os acontecimentos, por piores que sejam, são apenas fatos a serem compreendidos e resolvidos, enquanto que o cérebro, contaminado por essa doença chamada depressão, perde a capacidade de enfrentar problemas ou de encontrar respostas para suas dores e facilmente cai em desânimo.

Para acelerar o processo da desintoxicação do seu sangue e do seu cérebro você deverá utilizar o antídoto principal: olhar para os objetos, pessoas e animais e tentar ver o que eles têm de bom e de bonito. Cada vez que você treinar enxergar o belo em tudo, mesmo que tenha dificuldade no começo, seu coração acionará a energia do amor que curará sua cabeça, seu corpo e seu destino.

O coração foi estudado por neurologistas que descobriram, há muitos anos, que ele possui neurônios idênticos aos do cérebro e que ele também pensa e raciocina. Os poetas e os intuitivos, quando dizem que os seus corações "lhes disseram" para fazer algo, não foi uma metáfora, foi realmente um conselho vindo dos neurônios do coração para o cérebro, tornando-se um pensamento. Desculpe ter estragado o romantismo, mas é provado que o coração pensa e discute com seu dono e com o cérebro. A isso chamamos de conflitos internos das pessoas.

Faça com que seu coração se abra novamente para o amor incondicional e para o perdão e comece a pensar num plano novo de vida, longe do seu passado.

Neste momento em que você está lendo este livro, existem muitas situações acontecendo ao seu redor e existem muitos objetos próximos a você. Pare um minuto de ler e olhe para algo, exercitando a visão positiva. Tente ver alguma coisa interessante num quadro, numa parede, numa mesa, num bibelô e vá estendendo os pensamentos bons, querendo ver e sentir coisas boas em relação a tudo que está perto de você, até conseguir agradecer e elogiar pessoas e principalmente a você mesmo. Goste-se profundamente e se perdoe por ter-se permitido entrar em depressão.

Ninguém pode derrubar você se seus pensamentos estiverem fortalecidos de gratidão e de otimismo verdadeiro. Fale com seu coração e lhe peça desculpas, fazendo com que ele volte a emanar a grande energia da simpatia, da bondade, da vontade de viver, da caridade espontânea e da força criativa da sua criança interna. Evoque seu coração e seu cérebro para uma reunião e seja o líder dessa conversa, para fazê-los lutar a seu favor contra as toxinas do sangue que engana os sentimentos. Pratique a quietude e o silêncio das palavras até conseguir a quietude dos pensamentos, e então se entregue à paz e à alegria gostosa do seu coração. Sorria e deixe seu semblante leve e olhe para o alto literalmente, relaxando seu cérebro.

Esses treinamentos simples de olhar tudo com bons olhos e de olhar alguns segundos para o teto fazem o organismo reagir positivamente e trazer de volta sua liberdade e coragem para ser você mesmo sem medo. São exercícios da PNL (programação neurolinguística), que acionam o sistema nervoso central e promovem a produção de hormônios importantes para as sensações da felicidade e da vontade de agir.

Tente sempre enxergar o lado bom de tudo para que, aos poucos, o véu caia dos seus olhos e do seu coração e você sinta o grande amor pela vida outra vez!

Sétimo passo
Neste sétimo passo, quero reafirmar que qualquer grau de

depressão tem cura e que não existe nada crônico a não ser o sentimento secreto de autodestruição que impede a cura de determinadas doenças. Os planos inconscientes programados para a vingança ou para a autopunição começam na gestação e muitas vezes se iniciam, sem que a pessoa tenha consciência disso, quando seus pais são infelizes juntos ou separados. É como se os filhos se sentissem responsáveis pela união deles e pela separação também, provocando culpa por ter fracassado como filho. Os pais acreditam que o fracasso só existe por parte dos educadores ou dos responsáveis pela criação, no entanto os filhos desde pequenos também carregam em seus instintos a necessidade de unir seus pais através de chantagens, chamegos, doenças e ciúme das amizades do sexo oposto dos seus pais. Até somem de casa ou se tornam rebeldes, drogados e "cronicamente" deprimidos para conseguir a presença do pai e da mãe em sua vida. Quando um dos pais desaparece, seja pela morte ou pelo divórcio, a criança acredita que ela não é amada por quem foi embora e seu inconsciente a faz pensar que ela foi culpada, de alguma forma, pela morte ou pela fuga do pai ou da mãe.

Existem diversas situações que desenvolvem a depressão mesmo na vida adulta, mas sabemos que para essa doença ser desencadeada é necessário já existir a semente da "culpa" inconsciente: "culpa" que não está na consciência, por isso muitas pessoas resistem em acreditar que a depressão deriva da culpa e da raiva por se sentir impotente.

Querido leitor e amigo, esclareci o mínimo para que você possa iniciar o sétimo passo sem "culpa" e se dando o direito de ser feliz, pois não existe a "culpa" e nem somos "pecadores" como certas religiões afirmam nas escrituras sagradas manipuladas. Somos antes, filhos de Deus e estamos sobre a terra exatamente para aprendermos a ser pessoas melhores através dos nossos "erros" e não dos "pecados", compreender que podemos fazer diferente e recomeçar nossas vidas soltando a dos outros, principalmente a vida dos nossos pais.

Devemos sim "honrar pai e mãe" e sermos sempre gratos a eles, mesmo que não tenham feito o que esperávamos deles, pois Deus sabe o que faz.

Agora, prepare-se para mudar sua aparência para melhor e saiba que a maioria das pessoas que deseja sair das tristezas e depressões, procura academias de ginástica, salão de beleza, barbeiro, limpeza de pele, esportes, viagens e tudo que a faça se sentir melhor e mais forte. Então comece pelo seu cabelo e pelas suas unhas. Olhe-se no espelho e dê uma nota de 0 a 10. Nem quer se olhar, não é? Pois inicie com toda a coragem que puder, arrumando seus cabelos ou os cortando. Se seu problema é dinheiro também, procure a prefeitura de sua cidade e pergunte sobre os atendimentos gratuitos que toda boa prefeitura oferece. Ou peça a uma amiga ou amigo para cortar seus cabelos ou troque algum favor de forma divertida. Você precisa se achar mais bonita ou bonito, pois devemos nos sentir sempre jovens e apresentáveis em qualquer idade. Com isso você também sentirá vontade de mudar suas roupas, comprando novas ou reformando as antigas. Dê esse passo agora, olhando em seu guarda roupas e até se desfazendo de tudo que não tem mais serventia ou que o faz lembrar coisas desagradáveis do passado. Vamos! Não tenha medo nem preguiça de começar, nem que sejam uns dez minutos de observação em seus armários, em seu corpo, em seus cabelos ou suas unhas. Se você for calvo, aprecie os filmes dos galãs calvos e veja como você pode mudar a sua postura e ser cada vez mais charmoso com sua careca. Goste de você e reforme-se de forma criativa e de bom humor.

Se você seguiu os seis primeiros passos disciplinadamente, tenho certeza de que você já está começando a se reformar e querer mudar sua própria vida e não mais a vida dos outros. Mas se você apenas leu os passos e ainda não iniciou o tratamento que propus, então nada poderá mudar dentro de você. Procure sentir se suas resistências ainda derivam de algum sentimento de vingança ou de autopunição devido às "culpas" conscientes ou inconscientes que não o deixam sentir prazer nas alegrias. Se dê uma chance! Pare de lamuriar ou de pensar! Arregace as mangas e acredite que o seu primeiro passo já será suficiente para as energias começarem a mudar e os obstáculos visíveis e invisíveis saírem do seu caminho. Lute como um soldado que protege sua pátria e sua família e saia dessa depressão imediatamente! A vida se encarregará de protegê-lo e trará o amor, a paz, a vontade de viver e de construir um mundo novo.

Que o Deus do seu coração lhe dê forças e fé. Arrume-se e vá passear nos lugares de pessoas alegres e saudáveis de alma. Você merece! BOA SORTE!

Síndrome do Pânico

Querido leitor, para que você possa compreender e solucionar a síndrome do pânico no seu coração será necessário ler este resumo sobre a mitologia do deus Pan, pois ela nos mostra a origem das tormentas na mente humana de forma simbólica a fim de que possamos entender a raiz dos medos, das crenças e dos sofrimentos.

No final desta explanação farei as associações da síndrome ao mito e você poderá descobrir em si mesmo as pontes que o levarão de volta à sua paz interior, à sua coragem e alegria de viver.

A palavra "pânico" derivou de Pan, devido ao terror que provocava nas pessoas assustando-as. Pan (Lupércio ou Lupercus) era o deus dos bosques, dos campos, dos rebanhos e dos pastores na mitologia grega. Residia em grutas e vagava pelos vales e pelas montanhas, caçando ou dançando com as ninfas. Era representado com orelhas, chifres e pernas de bode. Amante da música trazia sempre consigo uma flauta. Era temido por todos aqueles que necessitavam atravessar as florestas à noite, pois as trevas e a solidão da travessia faziam com que suas mentes criassem pavores súbitos, desprovidos de qualquer causa aparente e que eram atribuídos a Pan.

Os latinos chamam-no também de Fauno e Silvano.

Tornou-se símbolo do mundo por ser associado à natureza e simbolizar o universo. Em Roma, chamado de Lupércio, era o deus dos pastores e seu festival era celebrado no aniversário da fundação de seu templo, denominado Lupercália, nos dias 15, 16 e 17 de fevereiro. Pan foi associado com a caverna onde Rômulo e Remo foram amamentados por uma loba. Os sacerdotes que o cultuavam vestiam-se de pele de bode.

Nos últimos dias de Roma, os lobos ferozes vagavam próximos às casas. Os romanos então convidavam Lupercus para manter os lobos afastados.

Pan se apaixonou por Syrinx, que rejeitou com desdém o seu amor, recusando-se a aceitá-lo como seu amante pelo fato de ele não ser nem homem, nem bode.

Pan então a perseguiu, mas Syrinx, ao chegar à margem do rio Ladon e vendo que já não tinha possibilidade de fuga, pediu às ninfas dos rios, as náiades, que mudassem a sua forma. Estas, ouvindo as suas preces, atendem ao seu pedido, transformando-a em bambu. Quando Pan a alcançou e a quis agarrar, não havia nada, exceto o bambu e o som que o ar produzia ao atravessá-lo.

Ao ouvir este som, Pan ficou encantado, e resolveu então juntar aquele bambu com outros bambus de diferentes tamanhos, inventando um instrumento musical ao qual chamou de Syrinx, em honra à ninfa. Este instrumento musical é conhecido mais pelo nome de flauta de Pan, em honra ao próprio deus.

Pan teria sido um dos filhos de Zeus com sua ama de leite, a cabra Amalteia. Seu grande amor, no entanto, foi Selene, a Lua. Em uma versão egípcia Pan estava com outros deuses nas margens do rio Nilo e surgiu Tifon, inimigo dos deuses. O medo transformou cada um dos deuses em animais e Pan, assustado, mergulhou no rio sobrando para fora apenas a cabeça e a parte superior do corpo, que se assemelhava a uma cabra; a parte submersa adotou uma aparência aquática. Zeus considerou Pan muito esperto e, como homenagem, transformou-o em uma constelação, Capricórnio. (Wikipédia)

No século passado a síndrome do pânico era tratada como uma ramificação da histeria e, com o tempo, psiquiatras, foram atribuindo os sintomas à esquizofrenia e à psicose. Os métodos de tratamentos eram sempre as mesmas drogas farmacológicas, choques, internações e as pessoas eram consideradas portadoras de distúrbios mentais. Algumas religiões consideravam esse estado de pânico ataque de demônios e de obsessores e os médicos convencionais consideravam fingimento ou teatro para chamar a atenção.

Somente a partir do ano 2.000 pesquisadores do comportamento humano perceberam que se tratava de uma reação sem motivo aparente e que não era esquizofrenia, mas sim provocada pela falta de algumas enzimas cerebrais necessárias para o equilíbrio do sistema nervoso central. Ainda hoje médicos, psicólogos, psiquiatras e religiosos continuam diagnosticando cada um dentro dos seus conhecimentos e crenças porque muitos não encontraram a cura definitiva e é considerada uma doença cíclica.

Quando me consultam a respeito do pânico explico que essa doença emocional está relacionada ao ventre da mamãe, ou seja, quando uma mãe grávida passa uma gestação difícil: brigas com o marido ou com a família ou sentiu-se traída por alguém, sofreu algum assalto, algum acidente, perdeu alguém que amava muito, sentiu-se impotente diante de uma situação dramática, teve medo de ser mãe ou pavor de imaginar a hora do parto, se arrependeu de engravidar, praticava esportes radicais durante a gravidez, dificuldade financeira, rejeitou o bebê por várias razões ou até teve um parto complicado e sofrido. Essas situações causam registros no inconsciente do feto como: impotência, sustos, medo de perder, abandono, sentimento de rejeição, desespero para sobreviver, solidão, culpa, desconexão da segurança e proteção da mãe e sentimentos desconhecidos das trevas e da escuridão que lhe causam paralisia devido ao grande medo.

A mitologia conta que deus Pan é quem assombrava na escuridão com imagens terríveis, provocando pânico nas pessoas que tinham necessidade de atravessar a floresta à noite.

Toda criança nascida de uma mãe que passou tormentas, tristezas profundas, sustos drásticos e outros problemas que a deixaram momentaneamente paralisada em suas emoções, tem no seu inconsciente a semente do pânico que será germinada no momento oportuno, causando-lhe as mesmas tormentas que sua mãe vivenciou na gestação. É necessário apenas um elemento desencadeador na vida adulta dessa criança para os sintomas da síndrome do pânico aparecer. O elemento desencadeador a que me refiro são situações parecidas com o que sua mãe passou ou quando se sentiu pressionada pela vida para assumir uma maturidade para a qual ainda não se achava pronta - atravessar a floresta da vida na escuridão. Atendi centenas de alunos e leitores com a síndrome do pânico e durante nossas conversas para minha investigação, mostrei que o pânico começa na barriguinha da mamãe e que para eliminar esse registro do inconsciente é necessária uma reprogramação mental através da hipnose ou pela PNL - programação neurolinguística.

Por exemplo, o caso de um homem de quarenta anos que engravidou uma moça e não estava pronto para assumir essa responsabilidade, pois era piloto de corrida de moto, aventureiro e nem pensava em casamento. Mas seu caráter era bom e sua índole o fez casar-se com essa moça. Porém, antes do casamento o pânico surgiu de uma maneira absurda, fazendo dele um dependente dos pais e dos amigos: não entrava em elevadores, não atravessava pontes e viadutos, não saía de casa sozinho e não conseguia trabalhar. Sua mãe o levou para o centro espírita que lhe proporcionou um pouco de paz, mas tinha que ser junto com sua mãe. Em minhas investigações descobri que sua mãe, grávida de sete meses, ao descer do ônibus ficou presa pela barra da calça na escadinha e o motorista não percebendo, fechou a porta e começou a andar com o ônibus. Ela caiu com a barriga no chão e foi arrastada por um pequeno espaço, pois logo os passageiros gritaram e o motorista parou. O susto foi enorme, apesar de não ter causado ferimento algum nela e no bebê, porém, o pânico da mãe se instalou no inconsciente desse menino. Ao ser avisado que seu pânico era resultado do grande medo que eles vivenciaram, resolveu aceitar os conselhos. Passou por psicólogos, Kinesiologia e psiquiatras e viveu à base de remédios como o Rivotril e outros. Fez algumas sessões de PNL que eliminaram grande parte do seu pânico e dos limites que essa doença emocional produz. Hoje sua filha já está com quinze anos e sua vida flui livre do pânico.

Toda mãe deve saber que, ao passar por um grande susto ou sofrimento na gestação, deve em seguida conversar com o bebê na barriga e explicar com muitos detalhes o que aconteceu e procurar fazer terapia para eliminar o pânico dos dois, pois se ignorar o fato de que toda emoção forte, quando não elaborada, é lançada para o profundo do inconsciente dos dois, para um dia voltar à tona repentinamente tanto na vida da mãe, quanto na vida adulta do bebê, o pânico se tornará crônico, arrastando a família inteira para o sofrimento.

Nós, adultos, ao vivenciarmos uma emoção ruim, conversamos com algum amigo, desabafamos com alguém e logo voltamos ao equilíbrio, mas um feto não tem como compreender o que está acontecendo "lá fora" e nem tem com quem conversar para entender a agitação sanguínea da mãe e o mal-estar que ele sente junto com ela. Imagine o tamanho do sofrimento que o bebê vive sem poder raciocinar para eliminar isso de si, pois não sabe o que está acontecendo devido à solidão e à escuridão no ventre.

Existem terapias específicas desenvolvidas pela psicanálise

que tratam o bebê ainda na barriga da mamãe, pois se sabe que ele responde positivamente quando conversamos e lhe explicamos os acontecimentos. Revelam-se bebês sorridentes ao nascer e na vida adulta reagem com equilíbrio emocional diante das perturbações da vida, pois não possuem mais a semente do pânico. Uma das escolas de psicanálise que trabalha com fetos é a Escola de Psicanálise IBCP (Instituto Brasileiro de Ciências e Psicanálise).

Site: www.ibcppsicanalise.com.br

Outro caso de um rapaz que desde criança era sonâmbulo e tinha tendência a colocar fogo em tudo que via. Seus pais não podiam gritar numa briga, que logo ele entrava em pânico e quebrava tudo na casa. Praticamente vivia como um eremita e teve poucas namoradas. Nunca gostou de viver em turmas de amigos e sempre que saía de casa voltava cedo, sem que alguém o visse. Dirigia em alta velocidade seu automóvel, mesmo quando estava passeando. Ele tinha todos os sintomas da síndrome, incluindo o apego à mãe e a rigidez contra ela. Sempre trabalhou em empregos que lhe davam flexibilidade de horário, pois quando trabalhava em algum emprego e sofria pressões do patrão, surtava com raiva desproporcional e fugia.

Ao engravidar uma moça, começou a ter pensamentos trágicos e se trancava em casa, chorando e dizendo que a vida dele estava no fim. Seus pais investiram tudo que possuíam de recursos em tratamentos que não funcionavam e quando foi atendido por um terapeuta de PNL, ele começou a se sentir mais forte, porém se autossabotou e parou com as sessões, alegando que não estava sentindo nenhuma mudança. Casou-se com a garota que também tinha síndrome do pânico devido à morte súbita do seu irmão em seus braços. Durante dois anos esse casal se digladiou e, durante as brigas, nasceu a segunda criança, que com certeza terá que fazer terapia na vida adulta também. Devido à desarmonia desse casal, não prosperavam e eram dependentes dos pais dele.

Ele passou a tomar determinado remédio que o viciou. Sua esposa começou a se tratar com vitaminas, suprimentos e orações e se sente mais forte e equilibrada. O rapaz iniciou, conscientemente, uma desintoxicação para se livrar do remédio e voltou para as sessões de reprogramação mental, por ter sido orientado que seus problemas estavam apenas no programa que foi instalado no seu inconsciente devido ao sofrimento de sua mãe em seu nascimento. Ele passou da hora de nascer e a mãe entrou em pânico, gritando desesperadamente para tirarem ele dela. Nesse momento o bebê sentiu-se rejeitado e abandonado com a sensação de ser um monstro matando a própria mãe. Durante toda a sua vida ele teve pesadelos nos quais seus pais morriam principalmente sua mãe, e isso o fez permanecer, por um tempo, morando alguns dias na casa dela. Freud explica que sonhos nos quais pessoas morrem indicam o desejo inconsciente de que essas pessoas morram por a terem feito sofrer. Esse sentimento inconsciente de culpa perturba sua paz e o faz cuidar exageradamente dos seus pais. Mas com a consciência que ele se permitiu, compreendeu que nada acontece por acaso e aceitou se tratar com hipnose, regressão e reprogramação. Tenho visto seu progresso passo a passo e realmente é gratificante e maravilhoso ver a felicidade voltando para o coração daquela família.

Centenas desses casos chegam às minhas mãos e posso garantir que a síndrome do pânico tem cura definitiva para aqueles que compreendem que essa doença vem do ventre e para o ventre deve voltar. As terapias eficientes são as que sabem das consequências da gestação sofrida e promovem o perdão em relação aos pais e principalmente à mãe.

Entender que a mãe nunca teve culpa, mas que foi vítima do seu próprio carma, favorece aos filhos o caminho para a cura, pois passam a entender que também os filhos têm seu carma devido à lei da evolução. Libertar a mente inconsciente dos registros negativos do passado liberta a vida. Reconectar com Deus ou com a Força do Amor é o grande segredo para eliminar qualquer medo e insegurança, pois como está escrito na Bíblia: "O amor afasta todo medo".

Procure a ajuda da PNL e da hipnose e em seguida comece a praticar a meditação simples da quietude e seja constante nessa prática para que seu cérebro permaneça iluminado e calmo. A meditação tem a capacidade de eliminar todos os resquícios de mágoas, culpas, vinganças, tristezas, medos, complexos de inferioridade, sensação de solidão, de rejeição, repõe os hormônios do cérebro e fortalece a conduta diante de qualquer aborrecimento.

Essa prática milenar deve ser feita todos os dias em qualquer horário, com exceção da madrugada, quando há pouca energia prânica para alimentá-lo. No mínimo cinco minutos e sempre imaginando uma grande cascata de luz branca reluzente banhando você.

No meu livro: *A Cura Pela Meditação*, você encontrará um audio ensinando, passo a passo, a meditação do *banho de luz*. Não é necessário conhecimento algum sobre meditação, basta querer ouvir o audio e seguir as instruções (este audio já está disponível em nosso site www.linguagemdocorpo.com.br. Porém, ele foi produzido como complemento das aulas deste livro que ensina tudo sobre meditação e produz mais eficácia para escutar o audio).

Acabe com todos os medos do seu coração e entenda que a mente é capaz de destruir uma pessoa como também de curar e de reprogramá-la para uma vida feliz e próspera. Sua mãe sofreu e lhe transmitiu esse sofrimento, mas isso não significa que você tenha que viver com os medos dela no seu cérebro. Lembre-se que quando o pânico aparece é porque seu cérebro está fazendo alguma associação inconsciente com algo semelhante que sua mãe viveu, sem que você tenha lembrança consciente disso, pois estava no ventre dela. Quando aparecer o pânico lembre-se que é devido à solidão que sente na escuridão do seu coração, assim como aquelas pessoas que sentiam pânico ao atravessar a floresta na escuridão e achavam que era o deus Pan.

Tenha consciência e firmeza na fé e afaste os maus pensamentos quando eles tentarem se apossar de você, pois eles nada mais são que reflexo dos medos da sua mãe no seu inconsciente. Observe o seu relacionamento com ela, mesmo que sua mãe não esteja mais neste plano. Veja como você se sente em relação ao comportamento dela. Ela o irrita? Ou talvez você se sente responsável por ela ao ponto de não conseguir viver mais a sua própria vida? A síndrome do pânico é uma forma de voltar para o útero onde tudo aconteceu e os sintomas mostram isso: a pessoa encolhe o corpo e sente que é impotente e dependente devido ao medo que a paralisa. A expressão corporal e facial durante o surto do pânico revela que o adulto regride ao momento do pânico da mãe e cria pensamentos de tragédias, de sua própria morte e até da morte de quem ama devido à sensação de terror causada na época da gestação. Com isso sente perturbações desproporcionais ao problema que está vivendo no seu dia a dia. É uma realidade da psicologia, da psiquiatria e até da espiritualidade, pois todos os que sofrem dessa síndrome têm um alto grau de mediunidade e não conseguem discernir o que é real do que não é. Tudo que uma pessoa assim pensa parece realmente verdade e mesmo que as pessoas digam que não está acontecendo o que ela pensou, ainda assim a pessoa continua acreditando no pior. Somente quando toma algum regulador do sistema nervoso é que consegue ver que era apenas uma forte ilusão produzida pelo medo.

Preste atenção na sua respiração e se concentre nela mantendo-a profunda e serena. Busque sua paz todos os dias e não deixe acumular situações mal resolvidas para não sobrecarregar seu sistema nervoso. Faça caminhadas curtas num parque sob o sol e receba da natureza a força que lhe pertence. Quanto mais você se afasta da natureza mais você se torna frágil e vulnerável à síndrome, pois somos filhos da natureza e precisamos dela para nos abastecer. Tome banhos de cachoeira e de mar com mais frequência e faça caridade sem querer nada em troca, nem mesmo agradecimento. Volte a ser feliz e busque o seu autoconhecimento para viver o que realmente você é e não o que o mundo lhe impôs.

A formação da nossa personalidade já está escrita nas estrelas, mas a lapidação dela começa no ventre da mamãe. Por isso, quando sofremos na gestação deixamos de viver nossa verdadeira personalidade para viver a de nossa mãe nos apegando a ela. Essa despersonalização (nem homem nem bode da mitologia), nos causa pânico devido ao vazio que sentimos quando não encontramos o nosso eu. Volte para você através de terapias e se for possível oriente a sua mãe para que ela procure terapia também, pois com certeza a vida dela não está fluindo feliz como deveria por causa do que ela viveu na época em que mais precisou de apoio e se sentiu abandonada. Mesmo que ela diga que está tudo bem, leve-a para algum lugar que a auxilie a soltar do inconsciente o sofrimento secreto. Isso fará bem a vocês dois e com certeza a alegria de viver, o otimismo e a esperança voltarão a fazer parte da sua casa.

Semelhante atrai semelhante por isso não culpe sua mãe ou qualquer outra pessoa pela vida que você está levando, pois Deus sabe o que faz. Tenho certeza que a síndrome do pânico que você viveu até hoje o impediu também de cometer muitos erros na vida. Será que ele não foi um instrumento do seu inconsciente para segurá-lo numa época que, talvez, você teria feito besteiras se fosse livre?

Aceite que você é uma pessoa especial e que o Universo fez você nascer pela mãe certa, exatamente para evoluir. Revolta não combina com você. Lembre-se das vezes em que pessoas sofridas o procuraram para você ajudá-las. Saiba que você é especial e precisa saber quem é em sua missão. Procure um astrólogo de sua confiança e peça-lhe para lhe falar sobre sua missão espiritual no seu mapa natal. No seu mapa você conhecerá a sua verdadeira *missão espiritual* na Terra e sentirá que seu *eu* estava apenas "escondido" em você.

Querido leitor, mostrei alguns fatores que causam a síndrome e as formas como eliminá-la, ainda que muitos médicos não acreditem na solução. Saiba que com a hipnose realizada por profissionais formados e com, pelo menos dez sessões de PNL, você já se sentirá melhor e com o coração aberto para amar e assumir todas as suas responsabilidades, pois a sua fé fortalecerá a sua alma. Em seguida pratique a meditação e construa novas metas para se dedicar. Sorria mais e acredite na prosperidade em todos os sentidos. Brinque mais e deixe *sua criança* interna curar você. Boa sorte e que Deus lhe dê tranquilidade e muita alegria!

Exercício de Relaxamento

Material

Lâmpada verde - tranquilizadora, mantém o equilíbrio orgânico e psicológico. Uma música suave (Orquestrada suave ou clássica de "Mozart" ou New Age). Incenso perfumado (suave) para purificar o ambiente (caso você não goste, mantenha flores perfumadas no ambiente ou faça o exercício ao ar livre, onde nada possa interrompê-lo).

Método

Tire os sapatos e vista uma roupa confortável. Não coma antes do exercício a não ser que sejam frutas, verduras ou legumes, uma hora antes. Não coma carne vermelha. Não tome café e nem fume antes desse trabalho e permaneça, pelo menos 30 minutos depois, na mesma dieta anterior. Seu trabalho de interiorização deve ser respeitado. Acenda a lâmpada verde e deixe o ambiente desprovido de luz; tome três goles de água, para simbolizar a purificação do espírito; coloque a música num volume agradável para o relaxamento e deite-se sem pressa, em decúbito dorsal (barriga para cima); mantenha as pernas ligeiramente afastadas e os braços ao longo do corpo, com as palmas das mãos voltadas para cima. Feche os olhos e respire profundamente, soltando o ar lentamente pelas narinas. Cada vez que expirar, solte partes do corpo, em perfeita harmonia.

Comece "soltando" a cabeça, a testa, as pálpebras, relaxe entre as sobrancelhas, solte o maxilar, o pescoço, os ombros, braços, mãos, dedos, as costas, o abdome, os quadris, os glúteos (nádegas), coxas, pernas, pés e, finalmente, solte todos os pensamentos. Sinta cada parte de seu corpo e perceba se há alguma tensão. Solte as tensões por pequenas que sejam.

Volte seu pensamento para o rosto e relaxe toda musculatura da face, sentindo seu rosto tranquilo e sereno.

Deixe apenas a energia vital trabalhando dentro de você, fluindo da cabeça aos pés, em forma de luz e em forma de paz.

Solte-se completamente e aproveite esse momento que é só seu... e de mais ninguém!

Solte seus pensamentos, solte seu coração e sinta a felicidade tocando sua alma.

Relaxe profundamente e não se preocupe caso haja algum barulho por perto. Saiba relaxar sem resistência, soltando-se e ouvindo cada som, naturalmente, como parte de você.

Sinta-se agradavelmente descansado e em sossego profundo.

Fique o tempo que for necessário para conseguir esse benefício. Se não consegui-lo no primeiro dia, não se preocupe, é sinal que você está, realmente, precisando relaxar.

Tente outros dias e com o tempo você sentirá que seu ânimo estará cada vez mais renovado e seu espírito cada vez mais elevado.

Tudo na vida necessita de treinamento, portanto transpor as dificuldades também depende de nosso esforço. Siga sua intuição e pense sempre positivo, pois nós somos responsáveis por todo tipo de energia que atraímos.

Quando conseguir relaxar, use o pensamento e "mentalize" as partes do corpo que estiverem doentes.

Livre-se desse transtorno, imaginando uma luz branca e forte sobre seu corpo e sua alma. Com certeza, mesmo que não acredite, o poder curador vital o estará curando suavemente.

Quando você sentir que deve encerrar o relaxamento mexa suavemente os dedos dos pés e das mãos e em seguida abra os olhos e permaneça deitado dando uma boa espreguiçada para depois suavemente se levantar.

Caso seu relaxamento for feito na hora de dormir descanse e se permita dormir até o dia seguinte em paz.

Exercício respiratório

Deite-se ou sente-se confortavelmente.

Se você preferir deitar-se, repita a sequência de relaxamento acima citado.

Se você preferir sentar-se, faça-o com as costas recostadas no encosto da cadeira ou poltrona, mantenha os pés no chão com as pernas ligeiramente afastadas e relaxadas, coloque as mãos sobre as coxas com as palmas voltadas para baixo, feche os olhos e comece a relaxar os pés, as pernas, as coxas, o tronco, os braços, as mãos, o pescoço, a cabeça e solte os músculos do rosto, relaxe!

Agora respire profundamente três vezes, somente pelas narinas, suavemente mantendo os ombros relaxados (não use os ombros para respirar).

Após três respirações profundas inicie o trabalho de limpeza pulmonar e oxigenação geral do corpo inspirando e retendo o ar nos pulmões. Em seguida, sem soltar o ar, transfira-o para o baixo ventre, estufando a barriga, conte mentalmente até três, eleve-o para cima novamente, soltando-o lentamente pela boca.

Certifique-se se seu rosto está relaxado durante esse trabalho.

Repita esse exercício respiratório três vezes seguidas, respirando normalmente nos breves intervalos entre cada respiração.

Este exercício o aliviará das tensões emocionais, purificará seus pulmões, eliminará gás carbônico acumulado nas partes inferiores dos pulmões e fará com que as células se renovem com mais vigor.

Assim, o cérebro terá maior irrigação sanguínea, proporcionando bem estar, dinamismo, saúde e consequentemente o rejuvenescimento.

Este exercício poderá ser feito uma ou duas vezes ao dia. Aproveite cada minuto de sua vida, para produzir e também relaxar.

Cristina Cairo

"Tudo que decidires fazer, realiza-o imediatamente. Não deixes para tarde o que puderes realizar pela manhã."

A Vós Confio
AMORC

A busca da perfeição exige esforço constante. Jamais desanime e saiba que, por pequeno que seja o resultado obtido de seu trabalho, você já estará evoluindo.

Aproveite a natureza para relaxar

Ande descalço sobre a terra procurando descarregar suas tensões diárias, pois somos mesmo uma antena captadora de energias e é pelos nossos pés que são eliminadas as energias negativas no plano terra.

Respire sempre profunda e lentamente, para dar tempo ao organismo de realizar perfeitamente as trocas gasosas através das células.

Procure manter seu rosto livre das tensões e passe a observá-lo melhor. Quando você der de cara com aquele sol maravilhoso da manhã, abra os braços como se fosse abraçá-lo e receba dele toda energia necessária para sua vida.

Exercite seu pescoço, olhando por um bom tempo, as nuvens que passam no céu; isso o ajudará a sair da depressão e deixará seu pescoço "esticadinho".

Ouça os pássaros cantando, pois eles possuem harmonia no som que emitem e nosso organismo recebe essa vibração como sinal de saúde e paz.

Nosso corpo é regido por vibrações, por isso, necessitamos de boas frequências musicais e sonoras, para manter o ritmo sanguíneo equilibrado.

Os exercícios de relaxamento são desenvolvidos a partir de observações da natureza e dos animais, portanto cabe a você estar livre de preconceitos para copiar e fundir-se com a sabedoria do ar, da terra, da água e do fogo.

Mantenha a paz em seu coração, em todos os momentos de sua vida e seja prudente através da intuição que essa paz proporcionará a você, pois só assim você conseguirá alcançar a verdadeira e eterna felicidade.

Sorria, Sempre!

Profissionais e Livros que podem auxiliá-lo em sua saúde

Profissionais

Dr. José Álvaro da Fonseca
Médico psicossomático, psiquiatra, psicólogo, doutor em psicologia da saúde e homeopata.
Site: http//psicossomática.med.br
Rua Coronal Lisboa, 526, V Clementino, São Paulo, SP,
Tel.: (11) 5084-6250

Leandro Heck Gemeo
Doutor em Medicina Chinesa pela WFAS e PhD em BioMetafísica Facial pela Erich Fromm World University. Atua com tratamentos relacionados a regeneração celular, vidas passadas, mudanças de padrão de Consciência através da BioConexao, BioMetafísica Facial, Linguagem do Corpo e Fitoterapia.
Autor do Livro Biometafísica Facial
Instituto de BioConexao e BioMetafísica Semente da Vida
Rua IL Sogno di Anarello 83 - SP
Site: www.bioconexao.com.br
Whats: (11) 99600-8884

Suely Maejima de Moura Magalhães
Terapeuta e professora Pratictioner e Master de PNL (Programação Neurolinguística), instrutora de ginastica cerebral e neorobica, consultoria pessoal, educacional e empresarial.
Ministra palestras, cursos, seminários e workshops.
Terapeuta dos Hospitais : Day hospital, Hospital e Maternidade São Miguel.
Tel.: (11) 99995-7288

E-mail: suelymmmalhaes@hotmail.com
Site: www.mapspnl.com.br

Sueli Gallego Garcia
Numeróloga com Linguagem do Corpo
Tel.: (11) 98567-8835 / (11) 2675-1131
E-mail: sueli.gallego@yahoo.com.br

Fábio M. Pellozzo
Especialista em fisiognomonia, ferramenta para o autoconhecimento e crescimento.
Tel.: (11) 98272-5668
E-mail: fabio@pellozzo.com.br
Site: www.leituraderosto.com.br

Welingthom Pinheiro
Viagens Terapêuticas e Professor de Geometria Sagrada.
Tel.: (11) 99893-2898 / Savage Turismo - (11) 3331-3345
E-mail: atendimento@savage.tur.br

Paulo Eduardo Moretti
Especialista em Florais de Bach, Radiestesista, Mestre em Reiki.
Atendimentos e cursos.
Tel.: (11) 98025-0882
Jundiaí/SP

George Jorge
Escola Santista de Astrologia
Astrólogo Ministra cursos, palestras e atendimentos.
Rua Goitacazes, 8 altos, Gonzaga – Santos/SP
Tel.: (13) 3284-9714
E-mail esa@escolasantistadeastrologia.com.br
Site: www.escolasantistadeastrologia.com.br

Glaucia Adam
Professora e Terapeuta Quântica
Cura Quântica e Recodificação Celular (Astronomia Médica)
Sintonizações de recalibragem do DNA (Retorno à fonte)
Tel.: (11) 99631-4182
Site: www.sarahadam.org
E-mail: sarahadam@outlook.com.br

Priscilla Colloty da Silva
Atendimentos e Cursos
Auriculoterapeuta, Bioconexão, Reiki - Radiestesia e
Expansão da Consciência com Linguagem do Corpo.
Tel.: (11) 94116-9331
E-mail: priscicoll@gmail.com

Maria Figueiredo Cairo
Master em Reiki Usui Japones / Master em Reiki Usui
Tibetano / Master em Reiki Usui Egipcio
Master em Reiki Usui Xamânico
Massagem Terapêutica, Quicki Massage, Reflexologia Podal,
Drenagen Linfatica, Shiatsu;
Acupuntura e Auriculoterapia com Linguagem do Corpo.
Tel.: (11) 99154-9446

Ricardo Tadeu Cairo
Master em Reiki Usui Tibetano, Master em Reiki Usui
Xamanico, Ritos Tibetanos
Tel.: (11) 99604-0446

Astrólogos com Linguagem do Corpo

Michael da Hora
Astrólogo e Psicanalista Integrativo
Astrologia, cursos, consultoria e atendimentos
Tel.: +55 (11) 9-7182-7177

Marcia Ribeiro
Astrologia cursos, consultoria e atendimento
Tel.: (11) 9-5953-3684
Email: marciaribeiro.ast@gmail.com
Skype: marciaribeiroast

Renato Fornaro
Astrólogo, Mapa Natal, Revolução Solar, Previsões
Contato: +55 11 98484-9586 (whatsapp)
Email: renatoastrologia@gmail.com

Lilian Marins
Astrologia Orion & Terapias Complementares
Atendimentos: Rua Helena, 170 CJ 94 - Vila Olimpia
Tel.: (11) 9-8151-7777

Paola Mingardo
Biologia, Astrologia, Programação Neuro-Linguística, Coach, Constelação Familiar com playmobil
Atendimentos na Avenida Paulista / Morumbi / Jundiaí
Tel.: (11) 9-9990-5147
Facebook: Paola Monica Mingardo

George Jorge
Escola Santista de Astrologia
Astrólogo Ministra cursos, palestras e atendimentos.
Rua Goitacazes, 8 altos, Gonzaga – Santos/SP
Tel.: (13) 3284-9714
E-mail: esa@escolasantistadeastrologia.com.br
www.escolasantistadeastrologia.com.br

Indicações em Portugal

Portal Cristalino
www.portal-cristalino.com
Paulo Raposo
Terapias:
Formação Holística
Diagnósticos
Banho de Som - Reiki Usui - Deagão Reiki - Shiatsu - Radiestesia - T.V.I. Quântica - Transpessoal - Regressão - Kinesiologia - MMS - Saúde Integral.
Tel.: 966 125 561
E-mail: pmpraposo@gmail.com

Espaço Yin Madeira
Tel.: 966 307 844 - 966 575 181
Susete Correia
Luisa Machado
Sara Vieira
Terapeuta Holístico

Olga Almandra
Naturopatia e Bem estar
Massagens Natur e Serviços Low Cost
Cabeleireiro e Estética
Travessa Cónego Maio - Loja 14 - São Bernardo - 3810 Aveiro
E-mail: olgalmandra@gmail.com
facebook.com/olgaalmandra.felix

Agua de Luz
Site: www.aguadeluz.pt
Rua Rodrigues Sampaio, 19a
Lisboa
Tel.: 351 939 397 348
Terapeuta Holístico

Susana Carvalho - Lisboa/Portugal
Reprogramação de crenças e emoções através de:
PSYCH-K® Avançado e PRO / Kinesiologia / Terapia Multidimensional
www.kererviver.com
www.facebook.com/kererviver
scterapias@gmail.com ' +351 967 098 961
Facilitadora de: PSYCH-K® Avançado e PRO / Kinesiologia / Terapia Multidimensional
Atendimento nos concelhos de Almada Lisboa, Seixal e Sesimbra

Ricardo Vieira
Terapeuta Fisico Vivencial
Especialista em:
tratamento da dor - liberação emocional - equilibrio energetico
www.tfv-holistica.com
Sesimbra - Portugal

Psicólogos e Psicanalistas Formados pela Escola Brasileira de Linguagem do Corpo Cristina Cairo

Élen Natis
Psicóloga, com Linguagem do Corpo
Tel.: (11) 98508-7888
E-mail: elementao2016@gmail.com

Monica V. Araujo Franco
Psicóloga com Linguagem do Corpo
Tel.: (11) 99736-3021
E-mail: monivida2@gmail.com

Junior Matos
Terapeuta em Linguagem do Corpo e de Rosto
Tel.: (11) 5575-5682
E-mail: edenilsomjunior@gmail.com

Rodrigo Marques
Psicólogo com Linguagem do Corpo
Tel.: (11) 96320-6306
E-mail: romarquessan@gmail.com

Simone Marcelino de Lima
Psicanalista com Linguagem do Corpo
Tel.: (11)3528-4543 / (11) 99983-9543
E-mail: simone@planvisual.com.br

Marta Santos
PNL – Programação Neurolinguística
Atendimentos, Cursos e Palestras
Tel.: (11) 98751-6467
E-mail: martasantos.terapeuta@gmail.com
Site: https://www.facebook.com/MedicinaAlternativa10/

Rosemary Quionha
PNL – Programação Neurolinguística, Constelação Familiar
Tel.: (11) 97407-1224
E-mail: rquionha@hotmail.com
Site: http://rquionha.wixsite.com/atitude/rosemary-quionha

Elenilde Tavares Velame
Psicóloga com Linguagem do Corpo
Tel.: (11) 99684-1087
E-mail: elenildevelame.psico@gmail.com
Site: www.kairosclinica.com.br

Eliane Telini
Psicóloga Com Linguagem Do Corpo
Tel.: (11) 99493-9206
E-mail: elitelini@hotmail.com

Pousadas para Retiros Espirituais

Pousada Soyndara (São Thomé das Letras – MG)
Um espaço acolhedor para quem quer relaxar, entrar em contato com a natureza e aproveitar uma alimentação saborosa e saudável, preparada com os produtos da horta orgânica. Também oferecem o espaço para grupos realizarem vivências, cursos e workshops.
Tel.: (35) 3237-1240/ (11) 97613-2101
E-mail: soyndara@uol.com.br
Site: www.soyndara.com.br

MÉDICOS METAFÍSICOS

Dr. José Álvaro da Fonseca
MÉDICO PSIQUIATRA, PSICÓLOGO, PSICANALISTA, MESTRE E DOUTOR EM HIPNÓSE. Presidente do Instituto Brasileiro de psicossomática e Ensino (@josealvarofonseca)
São Paulo

Dr. João Vicente Dorgam
OTORRINOLARINGOLOGISTA
Médico cirurgião com Linguagem do Corpo
Rua Loefgreen, 1291 – conj. 91 – 9º andar Vila Clementino – São Paulo/SP
Tel.: (11) 5084-9685 / (11) 2538-2708
E-mail: clinica.otoface@gmail.com

Dr. Rogério Aparecido dos Santos
DERMATOLOGISTA, pós-graduado

Dr. Antonio Pacileo
GINECOLOGISTA, ORTOMOLECULAR, NUTRÓLOGO E ESPECIALISTA EM EMAGRECIMENTO, presidente da Clínica Healthy em São Paulo. (@dr_antoniopacileo).
Instagram...doutor@healthy.com.br

Dra. Carla Roberta de Melo - CRO :107.288
CIRURGIÃ DENTISTA, Psicanalista Integrativa com Linguagem do Corpo.
Tel.: (11) 99894-9919 - (11) 96406-4492
E-mail: carlarobertademelo@gmail.com
Rua Humberto I, 83 - Vila Mariana
Instagram - carlarobertademelo

Dra. Silvana Aparecida Boni de Souza
DENTISTA () CROSP 49 455
e-mail: sbsouza2906@gmail.com
Tel.: 011-999 552068
Rua das Hortências 120, Saúde CEP: 04051-000 São Paulo-SP

Dra. Rebeca Becker
CLÍNICA GERAL E NEUROCIENTISTA
instragran @_rebecabequer
11 98644-6748

Clinica Pineal Mind
DR. Sérgio Felipe de Oliveira
Rua Paulo Orozimbo, 916 – Aclimação – São Paulo/SP
Tel.: (11) 3209-5531 / (11) 3209-5371
E-mail: falecompinealmind@uol.com.br

Site: www.uniespirito.com.br
Marta Andréa F S Almeida
11 98911 3465
Espaço Mithari.
Ginecologia e obstetrícia com Linguagem do Corpo e terapias integrativas
CRM SP 106984

Lívia Bianco
Enfermeira formada pela USP de Ribeirão Preto, com Residência em Terapia Intensiva Pediátrica e Neonatal pela PUC de Campinas.
Aperfeiçoamento em Metodologia Ativa pelo IEP- Hospital Sírio Libanês.
Mestranda em Gestão da Clínica e Práticas Integrativas em Saúde pela UFSCar.
Terapeuta em Biorressonancia, Bioconexão, Teoria Sistememica, Psicocinesia e Liguagem do Corpo. Atuou como consultora pelo Ministério da Saúde. Supervisora e Docente do curso de Medicina na Universidade Municipal de São Caetano do Sul - USCS Bela Vista.
Tel.: (11) 98120-6818
Instagram e YouTube: liviaabbianco

Alimentação Saudável
Recanto Vegetariano
Rua Flórida, 1442, Brooklin, São Paulo/SP
Tel.: (11) 5506-8944 / (11) 5507-2704
Site: www.recantovegetariano.com.br

Obras da Autora Cristina Cairo

Linguagem do Corpo (vol.1) – Aprenda a Ouvir seu Corpo
Para uma Vida Saudável, Revisado e Atualizado,
Cairo Editora, São Paulo, 2018 (1ª edição em 1999).

Linguagem do Corpo (vol. 2) – O Que Seu Corpo Revela,
Cairo Editora, São Paulo 2018 (1ª edição em 2001).

Linguagem do Corpo (vol. 3) – A Cura pelo Amor,
Cairo Editora, São Paulo, 2016 (1ª edição em 2012).

A Cura Pela Meditação
São Paulo 2014 (1ª edição em 2008).

Acabe com a Obesidade
Cairo Editora, São Paulo,2017 (1ª edição em 2009).

A Lei da Afinidade: como atrair o amor, a saude
e a prosperidade para sua vida
Cairo Editora, São Paulo, 2017 (1ª edição em 2007).

O Poder dos Gatos na Cura das Doenças
Cairo Editora, São Paulo 2015 (1ª edição em 2015).

Thoth hospital do futuro
Cairo Editora, São Paulo, 2023 (1ª edição em 2023).

DVD

DVD Linguagem do Corpo e Leis Universais,
São Paulo, 2008 (Palestra com duração de 1h05)
Contato: Cairo Editora – comercial@cairoeditora.com

Livros

PNL – Programação Neurolinguística
Sapos em Príncipes, Richard Bandler e John Grinder
Atravessando, Richard Bandler e John Grinder
Resignificando, Richard Bandler e John Grinder

Para doenças terminais
A vida em perigo, Louise I. Hay, Editora Best Seller
Você pode curar sua vida, Louise I. Hay, Editora Best Seller

Psicologia prática e eficaz
Se ligue em você, Luís Antônio Gasparetto
Faça dar certo, Luís Antônio Gasparetto Editora Espaço Vida e Consciência (do próprio autor)

Para conhecer seus poderes internos
O Poder do Subconsciente, Joseph Murphy
Energia Cósmica, Joseph Murphy
Editora Record

Para doutrinar sua vida
Da coleção a Verdade da vida: Vol. 7 – *Vida cotidiana* Vol. 1 – *Essência* (1), Vol. 2 – *Essência* (2) Autor: Masaharu Taniguchi

Adrião, Vitor Manuel. História secreta do Brasil (Flos Sanctorum Brasiliae)
Ed. Madras, São Paulo, 2004

Amen, Dr. Daniel G. Transforme seu cérebro transforme sua vida
Ed. Mercuryo, São Paulo, 1998.

Baker, Dr. Douglas. Anatomia Esotérica,

Ed. Mercuryo, São Paulo, 1995.

Benederi, Marcel. Todos os Animais são nossos irmãos,
Ed. Mundo Maior, São Paulo, 2005.

Bosco, José. Grafologia- A ciência da Escrita, Manual teórico e pratico com mais de 500 exemplos de escritas,
Ed. Madras, São Paulo, 2001.

Capra, Fritjof. O Tao da Fisica, Ed. Cultrix, São Paulo, 1983.

Chopra, Dr. Deepak. A Cura Quântica
Ed. Best Seller, São Paulo, 1989.

Cairo, Cristina. A Cura pela Meditação, São Paulo, 2008.

Cairo, Cristina. Acabe com a Obesidade, Cairo Editora,
São Paulo, 2017.

Cairo, Cristina. A Lei da Afinidade,
Cairo Editora, São Paulo, 2017.

Cairo, Cristina. DVD Linguagem do Corpo e Leis Universais,
São Paulo, 2008

Cairo, Cristina. Linguagem do Corpo (vol.1) - Aprenda a ouvir seu corpo para uma vida saudável,
Cairo Editora,São Paulo, 2018

Cairo, Cristina. Linguagem do Corpo (vol.2)- O que o seu corpo revela, Cairo Editora, São Paulo, 2018.

Cairo, Cristina. Linguagem do Corpo (vol.3) –A Cura pelo Amor, Cairo Editora, São Paulo,2016.

Cairo, Cristina. O Poder dos gatos na cura das doenças,
Cairo Editora, São Paulo, 2015.

Glas, Norbert. As mãos revelam o homem
Ed. Antroposófica, São Paulo,1966.

Hay, Louise L. Vida, Ed. Best Seller, São Paulo,1995.

Hay, Louise L. Você pode Curar a sua Vida,
Ed. Best Seller, São Paulo, 1999.

Hay, Louise L. Cure seu Corpo,
Ed. Best Seller, São Paulo, 1988.

Henrique, Isilda M. A (des) Proteção dos Animais
Ed. Comunicar, Santos, SP, 2006.

Khan, Hazrat Inayat. O Coração do Sufismo
Ed. Cultrix, São Paulo, 1999.

Krystal, Phyllis. Sai Baba – A experiência Suprema
Ed. Nova Era, Rio de Janeiro, 1995.

Kurts, Ron e Prestera, Hector. O corpo revela- Um Guia para leitura corporal, Sammus Editorial, São Paulo, 1976
Lin, Henry B. O que seu rosto revela (os segredos Chineses da leitura do rosto), Ed. Pensamento, São Paulo, 1998.

Martinez, Valquiria. Os mistérios do rosto-manual de fisiognomonia, Ed. Madras, São Paulo, 1997.

Mattos, Dr.Victor. Medicina Quantica.
Ed. Corpo e Mente, Curitiba, PA, 2001

Menezes, M.R. A Gruta Memorias da Amada Imortal

Barany Editora (ex-ProLíbera), São Paulo, 2008

Murakami, Kazuo, O Código divino da Vida
Barany Editora (ex-ProLíbera), São Paulo, 2008.

Ohashi, Wataru e Monte, Tom. Como Leer EL Cuerpo - manual de Diagnosis Oriental, Ed. Urano, Argentina, 1995.

Pacheco, Claudia Bernhardt de Souza. Historia Secreta do Brasil (Millennium e o Homen Universal), Ed. Proton, São Paulo, 2000.

Page, Christine R. Anatomia da Cura
Ed. Ground, São Paulo, 1992.

Pearsall.Dr, Paul. A Memoria da Celulas
Ed. Mercuryo, São Paulo. 1998.

Pert, PhD, Candace. Conexão mente corpo espirito - para o seu bem-estar – uma cientista ousada avaliza a medicina alternativa, Barany Editora(ex-ProLibera), São Paulo, 2012.
Scott, Cyril. P Jardim secreto de Jesus de Nazaré, Barany Editora, São Paulo, 2012.

Smith, Penolope. Linguagem Animal – Comunicação interespécies, Ed. Mercuryo, São Paulo, 1999.

Taniguchi, Mestre Masaharu. A Chave da Beleza e da saúde, Seicho-No-Ie do Brasil, 1974.

Taniguchi, Mestre Masaharu. A verdade e a Saúde (aplicação na vida Pratica) Seicho-No-Ie do Brasil, 1975.

Taniguchi, Mestre Masaharu. Namoro, Casamento, e Maternidade, Seicho-No-Ie do Brasil, 1974.

Yokoyama, Seiji. Sensibilidade – a linguagem da Alma
Grupo Editorial Scortecci, São Paulo, 2000.

Assista ao DVD Merkaba- Viagem Espiritual, sobre o poder da meditação pratica.

Editora: Estes livros podem ser encontrados na central e núcleos da Seicho-No-Ie (Estação Conceição, em São Paulo) em núcleos da Seicho-No-Ie de bairros ou em nossa loja virtual www.lojacristinacairo.com.br
Delicie-se com os livros desta filosofia.

Nota da autora:
Livre-arbítrio, segundo a Física Quântica, Sigmund Freud, Allan Kardec, Buda e Carl Jung é apenas ilusão da mente, pois temos apenas 5% de consciência e 95% de inconsciente nos conduzindo.

Para contratar a autora para cursos e palestras em sua cidade, entre em contato com a Escola Brasileira de Linguagem do corpo e Psicanalise Cristina Cairo: www.linguagemdocorpo.com.br

Impresso em São Paulo, SP, Brasil,
em Fevereiro de 2025,
com miolo em papel offset 75g,
nas oficinas da gráfica Assahi.
Composto em Swift, corpo 13 pt.

Cairo Editora – A Chave da Vida
Rua Pelotas, 98 – Vila Mariana
04012-000 – São Paulo/SP – Brasil
Tel.: 55 (11) 5083-8295
comercial@cairoeditora.com
www.cairoeditora.com